PESCIROSSI
NARRATIVA

SALVATORE LECCE
CATALDO CAZZATO

MARY CELESTE

PESCIROSSI

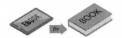

L'ebook è molto di +
Seguici su facebook, instagram

Iscriviti alla newsletter

© 2022 goWare, Firenze, prima edizione italiana

ISBN 978-88-3363-580-4

Redazione: Carmen Valente
Copertina: Elisa Baglioni
Foto degli autori: Riccardo Bruno

Per le immagini di p. 293 si ringrazia il Peabody Essex Museum, Salem, MA

goWare è un team fiorentino specializzato in nuova editoria
Fateci avere i vostri commenti a: info@goware-apps.it

Blogger e giornalisti possono richiedere una copia saggio a Alice Mazzoni:
alice@goware.pub

Il 4 dicembre del 1872 il brigantino *Mary Celeste* venne ritrovato alla deriva tra le isole Azzorre e le coste del Portogallo. Delle dieci persone che viaggiavano a bordo, svanite nel nulla, non si ebbe più alcuna notizia e ciò contribuì negli anni ad alimentare il mistero, ancora oggi irrisolto, di quella che è considerata la prima nave fantasma della storia. Quest'opera è ispirata a quella vicenda, ma rimane frutto dell'immaginazione degli autori. Quasi tutti i personaggi sono realmente esistiti e le loro azioni e opinioni, nei fatti rappresentati, sono riconducibili all'ambito finzionale, sebbene esistano fonti documentarie che li collocano nel quadro realistico generale con una certa precisione.

Per un migliore orientamento, il lettore troverà in appendice al romanzo la planimetria approssimativa della *Mary Celeste*, la lista dei personaggi e il glossario dei termini marinareschi.

*In memoria di tutte le persone
che nel mare hanno trovato la morte*

Il mare non ha né sentimenti né pietà.
Anton Čechov

4 dicembre 1872

La tempesta è cessata.

Del vento di levante che per due giorni ha spirato furiosamente sull'oceano non è rimasto che un timido sussurro. Già dall'alba la luce è risalita in direzione dello zenit, verso un cielo cristallino ormai sgombro di nubi: non più dense cortine di bruma, né nebbie fluttuanti. Nel fulgore del meriggio, i raggi del sole si riflettono sull'immensa distesa d'acqua, ora placida, come addomesticata da una mano invisibile.

Ma è una quiete che sa di morte.

L'ombra compare a est, sulla linea dell'orizzonte. Nessuno dei due marinai presenti sul ponte se ne accorge, entrambi troppo presi dalle loro mansioni.

I contorni dell'ombra diventano più nitidi, più definiti, ed è allora che il marinaio aggrappato alle griselle dell'albero di trinchetto ha un sussulto. Molla il velaccino alla sua sorte e, con grande agilità, si fionda giù, quasi annaspando. Le sue parole sono febbrili mentre si rivolge al secondo ufficiale di bordo, in quel momento al timone del brigantino. Uno sguardo in lontananza, il tempo di capire, poi il timoniere infila il boccaporto e scompare sottocoperta.

Presagi sinistri si avvertono nell'aria e il marinaio ne è preda. Bloccato, impietrito. Non può fare a meno di tenere gli occhi incollati a quella specie di scheletro galleggiante in mezzo al mare.

Il timoniere si riporta sul cassero di poppa, seguito dal primo ufficiale di bordo e dal capitano, stretti nella loro giubba blu. In pochi attimi anche i restanti uomini della ciurma accorrono sul ponte.

«Là, a babordo» dice il primo ufficiale, l'indice sollevato a mezz'aria.

Nessun altro parla, nessun altro sa cosa dire, mentre il capitano regola il cannocchiale per mettere a fuoco l'imbarcazione. Un'imbarcazione con le vele ridotte a brandelli, che lui e gli altri conoscono bene.

«Sant'Iddio!» esclama subito dopo, abbassando lo strumento. «Sembra abbandonata a se stessa e in coperta non c'è anima viva.»

«Quali sono gli ordini?» chiede il primo ufficiale.

Il capitano ha la fronte solcata da cupi pensieri. Si accarezza la barba sotto il mento. «Modifichiamo la rotta di mezza quarta e avviciniamoci.» Quindi indica i due ufficiali e il marinaio che ha fatto l'avvistamento. «Preparate la lancia. Andrete voi tre.»

Gli uomini annuiscono con una punta di esitazione mista a orgoglio.

Sono pronti per la missione.

Il capitano richiude il cannocchiale e, con uno sguardo attento, segue le manovre di bordo.

Dopo diversi minuti vede calare la scialuppa in mare. Il tempo sembra fermarsi per poi ricominciare a scorrere velocemente quando gli impavidi marinai si allontanano sotto la spinta di vigorose remate, mentre sul ponte qualcuno trattiene il fiato.

Qualcun altro, invece, si fa il segno della croce.

*Quando abbiamo fatto ingresso al porto, i miei uomini e io erava-
mo distrutti. Penso che occorrerà almeno una settimana di tempo
prima che io possa fare qualsiasi altra cosa, perché non sono mai
stato così stanco in vita mia. Sento a malapena il mio corpo, ma
l'importante è essere arrivato sano e salvo.*

(Stralcio di una lettera scritta da un primo ufficiale della marina britannico-canadese alla propria moglie)

Gibilterra, 14 dicembre 1872

I

New York, 06 novembre 1872
(28 giorni prima del ritrovamento)

L'uomo stretto nel lungo cappotto grigio correva a perdifiato. Girò l'angolo a destra tra Broome Street ed Essex Street, non prima di aver lanciato una rapida occhiata alle sue spalle. Quei maledetti continuavano a mordergli le caviglie come cani inferociti. Non sarebbe stato semplice seminarli, oltretutto con l'impaccio della borsa in una mano. Fortunatamente, per quanto potesse ancora valere la buona sorte, il buio aveva allungato le sue grandi ombre sulla città e stava per inghiottirla.

Proseguì la sua fuga schivando di un soffio i passanti che incrociava. Non c'era tempo per capire se fossero ebrei, italiani oppure irlandesi. Piuttosto, sapeva chi erano i suoi inseguitori e sapeva anche che cosa volevano da lui. Con ogni probabilità avevano attinto informazioni sul suo conto e si erano appostati alla fermata dell'omnibus, sulla Bowery, per sorprenderlo di ritorno dal lavoro. E pensare che il suo unico intento era quello di comprare delle ciambelle fritte nella pasticceria Magnolia per addolcire il suo umore dopo una giornata difficile. Invece era stato costretto ad addentrarsi nei bassifondi di Lower East Side, dove aveva perso anche il cappello, spazzato via da un'improvvisa raffica di vento.

A un certo punto, nonostante la mente ottenebrata dalla paura e i polmoni a corto d'ossigeno, capì che si trovava vicino alle banchine dell'East River. Il tanfo di marcio che si insinuava nelle narici non poteva mentire. Con la coda dell'occhio, intravide una colonna di fumo levarsi dalla ciminiera della grande raffineria di zucchero, ma non si accorse del tizio sbucato dal nulla, se non quando entrambi rovinarono a terra.

Fu investito da un altro odore, dolciastro, pungente, che impregnava gli abiti di quel balordo appena uscito da una fumeria d'oppio cinese.

Imprecò fra sé e sé, consapevole di aver perso tempo prezioso. Con gesti impazienti, recuperò la borsa e si rimise in piedi. Oltrepassò delle costruzioni fatiscenti, prestando attenzione alle scale esterne di ferro che si confondevano nell'oscurità. Quando si voltò di nuovo, si avvide che il trio gli era ormai addosso. Tentò il tutto per tutto infilando a casaccio una delle tante vie di quel labirinto inestricabile, finché non si rese conto di essere giunto al capolinea.

Strada senza uscita.

Vicolo cieco.

Tutt'intorno, edifici squallidi, ai cui bordi c'erano sacchi accatastati e bidoni ricolmi di rifiuti invasi da ratti. Dalle grondaie fuoriuscivano carta straccia e paglia. Il fetore era insopportabile.

Fissò per un istante il muro che si stagliava davanti a lui come a valutare la possibilità di scavalcarlo.

Ma era impossibile. Non vi era alcun appiglio e l'altezza era di quattro piedi abbondanti sopra la sua testa. Nemmeno un acrobata ce l'avrebbe fatta.

Ormai esausto, si voltò piano piano e, alla luce fievole dei lampioni, vide i tre uomini avvicinarsi con quella sicurezza di chi sente la propria preda ormai in trappola. Due di loro si stavano sistemando gli abiti, mentre il terzo, quello di corporatura più robusta, aveva estratto qualcosa dalla tasca del panciotto e si apprestava a infilarlo tra le dita.

Picchiatori di professione, ecco chi erano.

«Dottor Gagliardo, ci costringete a fare gli straordinari» disse l'energumeno, agitando la mano protetta da un tirapugni di metallo.

«Chi siete? Cosa volete da me?» replicò il dottore, mentre indietreggiava a piccoli passi.

«Non fate il finto tonto! Sapete benissimo chi siamo, altrimenti non sareste fuggito come un coniglio.»

«Va bene, però manteniamo la calma. Possiamo discuterne da persone civili.»

«Oh, ma noi siamo molto calmi.» Con un gesto plateale, lo scagnozzo portò una mano davanti al naso. «Senti che puzza! Non sarete voi che ve la state facendo sotto?»

Gli altri scoppiarono in una fragorosa risata.

«Potete dire a Mr. Lyons che avrà i suoi soldi. Lo giuro. Fino all'ultimo centesimo.»

L'energumeno tornò serio. «Dottor Gagliardo, dicono di voi che siete un medico capace e un uomo stimato, sposato con una bella donna che a quanto pare vi ha dato il ben servito. Questo perché evidentemente avete dei difetti. Uno su tutti: non pagate i debiti.» Un ghigno truce si disegnò sul volto del tizio con il tirapugni che, con la testa, fece un cenno ai compagni. «Prendetelo!»

Gagliardo sentì di non avere più terreno dietro di sé. Le spalle toccarono il muro, mentre le gambe cedevano per la paura.

Venne subito afferrato per le braccia e tirato su di peso. Provò a reagire, ma fu un pensiero che rimase solo nella sua testa. Quei due sembrava avessero delle tenaglie al posto delle mani. Poi arrivò il pugno allo stomaco. Il dolore fu così forte che per un istante Gagliardo non riuscì a respirare. Gli scagnozzi lo sollevarono ancora una volta.

«Non avete idea di quanto mi piacerebbe tagliarvi la gola! Ma per vostra fortuna ho ricevuto l'ordine di farvi recapitare

soltanto un avvertimento. L'ultimo. Spero ne facciate tesoro!»
La mascella del picchiatore si contrasse in una smorfia crudele.
«Un giorno, dottore, per trovare i duecento dollari che dovete
a Mr. Lyons. Non aspetteremo oltre. Anzi, nel frattempo non
vi faremo sentire la nostra mancanza.» Si sfilò il tirapugni e
Gagliardo pensò che tutto sommato poteva andare peggio.

Si sbagliava.

Il colpo di commiato partì all'improvviso con la mano nuda.
Un sinistro violento che sentì affondare fra naso e bocca, prima che i tizi lo mollassero a terra. Rimase disteso sulla schiena,
stordito, dolorante, con il sapore del sangue tra le labbra e, poco dopo, con la sgradevole percezione di trovarsi imprigionato
in un incubo dal quale non riusciva a svegliarsi. Si immaginò a
mendicare in giro e cacciato via da tutti come i peggiori reietti.
Come avrebbe potuto procurarsi una somma simile in così poco tempo? Probabilmente aveva solo prolungato l'agonia di un
destino già segnato. Quando tornò in sé, il primo pensiero fu
quello di controllare se avesse qualcosa di rotto, il secondo di
allontanarsi all'istante da quel lurido vicolo.

Batté più volte le palpebre per schiarire gli occhi offuscati.

Ma non vide né la luna né le stelle.

Sopra di lui c'era un uomo con barba e mantello che lo stava
fissando.

* * *

La Fraunces Tavern brulicava di gente. Gagliardo si guardò ripetutamente intorno. Si trattava di una pensione con birreria
annessa, situata al primo piano di un edificio di Pearl Street,
che rispecchiava il carattere popolare dei tipici locali presenti
nella zona portuale di Lower East Side. Aveva il pavimento di
legno chiaro, il soffitto sostenuto da grosse travi, anch'esse di
legno, e le pareti intervallate da alte finestre. Poco distanti dal
camino, c'erano le scale che conducevano alle camere situate

al piano di sopra. Dietro al bancone spiccavano la figura di un barista grasso, intento a trafficare con dei boccali, e quella di un signore alto e distinto con camicia, panciotto e farfallino. Giovani camerieri facevano avanti e indietro tra i tavoli per servire un assortimento eterogeneo di avventori, in mezzo a sinuose volute di fumo e l'odore forte del tabacco.

Fu lo spilungone a staccarsi dal bancone e a presentarsi al tavolo del dottore e dei suoi soccorritori, l'uomo con la barba e un altro tizio, snello e con dei mustacchi spioventi, che gli stava sempre appiccicato. Durante il tragitto, si erano presentati come Benjamin Spooner Briggs e Albert Richardson.

«Che piacere rivedervi!»

«I miei ossequi, Mr. Stubner» rispose Briggs, alzandosi prontamente e stringendogli la mano.

«Che cosa volete ordinare?»

Briggs guardò Gagliardo. «Mangiate qualcosa con noi?»

«Vi ringrazio, ma prenderò soltanto una birra per tenervi compagnia» rispose sommessamente il dottore. Si sentiva un po' stordito. Il ventre e la mascella erano ancora doloranti.

«Ci faccia portare due belle bistecche con patate, dell'acqua e una birra.»

Stubner annotò mentalmente e andò al bancone per riferire la comanda.

«Quel signore è William Stubner, il gestore» rivelò poi Briggs. «Conoscete la storia di questa taverna, Mr. Gagliardo?»

«No, non credo di conoscerla.»

«È stata teatro di accadimenti che hanno segnato le sorti della Rivoluzione Americana. Era nientemeno che il quartier generale di George Washington in persona.» Briggs indicò la sala con un gesto largo del braccio. «Proprio qui, da qualche parte, lui negoziava con gli inglesi.»

«Interessante!» si limitò a rispondere Gagliardo, mentre lanciava l'ennesima occhiata intorno a sé. Poi lo sguardo tornò a concentrarsi sul suo principale interlocutore. Alla luce calda delle lampade, i tratti marcati del volto sembravano quasi scolpiti nella pietra. I capelli neri e il corpo vigoroso denotavano nell'insieme una bellezza austera, risoluta. Portava la barba a punta, il che lo rendeva vagamente somigliante a un altro presidente: il compianto Abraham Lincoln.

«Allora, Mr. Gagliardo, come mai vi trovavate da queste parti?» volle sapere Briggs.

«Stavo rientrando dal lavoro, ma c'è stato un fastidioso contrattempo.»

«Che lavoro fate?»

«Sono un medico del Bellevue Hospital.»

«A giudicare dal nome, direi che avete origini italiane...»

«Sì, insieme a mio padre e a mio cugino emigrai venticinque anni fa da Genova, quando io ne avevo dieci.»

Briggs lo guardò con aria pensosa. «Il cognome, comunque, non mi è nuovo. Conoscevo un certo Gagliardo, sulla Bowery, che faceva il sarto.»

Negli occhi del dottore si accese una luce. «Era mio padre, buon'anima.»

«Incredibile, com'è piccolo il mondo! Qualcuno mi aveva riferito la notizia. Sono addolorato.»

«Ma voi come fate a...»

«Ci sono andato diverse volte per farmi confezionare degli abiti nuovi. In altre occasioni, per dei rammendi urgenti sugli indumenti da lavoro.» Indicò Richardson, l'uomo con i mustacchi. «Sapete, noi siamo marinai e veniamo spesso qui a New York.»

«Capisco, certo.»

«Ora che vi guardo meglio, posso dire che somigliate molto a vostro padre» fece Briggs. «Era sempre un piacere scambiare quattro chiacchiere con lui. Mi chiedeva di salutargli l'Italia, nel caso mi capitasse di passarci. Tutto il contrario del proprietario della sartoria, un tipo spigoloso e per nulla simpatico.»

«Vi ringrazio per questo bel ricordo di mio padre.»

«È la verità.» Briggs si rivolse al suo accompagnatore. «Avete capito, Albert? Il sarto di Bowery Street? Lo conoscevate?»

Richardson distese la fronte aggrottata. «A essere sincero, non me ne sono mai servito. A furia di rammendare le vele da quando ero ragazzo, i rattoppi me li faccio da me.»

Briggs tornò a fissare Gagliardo. «Vi sentite meglio?»

Il dottore disse di sì con la testa, massaggiandosi la mandibola. «Sono lieto di avervi incontrato, sapete? Ho temuto di morire.»

«Non pensateci più» rispose Briggs. «Medico, avete detto? Di cosa vi occupate precisamente?»

«Malattie infettive. Ma credo che lo farò ancora per poco, perché so già che quegli uomini che mi hanno aggredito torneranno...»

«Oh, non dovete nemmeno pensarlo! Piuttosto, chi erano?»

Un'ombra di inquietudine calò sul volto di Gagliardo, che lanciò un'occhiata fugace verso i tavoli nel timore di essere udito. «Avete mai sentito parlare della banda dei Whyos?» chiese poi a bassa voce.

Briggs aggrottò la fronte. «Sì, maledizione! Quei manigoldi di irlandesi al soldo di Danny Lyons.»

«Esattamente.»

«Non capisco, però, cosa leghi una persona rispettabile come voi a quella gentaglia» si intromise Richardson.

Il cameriere li interruppe, appoggiando sul tavolo una pinta di birra, dei bicchieri e una brocca d'acqua, poi si lasciò inghiottire di nuovo dal trambusto.

Gagliardo bevve avidamente un sorso per prendere tempo, quindi si ripulì le labbra dalla schiuma bianca. Non sapeva nulla riguardo a quegli uomini, ma di una cosa era certo: mai come in quel momento sentiva il bisogno di confessare i propri tormenti. Trasse un respiro. «Da qualche tempo sono schiavo del gioco d'azzardo. Poker e dadi...»

Briggs si lisciò il mento. «Non dovreste lasciarvi sedurre dalle tentazioni del diavolo.»

«Avete ragione. Sapeste quante volte ci ho provato! Fino all'altra sera, quando ho accompagnato un mio amico a una bisca. Era già qualche settimana che non giocavo. Non volevo farlo. Ma, senza rendermene conto, mi sono ritrovato a un tavolo con delle persone che non conoscevo. Ci sono ricascato e, purtroppo, ho perso una somma ingente. E adesso eccomi qui, con un debito di duecento dollari nei confronti di questo distinto signore che tutto sembrava fuorché il capo di una gang. Il famigerato Danny Lyons.»

«Perbacco!» esclamò Briggs con una smorfia, poi la sua attenzione fu catturata da qualcosa che stava accadendo alle spalle del dottore.

Gagliardo se ne accorse e si voltò. Tre uomini stavano avanzando nella loro direzione. Portavano tutti la barba. Ancora marinai, senza ombra di dubbio, e questo gli fece tirare un sospiro di sollievo.

Briggs si alzò. «Il mio caro amico David Morehouse. Qual buon vento?»

Uno dei marinai, con giubba scura e cappello, sorrise e allungò il braccio. Altre strette di mano si incrociarono sul tavolo.

«Qual buon vento dovrei dirlo io» ribatté l'uomo. «Non eravate forse salpati?»

«Tempo inclemente, che volete farci? Ci riproviamo domani.»

«Ah, capisco. Mai questionare con il dio del mare e con il dio dei venti.»

«Esiste soltanto un Dio Onnipotente che governa tutto» lo corresse Briggs «e che ci manda dei segnali. Sta a noi poi avere l'arguzia di compiere le scelte giuste.»

A Gagliardo non sfuggì la smorfia di disapprovazione di Briggs nel ribattere alle credenze pagane di quel tizio che aveva chiamato David Morehouse.

«Siete sempre ormeggiati al molo quarantotto?» riprese Briggs con un tono più morbido.

Morehouse annuì. «Dobbiamo caricare numerosi barili di petrolio.»

«Dove siete diretti?» volle sapere Richardson.

«Gibilterra. La nostra partenza è prevista tra nove giorni.»

«Se doveste cambiare i programmi, saremmo ben lieti di navigare fianco a fianco» intervenne Briggs in tono forzatamente scherzoso.

«Non so se vi converrebbe. Rischiereste di vedere il vostro compagno di mille avventure mettervi le vele davanti e piantarvi in mezzo all'oceano» rispose Morehouse con il sorriso sulle labbra, mentre spostava lo sguardo verso il dottore.

«Oh, perdonatemi, vi presento il dottor Antonio Gagliardo» disse Briggs. «Dottore, questi sono il capitano David Morehouse e...?»

«Primo ufficiale Oliver Deveau e secondo ufficiale John Wright» completò Morehouse. «Tutti al servizio della *Dei Gratia*.»

«Molto lieto!» replicò il dottore, salutando i tre uomini. «Un nome latino, di origini bibliche.»

«Sì, il nome è latino, ma la nave batte bandiera britannica.»

«Allora siete inglese, capitano. Stavo appunto cercando di decifrare il vostro accento.»

«Canadese, più precisamente originario della Nuova Scozia» puntualizzò Morehouse, rimarcando con orgoglio la propria appartenenza alla nuova confederazione delle colonie britanniche separatiste. «E voi siete italiano, scommetto.»

«Non ci sono segreti, a quanto pare.»

Tutti scoppiarono a ridere.

«Bene» concluse Morehouse, accarezzandosi la barba. «Vi auguriamo buon proseguimento, noi ci accomodiamo per un boccone. Oggi è stata una giornata dura.»

«Ma certo, fate pure» concesse Briggs.

«E dite all'oceano di non fare le bizze nei prossimi giorni, mi raccomando.» Morehouse strizzò l'occhio e si allontanò insieme ai suoi uomini per occupare un tavolo libero posto accanto al camino.

Briggs, Richardson e Gagliardo sedettero nuovamente.

«Stavamo discutendo della vostra situazione, mi pare» disse Briggs.

«Già, una situazione da cui non so come uscire.»

«Vostro cugino, quello di cui parlavate prima, non può prestarvi dei soldi?»

«Di mio cugino Andrea ho perso i contatti, purtroppo. L'ultima volta che ci siamo visti, all'incirca tre anni fa, era in procinto di imbarcarsi per l'Italia per trascorrervi un breve periodo e poi fare ritorno qui in America. Lui è d'animo buono, di sicuro sarebbe disposto a tutto pur di aiutarmi. Ma è sempre stato irrequieto, uno spirito libero continuamente in viaggio. New York, Boston, i territori selvaggi del Canada...»

«Un avventuriero, insomma. Magari squattrinato.»

«Niente affatto. Mi fece capire che se la passava bene perché per un lungo periodo aveva sfruttato una redditizia concessione per la ricerca dell'oro da qualche parte nella Columbia Britannica, o nelle regioni canadesi a ovest se preferite.»

«Rivolgetevi alla polizia, allora» propose Richardson.

Gagliardo scosse la testa. «Non se ne parla. Corre voce che più di qualche poliziotto sia proprio in combutta con Lyons. E se anche dovessi trovarne qualcuno irreprensibile, quale aiuto potrebbe fornirmi? No, sono destinato a finire in fondo al fiume con una pietra al collo. Ne sono sicuro.» Si coprì la faccia con le mani.

Briggs si versò dell'acqua nel bicchiere e appoggiò la brocca sul tavolo. «Forse posso salvarvi.»

Gagliardo emerse dal buio e lo fissò. «Ah sì? E come?»

«Non vi abbiamo detto la ragione della nostra presenza qui in città, anche se potreste averlo supposto quando vi ho parlato del nostro lavoro. Ebbene, si dà il caso che il sottoscritto sia il comandante di un'imbarcazione che a breve partirà proprio alla volta della vostra Genova per trasportare della merce.»

«Siete un capitano? Anche voi?»

«Esattamente!» Briggs batté la mano sulla spalla del suo accompagnatore. «Ed ecco il mio vice, primo ufficiale di bordo.»

Albert Richardson sorrise sotto i baffi.

Gagliardo si mostrò più sorpreso che interessato. «Sembra sia il giorno delle coincidenze, questo» disse poi perplesso. «Ma non ho ben compreso il senso delle vostre parole.»

Briggs bevve un sorso d'acqua, poi si protese in avanti e, con un cenno, invitò Gagliardo a fare lo stesso.

«Vi offro l'occasione di fuggire da qui, se siete davvero convinto che ne vada della vostra vita. Però dovete decidere subito, perché abbiamo già caricato la merce e probabilmente, come avete avuto modo di ascoltare prima, partiremo domani.»

«Ma... Ma...» balbettò Gagliardo.

«Oltretutto» aggiunse Briggs, «avere un medico a bordo mi farebbe comodo.»

Gagliardo era combattuto: di tutto si sarebbe aspettato, fuorché vedersi concedere la possibilità di fare ritorno alle origini. Genova, l'Italia. Quella terra che, suo malgrado, aveva dovuto abbandonare. Quella terra non più lacerata da contrasti e divisioni, ma compattata in un unico grande Regno. «Mi state mettendo davanti a una scelta dolorosa, capitano.»

«Me ne rendo conto. Tuttavia, vi rivelo una cosa che può aiutarvi a prendere la decisione giusta.»

«Ditemi pure.»

«Eravamo pronti a partire ieri e difatti siamo salpati dal molo cinquanta, non molto distante da qui, in fondo a Montgomery Street. Un pilota di Sandy Hook ha guidato la nave fin oltre Coney Island, ma ci siamo resi conto che era più saggio aspettare. I venti non erano favorevoli e anche il barometro non prometteva nulla di buono. Abbiamo quindi deciso di tornare indietro e gettare l'ancora alle banchine del porto di Staten Island. Domani, se tutto andrà bene, affronteremo l'oceano.»

Gagliardo corrugò la fronte: in quella spiegazione c'era qualcosa che sfuggiva alla sua mente. «Avete caricato la merce, vi siete spostati a Staten Island per poi fare ritorno qui a Lower East Side. Non capisco.»

«Sì, esattamente. Albert e io siamo tornati ai magazzini per comunicare ai nostri committenti il ritardo della partenza e per imbonirli. Sapete, questa gente ha bisogno di continue rassicurazioni. E poi, visto che eravamo in zona, ne abbiamo approfittato per mangiare un boccone e pernottare in questa taverna, quando vi abbiamo notato in quel vicolo buio.» Briggs accennò un sorriso. «Se non è un segno del destino questo, allora ditemi voi che cos'è...»

«Sì, può darsi... È veramente tutto così incredibile. Ma la gente che mi ha aggredito è pericolosa, mi rintraccerebbe fino in capo al mondo. Verrà a scoprire dove mi nascondo e la loro vendetta sarà ancora più crudele.»

«Non accadrà se farete come vi dico. Il vostro imbarco sarebbe del tutto clandestino. In poche parole, non figurereste nella lista ufficiale dei passeggeri. Nessuno lo verrebbe a sapere. Voi, in buona sostanza, sparireste nel nulla. Non è da me infrangere la legge, ma per il figlio del sarto della Bowery credo si possa fare un'eccezione.»

Detto questo, il capitano scolò il bicchiere d'acqua, mentre Richardson infilava una mano nella tasca interna della giacca per poi estrarre del tabacco e una pipa di legno dall'aria vissuta.

Gagliardo restò per alcuni secondi in silenzio. «Non so, sto vivendo una situazione complicata con mia moglie.»

«Ah, quindi siete sposato. Figli?»

«Sì, sposato, ma non ho figli.» Gagliardo non riuscì a nascondere un certo disagio. Briggs aveva toccato un tasto dolente.

Il capitano si fece pensoso. Lanciò un'occhiata a Richardson, che stava riempiendo di tabacco il fornello della pipa e nel mentre abbassava il capo, come per approvare quanto stava per dire il suo superiore.

«Nessun problema» fece Briggs. «Saremo lieti di ospitare a bordo anche vostra moglie.»

Gagliardo scosse la testa. «Ecco, vedete... Lei mi ha lasciato, è andata a vivere da sua madre e credo che ci rimarrà a lungo. Quindi, al momento, è impensabile...» Abbassò lo sguardo, turbato. «A dire il vero, lei non è nemmeno a conoscenza del guaio in cui mi sono cacciato. Vi ringrazio, ma credo di non poter accettare.»

Richardson accese la pipa e tirò un paio di boccate. Nell'aria si sparsero piccoli sbuffi di fumo dall'aroma inebriante. «Immaginiamo come possiate sentirvi. Non vorremmo essere nei vostri panni.»

Il cameriere tornò al tavolo con un paio di piatti ricolmi di fumanti patate arrosto, sotto cui facevano capolino delle invitanti bistecche.

Gagliardo decise di non disturbare il pasto di quei due premurosi marinai, per cui scolò la sua birra e si frugò in tasca, ma Briggs fu lesto ad anticiparlo.

«Permettetemi almeno di offrirvi da bere.»

Gagliardo fece un lieve cenno con il capo. «Siete davvero molto gentile.» Si mise in piedi, portando istintivamente una mano al costato. «Ora sarà meglio che torni a casa.» Quella stessa mano si allungò verso i due uomini. «Capitano Briggs, primo ufficiale Richardson, è stato un piacere conoscervi. Vi ringrazio dal più profondo del cuore.»

«Buona fortuna e che Dio vi protegga.»

Gagliardo afferrò la borsa e fece per andare, ma si voltò verso Briggs. «E se dovessi ripensarci? Come farò a trovarvi?»

Il capitano indicò la sedia. «Allora è meglio che torniate a sedere, dottore, di modo che possa spiegarvi qual è il mio piano.»

* * *

Non appena Gagliardo fu uscito dalla Fraunces Tavern, l'aria fredda e pungente della sera lo investì come un pugno in pieno volto, simile a quelli che aveva preso qualche ora prima. Fitte dolorosissime si risvegliarono di colpo, mentre brividi continui gli percorrevano la schiena. Era come se il tepore all'interno di quelle quattro mura, la buona compagnia e l'alcol in circolo avessero esaurito il loro effetto anestetico. Sollevò lo sguardo verso l'edificio alle sue spalle: la scritta WASHINGTON'S HEAD QUARTERS campeggiava sopra le finestre del primo piano. Aveva i sensi talmente ottenebrati, quando vi era entrato, da non averci prestato attenzione. Alzò il bavero del cappotto e si inoltrò guardingo lungo strade via via più buie e isolate. Il timore di essere seguito lo attanagliava come un cappio al collo. Percorse per un breve tratto Gold Street, poi svoltò su Fulton Street fino a tornare su Pearl Street e giungere poco dopo sulla Bowery, punto nevralgico tra Lower East Side, Lower Manhattan e SoHo. In lontananza scorse la sagoma dell'edificio che ospitava la sartoria dove aveva lavorato suo padre. Ormai esausto, si arrestò lì, alla fermata dell'omnibus, anche se non era sicuro che a quell'ora vi fossero ancora corse.

Dopo pochi minuti sembrò che, per una volta, la fortuna avesse deciso di sorridergli: quasi dal nulla apparve una carrozza trainata da due poderosi cavalli neri. "I migliori dieci centesimi di dollaro mai spesi", pensò, mentre si apprestava a salire. Avrebbe potuto risparmiare, certo, ma non poteva permettersi di aspettare. Si sedette comodamente a bordo e sentì le palpebre pesanti come macigni, la stanchezza prendere il sopravvento. Se solo avesse chiuso gli occhi, sarebbe caduto in un sonno profondo, ma si sforzò di guardare la strada illuminata dalla luce dei lampioni.

Come gli accadeva spesso, quando osservava sognante i quartieri eleganti della città contraddistinti da parchi, hotel, teatri, negozi dalle strabilianti vetrine, e poi ancora da palazzi dalla facciata decorata con i balconi in ghisa, uno dei tanti dove un giorno avrebbe voluto abitare, anche quella sera un senso di frustrazione si impossessò di lui, mentre lo scalpiccio degli zoccoli dei cavalli lo scortava verso la zona ovest della città, su Charlton Street, dove si trovava il suo appartamento.

Gagliardo scese dalla carrozza e pagò la corsa al vetturino. I cavalli ripresero la loro marcia sbuffando nell'aria nuvole di vapore. A volte compiva a piedi il tragitto dalla Bowery fino a casa, ma quel giorno sarebbe stato davvero impossibile.

Mentre camminava, si sforzava di assumere una postura naturale per non destare sospetti riguardo all'aggressione subita. Chissà che cosa avrebbe pensato Mrs. Campbell nel momento in cui si fossero trovati uno di fronte all'altra. Quella zelante cinquantenne di origini scozzesi, presa a servizio qualche mese addietro per occuparsi di tutte le faccende domestiche, di solito aspettava il suo rientro prima di congedarsi. Per una volta, poteva ritenersi fortunato che non ci fosse Clara ad attenderlo. Ricordava fin troppo bene l'infallibile intuito di sua moglie, l'accecante gelosia.

Assorto nei pensieri, per poco non venne travolto da un ubriacone con una bottiglia in mano. Era diventato frequente, purtroppo, imbattersi in persone per niente raccomandabili, disgraziati che vivevano in uno stato di prostrazione, sottomessi da una società che non perdonava. SoHo, ormai, ne era sempre più pieno. Non solo il quartiere caotico e strabordante, ma anche quello proibito, dove centinaia di donne rimaste vedove al termine della Guerra di Secessione vendevano il proprio corpo per cercare di sostentarsi.

Fece per aprire il portone di casa, nella penombra della strada, quando lo sguardo gli cadde su una figura imbacuccata sul lato opposto, accanto all'ingresso della farmacia Murphy. Un altro brivido lo attraversò da capo a piedi. Ancora uno di loro. Ancora una canaglia dei Whyos.

"Nel frattempo non vi faremo sentire la nostra mancanza."

Quelle parole adesso tornavano minacciose. Non era stata sufficiente la lezione che gli avevano dato qualche ora prima. Evidentemente Danny Lyons aveva impartito preciso ordine affinché il suo debitore fosse controllato e pedinato. Si affrettò a sparire dentro e, quando si richiuse la porta alle spalle, restò immobile per qualche istante per scacciare ogni inquietudine. Imboccò le scale e subito un odore pungente di cibo lo nauseò. Da quando una famiglia ungherese aveva occupato l'appartamento sotto al suo, attraverso i muri trasudavano i più svariati olezzi. Oltrepassò la loro porta e continuò a salire. Chiunque avesse progettato quel palazzo l'aveva fatto con l'intento di ottimizzare lo spazio e concentrare il maggior numero di famiglie al proprio interno. E il risultato era che odori e rumori erano condivisi tra tutti. Il suo appartamento, comunque, era sufficientemente ampio: due stanze, bagno e cucina. Un buon compromesso per i dieci dollari d'affitto mensili, considerato oltretutto che l'abitazione era ammobiliata. Le quattro rampe di scale gli tolsero il poco fiato che aveva in corpo. Giunto davanti alla porta d'ingresso, cercò di ricomporsi. Non fece in tempo a completare il giro di chiave nella serratura che la porta si aprì. L'espressione preoccupata di Mrs. Campbell lo fece indietreggiare di un passo.

«Avete fatto più tardi del solito, dottore...»

Lui sgusciò dentro come una serpe. «Perdonatemi, Mrs. Campbell, ho dovuto gestire dei ricoveri urgenti» mentì spudoratamente, mentre appendeva il cappotto all'attaccapanni e appoggiava la borsa sopra la piccola consolle di legno. «Vi ho sempre detto che non è necessario che vi tratteniate fino a sera. Le chiavi le avete.»

«E il cappello? Dov'è il vostro cappello?»

Gagliardo si voltò a guardarla. «L'ho perso. Una folata di vento.»

Mrs. Campbell stirò le labbra in un sorriso fasullo, chiaro segno che non l'aveva bevuta, nonostante quell'ultima risposta corrispondesse alla verità. «Non voglio insistere, dottore, ma devo farvi notare che il cappotto è sporco. E poi quella ferita...» Gli occhi verdi si restrinsero nello sforzo di scrutarlo in volto. «Lasciatemi dare un'occhiata...»

Gagliardo si divincolò con un certo fastidio, passandosi una mano tra i capelli. «Non è niente, sto bene. Potete andare per oggi.»

Mrs. Campbell annuì, quasi offesa. Recuperò il proprio soprabito dall'attaccapanni e fece per uscire.

Il dottore la trattenne con un gesto educato della mano, quindi estrasse le ultime banconote che aveva nel portafoglio.

«Per voi, Mrs. Campbell.»

Lei sgranò gli occhi. «Ma è più della paga!»

«Non importa, vi meritate ogni centesimo.»

Mrs. Campbell afferrò le banconote con soddisfazione e le infilò dentro la tasca del soprabito. «In cucina c'è dello stufato. Buonanotte, dottore.» Detto questo, sparì oltre la porta.

«Buonanotte, Mrs. Campbell.» Gagliardo scortò con lo sguardo i primi passi della donna sugli scalini, poi chiuse a chiave e andò in cucina. Sollevò il coperchio della pentola che giaceva sul piano della stufa, ma lo riabbassò prontamente. Un nodo allo stomaco gli aveva tolto l'appetito. Tornò in sala. Si tolse giacca e gilet, liberandosi subito dopo del rigido colletto e, infine, della cravatta che gli stringeva la gola. Fu mentre eseguiva quei gesti abituali che vide l'oggetto. Quell'oggetto in bella mostra sul tavolo: una ballerina di porcellana che sua moglie adorava.

Clara, la sua amata Clara, che ora non voleva più saperne di lui, colpa soprattutto del forte desiderio materno ancora insoddisfatto.

Prese la ballerina tra le mani e l'accarezzò lentamente come se stesse accarezzando il corpo di sua moglie. Gli sembrò fosse passato un secolo dal giorno in cui l'aveva incontrata per la prima volta. Quella giovane donna alta e bella stava assistendo amorevolmente la madre al capezzale di un letto del Bellevue Hospital e lui si era prodigato affinché l'inferma guarisse da una grave forma di tubercolosi. Dopo il matrimonio, quel sogno di rimanere incinta era diventato talmente ossessivo per Clara da farle ritenere che la colpa del mancato concepimento fosse da attribuire esclusivamente a lui, reo di aver infranto la promessa di costruire una famiglia felice e numerosa.

Gagliardo posizionò la ballerina al proprio posto e ripensò alla sera in cui Clara lo aveva abbandonato per tornare a vivere nella casa materna, a pochi isolati da lì. Chiuse gli occhi e la rivide accigliata e scura in viso mentre incrociava le braccia sul petto, i lunghi capelli che cadevano sulla schiena in boccoli color miele. Nelle sue orecchie riesplosero le urla aspre e graffianti di lei che reclamava l'ennesima spiegazione sul suo ritardo. Sguattera, continuava a ripetersi con le lacrime agli occhi. Una sguattera che attendeva invano l'arrivo di un figlio e che, vedendo a casa sempre meno soldi, sospettava il suo uomo di tradimento.

Quella sera stessa, Clara aveva riempito in tutta fretta una valigia di abiti e oggetti personali, per poi varcare la porta di casa blaterando altre frasi cattive nei suoi confronti. Lui avrebbe voluto stringerla a sé e bloccarla, ma si era reso conto di non essere in grado di farlo. Si era sentito colpevole perché quelle parole erano come una pugnalata. Erano condanna e fallimento insieme. Nelle settimane successive, aveva sperato che lei tornasse. L'aveva incontrata per strada in qualche occasione, avevano discusso, la possibilità di un ricongiungimento non era morta. Ora, però, con Danny Lyons che reclamava il suo credito, tutto si complicava. Anzi, forse assestava il colpo di grazia.

Antonio Gagliardo si sentì preda di un profondo smarrimento proprio come quella sera maledetta, al punto che iniziò a vagare per le stanze e a guardarsi intorno quasi fosse la prima volta che vedeva quella casa. Le pareti rivestite di carta dorata, la vetrinetta ricolma di suppellettili dozzinali, la piattaia, i quadri, le tende alle finestre e, ancora, il sofà e la poltrona in tessuto fiorato, il telaio per il ricamo che Clara aveva abbandonato. Tutto ciò, in quel momento, gli era estraneo. O, più probabilmente, il vero estraneo era lui.

"Forse posso salvarvi."

Le parole di Briggs tornarono a invadergli la mente. Ma la salvezza cui alludeva il capitano poteva essere un'altra. Non dagli uomini di Danny Lyons, bensì da una vita che non gli apparteneva più e che avrebbe finito per logorarlo.

Gagliardo lo capì solo in quel momento, perché dentro di sé sentiva che tra la preoccupazione per quel tizio appostato sul marciapiede di fronte casa e l'ossessionante pensiero per la riconquista di sua moglie, era quest'ultimo che incuteva più paura.

E sapeva anche che quella notte sarebbe stata la più lunga e difficile della sua esistenza.

2

New York, 07 novembre 1872
(27 giorni prima del ritrovamento)

La decisione era stata presa.

Antonio Gagliardo aveva indugiato su un pensiero fisso che l'aveva tenuto sveglio per tutta la notte. Aveva aspettato l'alba, si era alzato e aveva raccattato un po' di indumenti per poi infilarli in una valigia insieme alla sua borsa contenente il manuale di medicina, qualche strumento del mestiere e alcuni farmaci. Aveva racimolato gli ultimi risparmi nascosti in fondo a un cassetto e ora era pronto ad andarsene.

Quando si richiuse la porta di casa alle spalle, consapevole che lo faceva per l'ultima volta, estrasse l'orologio dal taschino del panciotto e controllò l'ora. Le sei e quaranta. Scese le scale con il fardello nella mano destra e aprì il portone quel tanto che bastava per fare capolino sulla strada. Nei pressi della farmacia non c'era nessuno. Tirò un sospiro di sollievo, forse quei bastardi avevano allentato la presa. In fondo sapevano di poterlo rintracciare dove e quando volevano.

Si incamminò in direzione di Houston Street. Lì avrebbe potuto trovare una carrozza pronta ad accompagnarlo fino alla Fraunces Tavern. Si sentiva sollevato, anche per via di quella busta che aveva lasciato sul tavolo.

Per Mrs. Campbell: da consegnare a Clara.

Così aveva scritto sul retro prima di sigillarla. All'interno, un foglio di carta: *Addio, Clara. Ti ho sempre amata. Avrei voluto renderti felice. Perdonami!*

Non una lettera vera e propria, dunque, ma poche parole per esprimere sincero rammarico per quella fine dolorosa.

Gagliardo non avrebbe voluto che andasse così. La decisione di partire, sofferta e tormentata, era però l'unica soluzione possibile per riparare ai tanti errori della sua vita. E sapeva già che, al di là di tutto, il ricordo di Clara sarebbe rimasto indelebile dentro di lui e gli avrebbe dato la forza per andare avanti.

Quando giunse in prossimità dell'incrocio tra la Sesta e Prince Street, il dottore ebbe uno strano presentimento. Lo percepì nell'istante in cui i suoi occhi intercettarono la carrozza ferma in lontananza, verso Houston Street. Due individui dall'aria poco rassicurante emersero nel freddo chiarore del mattino dai lati opposti della strada. Senza farsi travolgere dalle emozioni, si guardò alle spalle per accertarsi che non ve ne fossero altri. Vide qualche passante mattiniero con la sporta dirigersi proprio a nord, verso il mercato che partiva da MacDougal Street e si estendeva attraverso un reticolo di strade attigue. Nessuno di loro, però, destava particolari sospetti. Continuò a fingere indifferenza mentre pensava a quella carrozza che ora più che mai appariva come una chimera. Non aveva altra scelta se non saggiare le intenzioni di quei due loschi soggetti, ovvero portarli in mezzo a quel mercato dove tante volte Clara si recava per acquistare prodotti a buon prezzo.

Attraversò la strada con lo sguardo fisso in avanti, poi svoltò a sinistra e imboccò MacDougal Street. Dopo una ventina di passi fu il momento di gettare una sbirciata dietro di sé. Il cuore palpitò forte nel petto. Gli sgherri gli erano alle calcagna, sempre ognuno sul proprio lato della strada.

Gagliardo aumentò l'andatura, nonostante l'impaccio della valigia non proprio leggerissima.

Fu allora che gli inseguitori iniziarono a correre, ufficializzando la missione ordinata da Danny Lyons.

Gagliardo si inoltrò nel cuore del mercato che iniziava a prendere forma e che a breve sarebbe stato invaso dagli abitanti del quartiere. Imboccò una stradina alla sua destra, oltrepassò i banchi della carne, quelli del formaggio, quelli degli ortaggi. Gli inseguitori sempre alle costole.

Dal nulla sbucò un grassone impegnato a far rotolare una botte di legno per terra. Gagliardo rovinò contro di lui, ottenendo in cambio una sostanziosa dose di improperi.

Senza perdere tempo, il dottore si rialzò e riprese la sua fuga disperata, mentre il caso veniva in suo soccorso, visto che il grassone, con la propria mole, aveva bloccato l'angusto passaggio tra i banchi. Fintanto che lui continuava a darsela a gambe, alle sue spalle si era formato un capannello di persone, alcune intervenute per difendere quell'uomo enorme alle prese con gli scagnozzi di Lyons.

Gagliardo cambiò di nuovo strada e sbucò in una zona del mercato dove chioschi e banchi erano ancora più numerosi e serrati. Davanti a sé, vide comparire una montagna di fagioli secchi, dei pani di segale, pezzi di carne essiccata, collane di salsicce e aringhe affumicate. Ci passò in mezzo, incassando una serie di parole incomprensibili degli inseguitori, dal tono rabbioso. Alla fine della via, si girò ancora una volta e si rese conto che i due avevano guadagnato ulteriore terreno. Non aveva più speranze.

A meno che...

Si fermò e guardò alla sua sinistra, ritrovandosi faccia a faccia con un commerciante che aveva appena finito di sistemare il banco: zucche, cavoli, patate, carrube e altro ancora. Gagliardo mollò la valigia a terra, afferrò il banco e, con uno strattone, lo fece roteare per bloccare il passaggio. L'azione fu talmente fulminea che il mercante non ebbe il tempo di reagire, quasi sciocato nel vedere parecchia della sua merce rotolare per terra. Gagliardo afferrò la valigia e riprese la corsa, non prima di aver scorto uno dei due scagnozzi scivolare maldestramente sugli ortaggi e spalmarsi sul selciato, mentre l'altro saltava sui banchi per superare l'ostacolo.

Il dottore riaffiorò sulla Houston, in un punto dove c'erano varchi più ampi, e ne approfittò per tirarsi fuori dalla zona del mercato, dirigendosi verso la Bowery. L'ennesimo controllo alle sue spalle gli confermò che era rimasto un solo inseguitore. Doveva seminarlo a ogni costo. Ma in che modo? Magari sparire, come in uno dei tanti prodigi che i maghi mostravano nei teatri della città. Il cervello elaborò l'unica soluzione possibile: nascondersi da qualche parte. Con uno scatto improvviso, infilò una via, l'ennesima. Poi si fermò. Poco più avanti, di fronte a una tipografia, c'erano dei grossi imballi accatastati, probabilmente in attesa di essere immagazzinati.

Eccolo, il salvacondotto...

Si acquattò in mezzo a quelle pile, scomparendo alla vista di chiunque si trovasse nei pressi. Trattenne il respiro. Sentì subito il rumore di passi sui ciottoli, nervosi e concitati. Lo sgherro di Lyons aveva perso il suo punto di riferimento e si stava allontanando.

Gagliardo ne approfittò per uscire dal riparo e imboccare un viottolo, un mero passaggio che sembrava condurre a una strada più importante. Dopo averlo percorso per intero, sbucò su Eldridge Street. Madido di sudore, si piegò sulle ginocchia per riprendere fiato. Poi sfilò l'orologio dal taschino. Le sette passate. Aveva meno di mezz'ora per raggiungere la sua destinazione. Per quanto tempo quei manigoldi avrebbero continuato a inseguirlo? E fin dove? Qualsiasi fosse la risposta, non era il caso di farsi vedere nei paraggi. Troppo rischioso e, oltretutto, inutile. Nella più ottimistica delle ipotesi, a piedi, non sarebbe giunto alla Fraunces Tavern prima di un'ora. Si portò in direzione di Stanton Street, sperando di aver preso la decisione giusta. Poi, proseguendo di un miglio a est, si imbatté finalmente nel rimedio a tutti i suoi problemi: un cocchiere vestito di nero con cappello e mantello.

* * *

La carrozza correva rapidamente, apprestandosi a lasciare Grand Street per immettersi sulla Bowery. Il dottore scostò le tendine e guardò preoccupato attraverso il finestrino per sincerarsi che dietro al volto dei passanti, e perfino degli occupanti di ogni calesse che incrociava, non si nascondessero pericoli. Sembrava tutto tranquillo. Cercò di rilassarsi sui sedili di pelle lucida, mentre la carrozza percorreva un tratto di strada più accidentato. Non era messa per niente bene, New York. Per fortuna, Abraham Hall era stato costretto a lasciare la carica di primo cittadino. Erano stati in molti a chiedere la sua testa, soprattutto dopo le accuse di aver coperto la corruzione di William "Boss" Tweed, capo della chiacchierata organizzazione Tammany Hall. Uno scandalo finanziario dal quale era emersa una frode di molti milioni di dollari a carico dei contribuenti. Adesso i newyorkesi riponevano grandi speranze nel nuovo sindaco, il repubblicano William Havemeyer, eletto da nemmeno un mese.

Ma di questo, Gagliardo, sperava non dovesse più importargliene nulla. Scendendo dalla carrozza, scacciò quei pensieri e fissò l'insegna WASHINGTON'S HEAD QUARTERS, al primo piano della Fraunces Tavern. Pagò quindi la corsa al vetturino e consultò nuovamente l'ora. Era in ritardo di dieci minuti. Si augurò con tutto il cuore di essere ancora in tempo e che non fosse tutto perduto. Valigia alla mano, salì i gradini e si portò al primo piano, dopodiché infilò la porta producendo un forte rumore.

«Siamo chiusi!» urlò una voce decisa da qualche parte lì dentro.

Gagliardo si fece avanti e sorprese il barista grasso nell'atto di asciugare dei boccali con uno strofinaccio. «Perdonate l'intrusione» replicò dopo essersi reso conto del modo non proprio garbato con cui aveva fatto ingresso nel locale. «Desideravo parlare con Mr. William Stubner.»

«Mr. Stubner non è presente. Potete dire a me» ribatté l'altro in tono risentito.

Gagliardo mandò giù un boccone amaro, la fronte che andava imperlandosi di sudore. «Scusate, non volevo mancarvi di rispetto. Ho chiesto di Mr. Stubner soltanto perché lui conosce delle persone che sto cercando e con cui ho appuntamento.»

«Chi sono?»

«Il capitano Briggs e l'ufficiale Richardson. Hanno alloggiato qui stanotte.»

Senza scomporsi, l'uomo sistemò il boccale su una lunga mensola di legno massiccio alle sue spalle, dove ne giacevano altri, capovolti e ordinati in file che correvano per l'intera lunghezza del bancone. Solo allora tornò a rivolgersi al suo avventore. «State parlando del tizio di Boston, o di quella zona mi pare, quello con la barba sotto il mento, giusto?»

«Non ho idea se sia di Boston. L'uomo che lo accompagna è magro e porta i baffi.»

«Sì, sono loro. Hanno già lasciato la locanda. Mi hanno detto che dovevano prendere il battello per Staten Island.»

Gagliardo non riuscì a trattenere tutta la sua delusione e l'oste se ne accorse.

«Ehi, signore, vi sentite bene?»

Gagliardo annuì cercando di dissimulare il proprio stato d'animo. Quelle informazioni le conosceva già. Ora gliene occorrevano altre. Salutò e si diresse verso l'uscio, ma prima di aprire la porta ritornò sui suoi passi.

«Sapete per caso anche a che ora e da quale molo lasceranno Staten Island?»

L'oste si strinse nelle spalle. «No, mi spiace, non hanno detto nulla al riguardo.»

Gagliardo scese le scale di corsa e uscì dalla Fraunces Tavern. Briggs era stato chiaro nell'esporre il suo programma. Appuntamento alla locanda non oltre le sette e trenta. Traversata insieme fino a Staten Island dove si trovava ormeggiata l'imbarcazione pronta ad accoglierli. Gagliardo conosceva il nome del brigantino. Peccato, però, ignorasse il punto esatto dal quale sarebbe partito.

* * *

Il battello delle nove era salpato con mezz'ora di ritardo. Gagliardo aveva percorso Cherry Street con il cuore in gola fino a raggiungere il molo 17, a est della Fraunces Tavern di un paio di miglia. Da ragazzo aveva preso il battello insieme a suo padre in più di qualche occasione. All'epoca gli era capitato di accompagnarlo a Brooklyn, in un grande magazzino di tessuti, dove venivano poi scelti quelli che dovevano essere spediti periodicamente in sartoria. Ma stavolta la destinazione era un'altra: Staten Island. Una terra selvaggia, complicata, patria dei nativi americani, ma colonizzata dagli inglesi più a lungo di qualsiasi altro territorio statunitense. Così a lungo da lasciare in eredità un popolo di conservatori fino al midollo.

Gagliardo trascorse il tempo un po' nel tepore del saloon del battello e un po' all'aperto a scrutare il mare. Dopo gli ultimi giorni di cattivo tempo, ampi squarci di sereno si erano aperti tra le nuvole, tuttavia la temperatura si manteneva piuttosto bassa. Di tanto in tanto qualche gabbiano volteggiava intorno con le sue grida rauche per poi tuffarsi nell'acqua in cerca di cibo. Vide imbarcazioni insinuarsi nell'East River, seguì con lo sguardo le forme sinuose della penisola di Brooklyn e il cantiere navale della zona portuale, quindi tornò a guardare davanti a sé immaginando il grande bacino di Lower Bay da dove ci si immetteva nell'oceano, per quella traversata dei sogni che conduceva in Italia.

Gagliardo si augurava vivamente che Briggs non avesse già preso il largo, altrimenti per lui era davvero finita. Mentre il vaporetto macinava miglia, con la brezza che schiaffeggiava la faccia dei viaggiatori, udì alcuni di loro discutere animatamente sulle elezioni politiche che proprio in quei giorni stavano vedendo gli americani recarsi alle urne per scegliere il nuovo presidente. A sentire quei discorsi, non ci sarebbe stata partita tra il presidente uscente e grande favorito, il repubblicano Ulysses Grant, e lo sfidante Horace Greeley. Uno di loro, il più infervorato, sventolava energicamente una copia del New York Times per rivendicare la bontà delle proprie ragioni, suffragate dalle firme autorevoli dei giornalisti.

Ma ancora una volta non era la politica a riempire i pensieri di Antonio Gagliardo. C'era il suo futuro in ballo. Un futuro più nebuloso che mai.

Quando, alle dieci e cinquanta, mise piede sulla passerella di legno, l'ansia tornò a pervaderlo. Davanti a sé, una folla di persone era in attesa di salire sul vaporetto con destinazione Manhattan. Biglietto alla mano, c'era chi sgomitava, chi protestava, chi teneva i propri figli per mano, tutti con il chiaro intento di prendere posto a bordo prima che l'addetto agli accessi chiudesse l'imbarco e rimandasse gli esclusi alla corsa successiva.

Non appena ebbe raggiunto la terraferma, Gagliardo fu colto da un leggero senso di vertigine. Respirò a fondo, mentre a poco a poco realizzava di trovarsi su una banchina qualsiasi di un territorio a lui sconosciuto. La domanda gli venne naturale. Come pensava di poter trovare Briggs in mezzo a tutta quella bolgia di mercanti e marinai?

Allungò lo sguardo e, dopo essersi orientato, si incamminò verso sud. Man mano che la zona turistica lasciava spazio a quella commerciale, Gagliardo registrò una sensazione sgradevole, come quando gli capitava di addentrarsi nei vicoli più malfamati di New York. Gente di ogni risma, ma non solo.

D'un tratto uno storpio, vestito di stracci e aggrappato a una stampella, gli tese un cappello logoro sotto il naso, facendolo trasalire.

«Una moneta, una sola moneta.»

Lui lo scacciò via rudemente, senza spiegarsi il perché l'avesse fatto. Di solito era sempre prodigo di gesti caritatevoli verso gli indigenti, ma in quel momento sentiva di avere il diavolo dentro.

Camminò per quasi un miglio, fermandosi di tanto in tanto per riprendere fiato, lo sguardo speranzoso che oscillava a destra e a sinistra. Da una parte ormeggi liberi si alternavano a pontili, ai quali erano attraccate imbarcazioni di ogni dimensione, mentre dall'altra si ergeva una serie ininterrotta di magazzini con i muri di mattoni rossi, sovrastati da ampie vetrate. A giudicare dal movimento frenetico di persone, si poteva intuire che in quei depositi veniva stoccato ogni tipo di merce. La sua attenzione venne catturata, per qualche istante, dalle ciminiere di alcune fabbriche in lontananza e, poco dopo, dalle urla concitate di un gruppo di lavoranti, impegnati intorno a una gru nell'atto di sollevare, con il suo lungo braccio, un carico imbragato da funi.

Per l'ennesima volta si guardò attorno. Sentì il suo umore affondare sotto i piedi quando notò alcuni uomini in uniforme presidiare un posto di controllo in corrispondenza del varco di accesso a un pontile, dove era ormeggiata una goletta. Da quando, quindici anni prima, c'era stata la sanguinosa rivolta della banda irlandese dei Conigli Morti, la polizia aveva dovuto rafforzare la propria presenza in tutta l'area di New York, Staten Island compresa. Una nuova polizia metropolitana, più attrezzata e più feroce.

Come per un riflesso condizionato, gli occhi di Gagliardo migrarono in direzione dei magazzini. Altre divise blu nei pressi di piccole cabine di legno.

"Il vostro imbarco sarebbe del tutto clandestino. In poche parole, non figurereste nella lista ufficiale dei passeggeri."

Le parole di Briggs riaffiorarono di colpo alla memoria. Scosse la testa, sconsolato. Un altro intoppo che rendeva ancor più difficile la sua impresa. Lì intorno pullulava di zelanti uomini di legge preposti a vigilare non solo sugli imbarchi degli equipaggi, ma anche sulle merci in entrata e in uscita, visto l'inasprimento delle norme doganali volute dal governo americano. E i clandestini? Quale sorte toccava loro, una volta scoperti? Si maledisse per aver perso il cappello: quanto meno gli avrebbe dato un contegno più risoluto e allontanato i sospetti.

Non gli restava che chiedere informazioni in giro.

Accelerò il passo per allontanarsi dalla zona presidiata dalla polizia e cominciò a scrutare i volti delle persone che incrociavano i suoi passi, il nome del brigantino di Briggs sempre inciso nella mente.

Un uomo arcigno, con la fronte rugosa e la pipa in bocca, si limitò a scuotere la testa.

«Mai sentito» rispose invece un tizio occupato a rammendare una rete da pesca.

«Provate a chiedere lì, al centro di stoccaggio» suggerì un terzo uomo, un tipo muscoloso che sfidava i rigori dell'autunno inoltrato con la sola camicia addosso e le maniche arrotolate sopra i gomiti.

Il centro di stoccaggio, proprio a pochi passi. Anche in quel caso zeppo di uomini impettiti in uniforme e manganello attaccato alla cintura.

Rimase a fissare inquieto davanti a sé, quando le ruote di un carretto carico di merci gli passarono accanto, facendolo sobbalzare per lo spavento.

Doveva mantenere la calma.

Aggirò la zona e si guardò indietro. Aveva percorso almeno un altro miglio, i piedi facevano male e la valigia pesava sempre di più. Aveva passato in rassegna ogni imbarcazione ancorata agli ormeggi, letto i rispettivi nomi, ma di quella di suo interesse nemmeno l'ombra.

Senza perdersi d'animo, riprese la sua ricerca, cercando di interrogare esclusivamente facce rassicuranti.

Davanti a un magazzino era radunato un capannello di persone, tutte intente a discutere di lavoro.

«Credo che salperà a breve» gli rispose uno di loro, un giovane dai modi affabili. Un marinaio, a giudicare dall'abbigliamento inconfondibile. «Vi conviene che vi affrettiate alla banchina Tompkinsville, di fronte al Saloon Weiner.» Indicò la strada. «Di là, forse siete ancora in tempo.»

Gagliardo sentì la speranza riaccendersi come una fiamma nelle tenebre. Cercò immediatamente di dirigersi in quella direzione, quando una mano gli afferrò il polso, bloccandolo sul posto. Il sangue gli si gelò nelle vene.

Si girò di scatto e abbassò il capo.

Un vecchio con i capelli incolti, seduto sopra una cassetta di legno, lo fissava con occhi obliqui, cerchiati da orbite sporgenti. Era strabico, il che, unito al pallore del volto, allungato ed emaciato, lo rendeva inquietante.

«Se ci tenete alla vostra vita, non salite a bordo.»

Gagliardo fece per liberarsi dalla stretta, ma non ci riuscì. Era come se quello sguardo folgorante, unito alla forza inaspettata di quella mano, gli avesse immobilizzato i sensi.

«Tornatevene da dove siete venuto» insistette il vecchio, rovesciando gli occhi all'indietro.

La presa si allentò e soltanto allora Gagliardo si sentì libero di muoversi. Corse via senza mai guardarsi indietro, una mano sul petto, i passi che gli rimbombavano nelle orecchie, la mente che cercava di respingere il monito del vecchio.

Poi si bloccò.

M. Weiner, Saloon. Eccolo, davanti a sé.

Girò il collo e vide un cartello di legno che riportava un'indicazione sbiadita dal tempo: TOMPKINSVILLE LANDING.

C'era quasi, ma dove si trovava ormeggiato il brigantino? Conscio di non avere più tempo, prese a perlustrare febbrilmente i pontili posti nelle immediate adiacenze, scrutando ogni particolare, persino i piloni di quercia che sostenevano le banchine. Non sembrava esserci traccia di poliziotti o doganieri nei paraggi. Oltrepassò due imbarcazioni finché non scorse un crocchio di uomini a terra, intenti a confabulare. Si avvicinò mentre uno di loro allungava lo sguardo nella sua direzione. Il cuore si riempì di gioia quando l'uomo sorrise. Era la seconda volta che il viso di Benjamin Briggs gli dava quella sicurezza di cui aveva bisogno.

Gagliardo guardò alle loro spalle e finalmente vide la scritta dipinta sul brigantino.

Mary Celeste.

3

Oceano Atlantico, 08 novembre 1872
(26 giorni prima del ritrovamento)

«Dottor Gagliardo, va tutto bene?»

Quel leggero bussare tornò a echeggiare nelle sue orecchie. Antonio Gagliardo aprì gli occhi e scostò la coperta da una parte, poi balzò a sedere sulla branda battendo ripetutamente le palpebre. Il placido dondolio della piccola cabina lo riportò alla realtà.

«Dottor Gagliardo, siete sveglio?»

La voce di Briggs era diventata adesso più chiara, anche se attutita dalle paratie divisorie.

Gagliardo fece scivolare i piedi nudi sulle assi di legno e aprì la porta. I cardini cigolarono.

«Buongiorno, capitano!»

Briggs lo scrutò con aria neutra, quasi attenta a non creare il minimo imbarazzo.

«Siete riuscito a dormire?»

«Sì, molto bene» rispose Gagliardo, mentre cercava di infilare la camicia nei calzoni. «E questa è già una buona notizia.»

Briggs sorrise. «Ne sono compiaciuto. Ieri sera, prima di congedarci, avevate la stanchezza stampata sulla faccia.»

«Altroché. Ero stravolto!» Come colto da un improvviso disagio, Gagliardo si voltò, concedendo a Briggs la possibilità di curiosare attraverso lo spiraglio della porta.

A un occhio attento come quello del capitano non sarebbero di certo sfuggiti due particolari: il moderato ordine che regnava all'interno della cabina e la valigia intatta accanto al giaciglio, a dimostrazione che l'occupante non aveva avuto neppure il tempo di spogliarsi prima di affondare la testa nel cuscino.

«Perdonatemi se vi ho disturbato» disse Briggs in tono gentile. «Per noi uomini di mare, la giornata ha inizio prima ancora che albeggi. Immagino abbiate fame, ho già detto a Head di prepararvi qualcosa. Pensate di saper arrivare alla cambusa?»

Gagliardo si passò la lingua nella bocca impastata. «Forse ci vorrà qualche giorno per prendere confidenza con questo labirinto galleggiante, però voglio provarci.»

«Non esagerate. Un centinaio di piedi di lunghezza e trenta di larghezza per una stazza di trecento tonnellate sono misure di tutto rispetto, ma vi assicuro che esistono imbarcazioni ben più mastodontiche di questa.»

«Ambite forse ad altro, capitano?»

«Può darsi, anche se ancora faccio fatica a metabolizzare l'idea di dover stare al passo con il progresso. Al diavolo motori, caldaie e carbone! Per il momento mi tengo strette le mie vele e l'incertezza del vento.»

Gagliardo abbozzò una smorfia di approvazione. «Concedetemi il tempo di darmi una sistemata...»

Briggs annuì, girò sui tacchi e si allontanò, mentre il dottore richiudeva la porta ripensando al giorno prima, quando intorno a mezzogiorno la *Mary Celeste* aveva mollato gli ormeggi e salutato New York. Il pilota marittimo, un certo Burnett gli era sembrato di capire, aveva manovrato il brigantino oltre lo stretto di Verrazzano, portandolo fino al largo di Staten Island, dove l'uomo aveva riscosso la sua parcella. Poi era tornato indietro con un rimorchiatore venuto appositamente, recando con sé una lettera da affrancare e spedire, scritta dalla moglie del capitano, Mrs. Sarah Elizabeth. Almeno questo ricordava Gagliardo, che aveva assistito alla scena facendo ogni tanto capolino dalla cambusa, dove si era nascosto per non farsi notare proprio dal pilota. Una volta preso il largo, era iniziato il rito delle presentazioni con il resto dell'equipaggio, con Mrs. Briggs, ma non ancora con la loro figlioletta, Sophia Matilda. Alla fine si era ritirato in cabina rinunciando al pranzo.

In quel momento non era certo di ricordare i nomi dei marinai, ma forse, scrutandoli in volto, qualcosa sarebbe affiorato nella sua mente confusa.

Quando fu pronto, uscì sul ponte di corridoio. A destra c'era la porta della cabina del comandante Briggs, mentre di fronte alla sua si trovava quella dell'alloggio del primo ufficiale Richardson. Si sentiva onorato di occupare una delle residenze destinate agli ufficiali, lì, nel cassero di poppa. Era stato il secondo ufficiale di bordo, un tizio massiccio con i capelli rossi, a cedergli la propria cabina. Per questo non avrebbe smesso di essergli grato. Lasciare la residenza da ufficiale per condividere gli alloggi dei marinai semplici era un grande gesto di umiltà, gesto che aveva sorpreso persino Briggs.

Il dottore salì le scale che conducevano sul ponte di coperta. Non appena sbucò fuori, l'aria fredda del mattino lo fece rabbrividire. Allacciò l'ultimo bottone del cappotto, mentre lo sguardo disorientato si sollevava verso la sommità dei due maestosi alberi armati di vele.

"Se ci tenete alla vostra vita, non salite a bordo."

Le parole pronunciate il giorno prima dal vecchio sulla banchina di Staten Island riesplosero nella sua testa. Perché lo aveva detto? Gagliardo si sentì uno stupido a non aver approfondito la faccenda. Era fuggito come un animale impaurito, soggiogato da quella voce da oltretomba, ma anche preoccupato di non riuscire ad arrivare in tempo per salpare con la *Mary Celeste*. Già, la *Mary Celeste*, proprio il nome che aveva spiattellato a quei marinai, prima di ricevere l'informazione che cercava. Lo stesso nome udito dal vecchio, che poi aveva lanciato il suo ammonimento.

«Da nord...» gridò una voce all'improvviso, richiamandolo alla realtà.

Gagliardo si voltò istintivamente all'indietro. La figura magra di Richardson, stretta nella sua giubba blu con i bottoni dorati, si ergeva solitaria di fianco alla ruota del timone. Con una mano, gli fece cenno di avvicinarsi.

«Un buon vento da nord, in aumento» chiarì l'ufficiale, non appena il dottore gli fu accanto.

Gagliardo guardò il cielo a babordo. «Oltre che primo ufficiale della *Mary Celeste*, siete anche indovino?»

Richardson sorrise sotto i baffi. «Anche quello, quando serve.» Impugnò le caviglie levigate della ruota e si sporse con la testa verso una colonna di legno poco vicina, protetta sulla sommità da una cupola di vetro.

«Che fate?» volle sapere Gagliardo.

«Traccio la rotta. Ed è necessario guardare lì dentro.»

«Nella sfera di cristallo?» scherzò il dottore.

«In realtà si chiama "chiesuola" e al suo interno c'è la bussola immersa nel liquido.» Richardson assunse un'espressione divertita. «Avete presente quello strumento che indica sempre il nord?»

Il dottore annuì sorridendo. Aveva capito che, al di là dell'ironia con cui l'ufficiale stava al gioco, si trovava al cospetto di una persona dotata di grande professionalità, al pari di come gli era sembrato Briggs. Lo dicevano gli occhi, ma anche i gesti esperti, misurati.

Seguì un momento di silenzio, rotto a tratti soltanto dal fragore delle onde e da quello delle sartie tese come le corde di un violino.

Gagliardo ne approfittò per ammirare, sul lato di dritta, la palla del sole ormai staccatosi dall'orizzonte che incendiava il reticolo di nubi circostanti. Chiunque sarebbe rimasto estasiato di fronte a quello spettacolo della natura.

«A cosa state pensando?» chiese Richardson a un certo punto, mollando il timone.

Gagliardo scosse la testa. «Niente, ero assorto a contemplare questa meraviglia.» In realtà il primo ufficiale ci aveva visto giusto. C'era Clara nei suoi pensieri in quel momento. Chissà se Mrs. Campbell le aveva consegnato la busta e chissà come aveva reagito dinnanzi a quelle parole d'addio. Si chiese se avesse pianto o se fosse stata travolta da un incontenibile moto di rabbia. Si chiese anche se l'avrebbe odiato per il resto dei suoi giorni, nonostante fosse stato lui a essere abbandonato per primo.

L'ennesima raffica di vento lo distolse, obbligandolo a stringere le braccia attorno al corpo.

«Un buon indumento, il vostro cappotto, dottore! Ma se non coprite bene il collo rischierete di buscarvi un malanno» lo ammonì senza troppi fronzoli Richardson, dopo aver saggiato il tessuto tra le dita.

Con un gesto istintivo, Gagliardo alzò il bavero per ripararsi dalle fredde raffiche di vento. «Avete ragione: provvederò al più presto a tirare fuori la sciarpa di seta dalla valigia.»

Richardson non poté trattenere un sorriso più ampio, capace di sollevargli i baffi. «Usatela quando andrete a teatro, quella. Ve ne darò una delle mie, di lana.»

«Oh, siete troppo gentile!»

«Sapete cosa mi disse un giorno un vecchio marinaio?»

«Che cosa?»

«Ciò che sembra essere di troppo può tornare utile per salvarti la vita» rispose Richardson con un tono quasi paterno. «Piuttosto, vi conviene fare colazione. Qui a bordo le giornate sono lunghe e bisogna tenersi in forze.»

Si lasciarono salutandosi con un cenno della mano e Gagliardo si avviò incerto lungo il ponte di coperta per esplorare un altro pezzo di nave.

Non appena entrò nella cambusa, venne avvolto da un piacevole tepore. Si guardò intorno: un ambiente sufficientemente spazioso, illuminato dalla luce che filtrava da due oblò sul lato di dritta e dominato frontalmente da una stufa collegata a un camino che bucava il soffitto. Appesi a una trave, c'erano calderoni e pentole di diverse dimensioni, mentre sulla paratia lato babordo, sempre attaccati a dei ganci, utensili e piccoli recipienti. A completare l'arredo, un tavolo con i bordi levigati, corredato da due panche e delle mensole ricolme di bollitori e stoviglie. Il giorno prima, a causa della tensione dovuta alla partenza, non aveva fatto caso a tutti quei particolari.

«Buongiorno!»

Gagliardo trasalì, nonostante si fosse accorto della mole massiccia di un uomo sbucato alle sue spalle.

Edward Head, il cambusiere.

«Buongiorno a voi! Il capitano...»

«Il capitano Briggs mi ha ordinato di mettermi a vostra completa disposizione. Allora, cosa volete che vi prepari?» chiese Head, dopo aver deposto un grosso cesto di ortaggi sul tavolo.

Mentre Gagliardo rifletteva, il cambusiere cinse il suo ventre prominente con un grembiule tutt'altro che candido. Il dottore rimase a osservarlo per qualche istante. Non sapeva quanti anni avesse di preciso, ma lo giudicò giovane, nonostante il corpo appesantito, che imprigionava i lineamenti ancora acerbi, lo rendesse più adulto di quanto non fosse realmente. Aveva i capelli radi e scompigliati, e una barbetta che incorniciava poco uniformemente il volto paffuto.

«Ehm, sì certo...»

«Pane di segale, uova, carne secca, pesce salato. Tutto quello che desiderate.» Head si interruppe, allungando lo sguardo oltre la porta, poi si avvicinò all'ospite, preoccupandosi di tenere bassa la voce, gli occhi sempre guardinghi. «Se volete un consiglio, dateci dentro. Ogni giorno ci sono pasti stabiliti per tutti i marinai. Meglio non far sapere di questo trattamento particolare» disse tra il serio e lo scherzoso.

Gagliardo si passò la lingua tra le labbra. Sì, aveva fame, una fame del diavolo, considerato che non riempiva la pancia a dovere da giorni e la sera prima aveva mangiato soltanto un paio di salsicce, prima di crollare addormentato nella cuccetta.

«Pane e uova, allora» scelse alla fine, anche se tentato di allungare la lista. Non voleva passare per un profittatore.

«Volete anche del caffè? Del tè? O, se preferite, latte di capra...»

«Una tazza di caffè andrà benissimo. Mi aiuterà a svegliarmi del tutto.»

Gagliardo sedette e attese pazientemente le pietanze, scambiando qualche chiacchiera con il cuoco di bordo. Apprese che sul fondo del brigantino, nella stiva lato poppa, c'era una cella dove venivano conservati gli alimenti facilmente deperibili. Il dottore venne anche a sapere che Edward William Head aveva vissuto un'adolescenza difficile, a causa di un'educazione paterna fin troppo rigida. Proprio per questo, complice anche il suo indomito spirito di ribellione, aveva trovato il coraggio di abbandonare la famiglia. Una scelta sofferta, ma necessaria per il suo futuro. E così, per guadagnarsi da vivere, aveva cominciato a viaggiare a bordo dei mercantili. Prendersi cura dei marinai lo faceva sentire realizzato e in qualche modo libero. Ora che era a bordo della *Mary Celeste* era sì felice, ma al tempo stesso in pensiero per la moglie. Fresco di matrimonio, infatti, era la prima volta che era costretto a separarsi da lei, la prima volta che sperimentava quella mancanza affettiva.

Gagliardo, dal canto suo, si guardò bene dal raccontare aspetti particolari della sua vita privata e dei motivi che l'avevano spinto a imbarcarsi. Alla fine, rifocillato, uscì sul ponte e rimase a guardare oltre il parapetto le acque azzurre increspate dalle onde e dal vento. Si chiese per quanto tempo si sarebbe mantenuto così innocuo. Le ultime cose che voleva erano il mare in tempesta e lo stomaco sottosopra.

«Dottor Gagliardo» lo salutò ancora una volta Briggs andandogli incontro. Alle sue spalle, due marinai stavano sistemando delle cime. Fratelli tedeschi, gli parve di ricordare.

«Grazie, comandante. Non dimenticherò mai quello che state facendo per me.»

«Non mi è costato nulla compiere una buona azione.»

«Però avete violato la legge.»

«Può darsi. Ma avevo consegnato la lista passeggeri prima di salpare dall'East River.» Gli strizzò l'occhio. «Diciamo che ho dimenticato di aggiornarla.»

«È stata consegnata il giorno che avete caricato la merce?»

«Esattamente. Non pensavamo all'imprevisto di dover poi attendere altri due giorni a New York.»

«La merce, certo. Non mi avete ancora detto di che cosa si tratta...»

Briggs lo fissò con aria pensosa. «È un carico particolare. Ho preferito non parlarvene prima della partenza per non farvi preoccupare oltremodo.»

«Così mi spaventate! Non starete per caso trasportando palle di cannone e polvere da sparo, capitano?»

Briggs lo prese sottobraccio e sorrise. «Niente di tutto questo. Venite con me.»

* * *

La stiva della *Mary Celeste* si trovava sotto il ponte di corridoio e occupava l'intera parte inferiore del brigantino. Per arrivarci, Briggs scortò Gagliardo attraverso il boccaporto centrale, tra poppa e prua, nel punto in cui era assicurata la lancia di salvataggio. I due scesero attraverso una scala a pioli, senza passare davanti alle cabine. Si ritrovarono nella sezione del ponte di corridoio dove era situata la latrina di cui il dottore aveva già fatto utilizzo il giorno prima. Accantonando ogni pudore, aveva sperimentato cosa significasse un bagno in un mercantile, nient'altro che una sorta di rudimentale paravento che nascondeva un bugliolo dove espletare i bisogni corporali. Oltre quel punto, per il dottore, iniziava un mondo inesplorato. L'ambiente era rischiarato da lampade appese alle assi di legno delle paratie. Più avanti, invece, dalle lame di luce naturale che penetravano dall'osteriggio di prua.

Briggs dovette giudicare quell'illuminazione insufficiente, perché sganciò una lampada e proseguì, facendo cenno al dottore di seguirlo. Attaccati alle paratie, anche oggetti di vario tipo: corde arrotolate, mantelli e cappelli di tela incerata, guanti, un'ascia e diversi arnesi a lui sconosciuti.

«E quella?» chiese Gagliardo, bloccandosi e indicando una piccola spada messa in bella mostra e separata dal resto di attrezzi e indumenti.

«È la daga appartenuta a mio nonno Benjamin.» Briggs appoggiò la lampada a terra, sganciò l'arma e la sguainò dal fodero. Accarezzò la lama, che sembrò scintillare nella tenue luce dell'ambiente. «È un cimelio di famiglia, di manifattura italiana, a cui sono molto legato. Oltre che per ricordo, questa spada rappresenta una protezione simbolica delle attrezzature di bordo.» Le indicò. «Era un'usanza di mio padre. Tutto ciò che serve per il lavoro dei marinai si trova appeso lì e stipato nel gavone di poppa, nel giardinetto alle spalle del timone.»

Gagliardo annuì con interesse, mentre Briggs rinfoderava la daga e la riponeva nel proprio alloggiamento. Poi il capitano recuperò la lampada e i due proseguirono fino in fondo al ponte di corridoio, dove apparvero dei barili accatastati. Tanti, forse più di un centinaio. Il capitano si fermò e tornò indietro sul lato di dritta fino a raggiungere il centro nave, in corrispondenza di un'ampia botola. La colpì con la suola come per indicarla, quindi la sollevò tirandola per un anello di ferro.

Briggs scese con cautela attraverso un'altra scala a pioli, aiutandosi con una mano, mentre reggeva la lampada con l'altra. «Prestate attenzione a dove mettete i piedi, dottore!»

Gagliardo lo seguì con fare incerto, timoroso di scoprire la natura di quel carico misterioso. Capì che quello era il percorso che ogni volta Head doveva compiere per andare a prendere le provviste. Appena mise piede dentro la stiva, il dottore avvertì un cambiamento netto di temperatura, molto più bassa rispetto agli altri ambienti, poi uno strano odore che in quel momento non riuscì a identificare. Si chiese il perché di tanta prudenza.

Appena si voltò rimase sbalordito. Barili, ancora barili del tutto simili a quelli che si trovavano in fondo al ponte di corridoio. Erano disposti in file ordinate per l'intera lunghezza dell'imbarcazione, da prua a poppa e accatastati fin quasi al soffitto. Era stato lasciato soltanto un varco centrale, stretto ma sufficiente per consentire il passaggio fino all'estremità di poppa, dove c'era quella cella a cui aveva fatto riferimento Head. I barili sul ponte di stiva erano molto più numerosi rispetto a quelli stipati di sopra. Non avrebbe saputo dire quanti.

«Millesettecento barili da tredici galloni ciascuno. Anzi, millesettecentouno per la precisione» disse Briggs come se gli avesse letto nel pensiero. «Nel totale sono compresi anche quelli sul ponte di corridoio. Sono stati tutti sistemati in modo da non sbilanciare l'assetto della *Mary Celeste*.»

Gagliardo ne approfittò per curiosare e si avvicinò ad alcuni barili. A catturare la sua attenzione fu una scritta nera impressa a grandi caratteri sul legno di uno di essi.

«"Meissner Ackermann & Co"» mormorò tra sé e sé, prima di rivolgersi a Briggs per ottenere conferma.

«Esattamente, parliamo di merce del valore di trentasette-mila dollari.»

Gagliardo fece una smorfia. Chiunque a New York cono-sceva quel nome, facente capo principalmente a Mr. Acker-mann, un commerciante di origini tedesche attivo soprattutto nell'importazione ed esportazione di petrolio.

«Trentasettemila dollari?» chiese in tono stupefatto. «Vo-lete dirmi, allora, il contenuto di queste botti? Si tratta di pe-trolio, vero?»

«Alcol industriale» sentenziò il capitano, scuotendo la testa.

Il dottore mandò giù un grumo di saliva fermo in gola. Ecco spiegati i timori di Briggs e la cautela nell'adoperare la lampada. Un carico per ovvie ragioni pericoloso, vista la natura facilmente infiammabile del prodotto. Sarebbe bastata una minima impru-denza per accendere una gigantesca torcia in mezzo al mare.

«Non è che cambi molto tra petrolio e alcol» disse Gagliar-do con voce ansiosa, facendosi largo verso la scala a pioli. «For-se è meglio tornare di sopra.» Si toccò la fronte con una mano. «Mi gira un po' la testa.»

«Non temete, dottore. I barili sono in quercia bianca, un legno molto resistente. A dire il vero, il rischio di una piccola fuoriuscita di vapori c'è sempre, ma non da insidiare i ponti superiori. Vi prometto che giungeremo a Genova tutti interi.»

«Lo spero vivamente.»

«Fidatevi, sarà così, anche perché questo brigantino è in credito con la sorte.»

Gagliardo, che già si apprestava a salire, si voltò di scatto. «In che senso?»

«Nulla, non fateci caso. Andiamo...»

Gagliardo era sul punto di replicare, ma ci ripensò. Non voleva rimanere un secondo di più là sotto, alle prese con quell'improvviso capogiro. Nonostante ciò, non era per nulla rassicurato dall'evasività della risposta.

I due si fecero strada verso il ponte di corridoio e, mentre la botola veniva serrata, Gagliardo fu assalito dall'inquietante dubbio che Briggs nascondesse qualcosa.

* * *

Una volta in coperta, il capitano venne richiamato verso lo specchio di poppa dal secondo ufficiale di bordo. Al timone non c'era più Richardson, ma quel ragazzo danese che gli aveva ceduto l'alloggio: Andrew Gilling. Il ricordo del nome riemerse non appena vide quel volto disseminato di lentiggini e sormontato da una zazzera di capelli rossi. I due si dissero qualcosa che Gagliardo non riuscì ad afferrare. Ma, dal tono usato da Briggs, sembrava più un ordine perentorio piuttosto che una richiesta.

«Sarà fatto, signore!» rispose Gilling.

Gagliardo rimase a osservare Briggs che, tornato sui suoi passi, spariva giù nel cassero, verso le residenze, probabilmente diretto alla propria cabina. Si avvicinò a Gilling e lo guardò meglio. Sui venticinque anni, sembrava nato per vivere in mezzo al mare.

«Buongiorno, dottore. Avete dormito bene?»

«Come un sasso. Vi ringrazio ancora per avermi permesso di usufruire della vostra cabina.»

«Vi assicuro che è stato un piacere.»

«Mi togliete un peso. Ero preoccupato che a causa mia foste stato costretto a riposare su qualche giaciglio di fortuna. Mi vengono in mente quelle specie di scomode amache.»

«Oh, sì, ne abbiamo ancora qualcuna di scorta nel gavone alle vostre spalle, ma per fortuna non ne facciamo uso. La *Mary Celeste* è stata ristrutturata di recente e ogni membro dell'equipaggio dispone ora di una propria branda con materasso.»

«Questo mi rende felice» replicò Gagliardo. Poi si girò di scatto. Era stato un rumore di passi pesanti ad aver catturato la sua attenzione, passi di un altro marinaio.

«Gottlieb» lo presentò Gilling. «Gottlieb Goodschaad. Tedesco di origini, ma americano a tutti gli effetti. È poco più giovane di me.»

Il marinaio salutò con la mano.

Gagliardo ricambiò. Gottlieb Goodschaad era l'unico marinaio con cui non aveva ancora scambiato nemmeno una parola.

«Buongiorno, Gottlieb. Come va?»

L'uomo gesticolò in direzione del dottore. Un cenno che voleva dire "va tutto bene".

Ci fu un sospeso incrocio di sguardi e Gagliardo intuì che qualcosa non andava.

«Gottlieb non può rispondervi» rivelò Gilling. «È muto, ma ci sente benissimo.»

«Che cosa gli è successo?»

Gilling esitò, lo sguardo che indugiava su quello dell'altro marinaio. «Fin da ragazzo Gottlieb ha sofferto di una strana raucedine che, dopo alcuni anni, si è rivelata sintomo di un brutto male alle corde vocali. Purtroppo i medici non hanno potuto far altro che reciderle, condannandolo a un mutismo irreversibile.» Scosse la testa. «Mi chiedo spesso quanto spietato sia stato il destino con lui...»

«Vedo che gli volete bene» disse Gagliardo.

«Ci conosciamo da quando eravamo bambini e posso assicurarvi che, oltre a essere il mio migliore amico, Gottlieb è anche un marinaio molto abile.» Gilling sorrise. «Uno dei motivi che mi ha spinto a cedervi la cabina, dottore, è stato anche quello di condividere con lui l'alloggio accanto alla cambusa, nella tuga di prua.» Si voltò per cercare gli occhi del marinaio muto. «Per me è come un fratello» disse subito dopo. «Ovunque io andrò, lui sarà al mio fianco.»

Goodschaad, che nel frattempo si era tenuto a distanza, annuiva chiaramente come se apprezzasse le parole dell'amico. Pur essendo magro, aveva le spalle larghe e piene. Sopra gli occhi azzurri, una fronte spaziosa, segnata da una vistosa cicatrice che scompariva sotto un berretto di lana. A giudicare dalle ciocche che fuoriuscivano, il giovanissimo marinaio tedesco aveva i capelli biondo cenere, così come barba e baffi che gli coprivano il volto.

Lo sguardo di Gagliardo tornò su Gilling. «Mi ha fatto un enorme piacere apprendere queste confidenze. Quando si è in piena sintonia, perfino viaggi così lunghi diventano sopportabili.»

Gilling si rivolse a Goodschaad. «Ho riferito al capitano del parrocchetto. Ha dato ordine di risolvere subito il problema.»

Il marinaio muto annuì con aria servile.

«Dottore» disse l'ufficiale, «se volete imparare i segreti della navigazione, seguite pure Gottlieb a centro ponte. Ci sono gli uomini al completo per le operazioni più importanti della giornata.»

Goodschaad sorrise e fece un cenno concitato. Gagliardo lo seguì e si ritrovò nel pieno delle attività della ciurma, alle prese con vele e sartiame. Ed eccoli lì gli ultimi tre marinai che mancavano all'appello. Gli ripeterono i loro nomi, esprimendosi in un inglese dai toni ruvidi. Tutti tedeschi, come Goodschaad. Due di loro erano fratelli, Volkert e Boz Lorenzen, con i capelli biondi e basettoni lunghi fino alle mascelle, mentre il terzo si chiamava Arian Martens, il maggiore di età fra gli uomini, sui trentacinque anni, di media statura, tozzo, con una barba castana sotto il mento.

Goodschaad indicò le vele a prua e fece dei gesti che Martens sembrò comprendere al primo colpo, poi il marinaio muto si portò sottocoperta, probabilmente per prendere qualcosa.

«Ecco qui, dottore. Boz e Volkert stanno intregnando e bendando le cime per irrobustirle e preservarle dalle intemperie» precisò proprio Martens, richiamando l'attenzione di Gagliardo. Evidentemente, la sua anzianità di servizio lo legittimava a fornire tali spiegazioni. Indicò gli alberi. «Quello a poppa si chiama albero di maestra, mentre questo a prua è l'albero di trinchetto.»

Gagliardo annuiva, affascinato dalla lezione di quell'esperto lupo di mare. Lo testimoniava la sua giubba che, a differenza di quella indossata dagli altri, era vissuta e piuttosto logora sui bordi delle maniche.

«La vela quadra più bassa dell'albero a prua si chiama trinchetto, proprio come l'albero. Vedete quella che sta immediatamente sopra?»

«Sì, certamente» rispose il dottore.

«Si chiama parrocchetto. Ora provvederemo ad ammainarlo. Guardate lassù...» aggiunse Martens, indicando con una mano una parte precisa della vela in corrispondenza del pennone superiore.

Gagliardo fece un cenno d'assenso.

«Abbiamo appena scoperto che la cucitura del ferzo laterale ha un po' ceduto, per cui bisognerà intervenire.»

«È un problema grave?» domandò Gagliardo, corrugando la fronte.

«Assolutamente no. Basterà qualche punto di ago e filo, e tutto sarà risolto. È un mero scrupolo.»

«Ma può capitare che le vele si strappino...» insistette Gagliardo.

«Sì, capita anche questo, ma in tal caso si ricorre all'applicazione di una tela di rinforzo.»

Gagliardo tacque mentre assisteva alle manovre di raccolta del parrocchetto da parte di Martens e Goodschaad, nel frattempo tornato sul ponte di coperta. Ma il suo silenzio non durò a lungo. «E se lo strappo dovesse diventare più grande?»

Martens si interruppe e allargò le braccia. «Perdonatemi, dottore, state prefigurando sciagure imminenti o c'è dell'altro che vi angustia?»

«Soltanto curiosità» rispose Gagliardo con il volto ancora contratto dalla preoccupazione.

«Meglio così. Nell'evenienza, sappiate che si è obbligati a sostituire la vela. Ma non temete perché siamo attrezzati per fare il giro del mondo.» Martens sorrise. «Ora avvicinatevi all'albero e imparate una delle nozioni più importanti, ossia la distinzione tra le scotte e le drizze.» Le indicò con la mano tesa. «Con le prime si regolano le vele, mentre con le seconde si alzano e si ammainano.»

Martens continuò le sue spiegazioni per un quarto d'ora abbondante, poi lui e Goodschaad si misero al lavoro sulla vela quadra da riparare. Intanto il mare si era ingrossato, complice anche il vento più sostenuto che aveva spazzato via le ultime nubi.

Gagliardo cominciò a sentire il ponte incerto sotto i suoi piedi e sostare a prua divenne per lui difficoltoso.

«Stiamo solo beccheggiando» gli disse Martens in tono neutro, come se volesse ancora una volta tranquillizzarlo sulla crescente oscillazione dello scafo.

Eccolo, il primo scoglio da superare per un novello uomo di mare che fin lì aveva percorso soltanto corsie di ospedali. Cercando di celare la propria inquietudine, si affrettò a salutare gli uomini e decise di fare l'unica cosa saggia che gli suggeriva il cervello: ritirarsi all'interno del proprio alloggio.

* * *

«Dottor Gagliardo!»

Richardson era sulla soglia della cabina, intento a riempire la pipa.

«Salve, Albert. Siete sceso a riposare?»

«Sì. Voi?» I suoi piccoli occhi lo scrutarono intensamente. «Vi vedo piuttosto pallido.»

«Un po' di nausea» ammise Gagliardo, massaggiandosi lo stomaco.

Richardson si fece da parte, mentre briciole di tabacco cadevano sul pavimento. «Non volete entrare?»

Gagliardo si sentì in dovere di accettare l'invito, anche se avrebbe preferito stendersi sulla propria branda.

Appena Richardson chiuse la porta, il dottore venne investito da un odore pungente.

«È incenso» lo anticipò l'ufficiale. «Ma prego, accomodatevi.»

Gagliardo sedette su una sedia che Richardson aveva scostato dallo scrittoio. A una prima occhiata, l'alloggio risultava speculare a quello cedutogli da Gilling, ma forse di qualche piede più ampio e con un arredo decisamente più pregiato. Il dottore fece migrare lo sguardo sul piccolo manufatto di metallo dorato, da cui si levava l'inconfondibile odore di resina bruciata.

Richardson lo scosse appena e lo portò brevemente alle narici, quindi lo appoggiò di nuovo su un angolo dello scrittoio, occupato per il resto da fogli, inchiostro e calamaio, e anche da numerosi libri impilati l'uno sopra l'altro.

«A voi piace l'incenso, dottore?»

«Non particolarmente» rispose Gagliardo.

Richardson si sistemò il farfallino che spiccava sul bianco della camicia. «Una sostanza straordinaria, da sempre simbolo di rispetto e devozione verso Dio. Non a caso è stato uno dei doni che i Magi portarono al Messia.»

Gagliardo si limitò ad annuire, consapevole di non poter alimentare un argomento a lui non proprio familiare. Nonostante in molti gli attribuissero virtù addirittura curative, per lui l'uso dell'incenso rappresentava principalmente la consacrazione dei defunti.

Richardson sfilò delicatamente un libro dalla pila. «Ecco, leggete questo! Vi terrà compagnia per qualche giorno.»

Gagliardo se lo rigirò tra le mani: *Redburn*, di Herman Melville. Era voluminoso, con il dorso piuttosto consunto.

«Lo conoscete già?»

«No. Di Melville ho letto soltanto *Moby Dick*.»

«Romanzo meraviglioso, ma a questo sono particolarmente affezionato. Poi mi saprete dire...»

«Vi ringrazio» rispose Gagliardo. «Lo inizierò al più presto.»

Richardson diede fuoco alla pipa e aspirò una boccata. «Ci saranno buone giornate e altre meno buone qui a bordo. Dovrete imparare a convivere sia con le une che con le altre.»

Gagliardo apprezzava sempre più il primo ufficiale. Con lui si sentiva a proprio agio, un ospite trattato con la massima considerazione. Erano quei modi garbati e il sorriso affabile, a rincuorarlo.

«Seguirò il vostro consiglio» replicò Gagliardo, che nel frattempo si era alzato. La sua attenzione venne catturata da uno dei fogli appoggiati sullo scrittoio.

Non poté fare a meno di leggere le righe dalla grafia decisa ed elegante:

Ed erto a prora il vecchio Capitano,
scrutando ne la nebbia la tempesta,
afflitto dal vagare tanto vano,
con mossa assai felina, ratta e presta,
raggiunse la polena e brano a brano
le preci salmodiando sulla cresta
rivolse consegnandole all'Eterno
che li tenesse lungi da l'Inferno.

«Oh, non fateci caso. Ogni tanto mi diletto a scrivere qualche verso.»

Gagliardo alzò gli occhi e lo fissò, ammirato. «Non l'avrei mai detto. Una vena poetica davvero fuori dal comune...»

Richardson sorrise. «Le vostre parole mi lusingano.»

Gagliardo ricambiò il sorriso. Grazie alla chiacchierata

con il primo ufficiale, si era quasi dimenticato del proprio malessere.

«Albert, vi ringrazio ancora per il libro, ma adesso è meglio che vada.»

«Aspettate!» Richardson aprì la cassapanca da cui pescò degli indumenti. «Ecco, tenete anche questi. Sono più adatti per la navigazione.»

Gagliardo afferrò un berretto e un mantello blu, entrambi di tela incerata, e una sciarpa di lana.

«Oh, vi sono debitore, Albert.»

«Non ditelo nemmeno.» L'ufficiale sorrise. «E ricordate che oggi è una giornata buona.»

Gagliardo rientrò in cabina, gettò frettolosamente sulla cuccetta gli indumenti e il libro prestatigli da Richardson e tornò verso la soglia. Quel forte aroma di incenso gli aveva invaso la gola, al punto da procurargli una sete terribile. Era destino di non riuscire a stendersi sulla branda.

Quando tornò sul ponte di coperta, si accorse che qualcosa era cambiato. A parte Gilling sempre al timone, degli altri non vi era traccia. Entrò in cambusa e anche lì non trovò nessuno. Allora si servì da solo. Tracannò due bicchieri d'acqua con avidità e si sentì subito meglio.

Una volta uscito, decise di portarsi a prua. Dopo aver aggirato la tuga, si imbatté in Goodschaad, appostato nei pressi dell'uscio della cabina dei marinai semplici. Aveva l'aria guardinga tipica di una vedetta. E difatti sparì all'interno con fare agitato.

Fu Head a sbucare fuori subito dopo. «Dottore, avete bisogno?»

«Mi sono permesso di entrare in cambusa per bere dell'acqua.»

Head gli batté una mano sulla spalla. «Avete fatto bene.»

Gagliardo sbirciò all'interno. «Ma che succede là dentro?»

Anche Head, allo stesso modo di Goodschaad, si guardò attorno, poi con un gesto complice lo invitò a entrare. «Venite! Ma mi raccomando: quello che accade qui muore qui.»

Non appena ebbe varcato la soglia, Gagliardo rimase di sasso. Gli uomini erano disposti intorno a una branda che fungeva da tavolo. Il materasso era stato rimosso, sostituito dal coperchio di una botte. Erano presenti i fratelli Lorenzen e Martens. E poi Head, che aveva ripreso il suo posto. Goodschaad, nel frattempo, era uscito di nuovo per fare il palo.

«Il capitano Briggs non è incline al gioco» disse Martens. «Ma una partita ai dadi non ha mai ucciso nessuno.»

Gagliardo avrebbe voluto rispondergli che non era così. Che lui, invece, aveva rischiato seriamente di essere ammazzato a causa del gioco d'azzardo.

«Volete farci compagnia?» insistette Martens.

Gagliardo rivide i fantasmi avventarsi su di lui. Si ricordò della prima volta che aveva giocato ai dadi, qualche anno dopo il matrimonio. Era stata una sera, tanto per cambiare, in cui aveva litigato furiosamente con Clara. Per sbollire la rabbia, era finito nel seminterrato di una casa a SoHo, invogliato da un amico avvezzo a quel tipo di incontri. Lui, che fino ad allora aveva avuto dimestichezza soltanto con giochi nobili come la dama e gli scacchi, aveva imparato le nuove regole in pochi minuti e aveva ripulito gli altri avventori. Ben presto l'euforia della vincita si era trasformata in un'ossessione irrefrenabile.

«Allora, dottore? Non volete mettere alla prova la vostra abilità e la vostra fortuna?» Martens agitò i dadi in una mano, vi soffiò sopra e li lanciò su quel tavolo improvvisato. Essi rotolarono fino a fermarsi sul "sei" e sul "quattro".

Di fronte a quell'invito allettante, Gagliardo fu tentato di accettare, anche per dare loro una lezione. Fece un passo in avanti, ma poi si bloccò. No, non poteva. Sarebbe stata una mancanza di rispetto nei confronti del capitano Briggs.

«Vi ringrazio, ma non so giocare. Non fa per me.»

«Che peccato!» si rammaricò Volkert Lorenzen.

«Già. E ora, se permettete...» Il dottore fece per andarsene.

«Una sola cosa» intervenne Head, afferrandolo per un braccio. «Vi prego di...»

«No, non dirò nulla a nessuno» lo anticipò Gagliardo. «Né al capitano Briggs, né a Richardson.» Poi girò sui tacchi e uscì dalla cabina.

4

Oceano Atlantico, 09 novembre 1872
(25 giorni prima del ritrovamento)

La notte era scivolata tranquilla. Al risveglio, Gagliardo si era accorto che il moto oscillante del brigantino era aumentato ancora di più, ma aveva deciso ugualmente di salire in coperta per respirare un po' di aria fresca. L'avrebbe aiutato a scacciare il malessere.

Il suo sguardo e quello della moglie di Briggs si incrociarono non appena lui fu uscito dalla cabina. Era la seconda volta che si trovava al suo cospetto, dopo il fugace incontro del giorno della partenza.

«I miei saluti, Mrs. Briggs» disse, accennando un inchino impacciato.

«Vi prego, dottore, chiamatemi pure Sarah.»

«Sono lusingato, ma nutro troppo rispetto per voi» replicò ossequiosamente lui, tentato dal pensiero di un baciamano riparatore. Si accorse che la donna era un po' più magra di quanto non l'avesse giudicata in precedenza, i capelli raccolti dietro la nuca, suddivisi da una riga al centro. Indossava un corpetto azzurro con le maniche fino ai gomiti, una gonna bordeaux ampia e lunga. Un bel fiocco davanti, sulla vita, contribuiva a donarle una certa eleganza. Il dottore dovette ammettere a se stesso che quella donna non era bella, né particolarmente affascinante, ma c'era qualcosa in lei che catturava. Forse i modi materni, capaci di rapire persino un avventuriero come Briggs.

«Venite, dottor Gagliardo» irruppe proprio la voce del capitano da dentro la cabina.

Fin da quando era salito a bordo della *Mary Celeste*, Gagliardo si era chiesto come fosse fatta la residenza del comandante. Non immaginava che l'occasione si sarebbe presentata già al terzo giorno di navigazione.

Entrò dopo Mrs. Briggs e gli saltò subito agli occhi la figura del capitano, che sedeva sulla cuccetta lato dritta della cabina. Essa era molto spaziosa e prendeva l'intera larghezza dell'imbarcazione, da murata a murata: doppio oblò e doppia branda, lato dritta e lato babordo, un piccolo letto con le sponde, un tavolo che all'occasione fungeva anche da scrittoio, corredato da una sedia dall'alto schienale. Con sua grande sorpresa, rimase a osservare due oggetti posti l'uno accanto all'altro: un armonium e una macchina per cucire. E poi ancora uno specchio a figura intera, una cassapanca e due bauli, su uno dei quali era acciambellato un gatto dal pelo candido come la neve.

Che ci faceva un felino a bordo?

«È una gatta e si chiama Pupu» disse Sarah Elizabeth, mostrando una chiostra di denti bianchi. Poi si mise a sedere sulla branda, con la mano ad accarezzare la coperta, l'altra appoggiata sul ventre. Il dottore ebbe l'impressione che la donna, in quel momento, fosse preda del suo stesso disturbo fisico, almeno a giudicare dai due profondi respiri che le sollevarono il petto subito dopo.

«Poo-uh Poo!» replicò una vocina, quasi fosse intervenuta a spiegare il buffo nome della gatta.

Solo allora Gagliardo scorse due occhietti vispi che facevano capolino dietro le sponde del lettino: Sophia Matilda Briggs. Sapeva della sua presenza a bordo, ma era la prima volta che la vedeva. Se ne stava aggrappata alle assi di legno e indicava la gatta.

«Mi stavo giusto chiedendo dove si fosse nascosta» fece Gagliardo, avvicinandosi al letto. «È meravigliosa, questa dolce creatura.»

La bimba sorrise, come se avesse compreso gli apprezzamenti sul suo conto. Poi, a dispetto dei capricci del mare, si mise a giocare con due bambole di pezza.

«Grazie» replicò Briggs, balzando in piedi. «Le abbiamo dato il nome di mia madre.» Indossava una camicia, che evidentemente si era stropicciata sotto le coperte.

Gagliardo lo osservò mentre lui si chinava e prendeva in braccio Sophia Matilda. Con una rapida sbirciata di sottecchi, vide la moglie del capitano portare una mano alla fronte madida di sudore.

Briggs fece una smorfia. «Qui ci vuole proprio un tè con melassa per rilassare lo stomaco. Chiederò a Head di prepararlo.» Detto questo, affidò la bambina alle cure della moglie, afferrò la giacca dall'appendiabiti e uscì.

Dopo che il capitano si fu chiuso la porta alle spalle, nella cabina calò il silenzio. Di certo, Gagliardo non si aspettava di dover rimanere da solo in compagnia di Sarah Elizabeth e di sua figlia. Per togliersi dall'imbarazzo, attaccò subito a parlare.

«Sono molto ammirato da voi, Mrs. Briggs!»

«E per cosa?» replicò lei, allargando i suoi grandi occhi marroni.

«Per il vostro coraggio. Non credo esistano tante donne disposte ad affrontare una traversata così impegnativa pur di stare accanto al proprio uomo.»

«In verità non è la prima volta che mi capita di accompagnare mio marito in uno dei suoi viaggi. Sono già stata in Europa in due occasioni: subito dopo esserci sposati e l'ultima, due anni fa, a Marsiglia.»

«Dunque siete avvezza a solcare l'oceano!» si meravigliò Gagliardo.

«Se c'è una cosa che ho sempre pensato, è che la moglie di un marinaio non dovrebbe mai fare la fine di Penelope in attesa del suo Ulisse.»

«Capisco cosa intendete...» Gagliardo indicò lo strumento musicale e sorrise. «Voi suonate l'armonium anziché tessere la tela?»

«Oh, sì, ci provo. Non sono bravissima, ma è un modo piacevole per ingannare il tempo.»

«Concordo, la musica è la sublimazione dell'anima.»

Mrs. Briggs arrossì in viso.

«Vostro marito mi ha riferito che avete un altro figlio.»

«Sì, Arthur. Il mio amato Arthur. Lo avremmo portato con noi, se non fosse stato per la scuola. Lui ha sette anni, non può assentarsi per un periodo così lungo.»

«E a chi lo avete affidato?»

«È rimasto a Marion, con la nonna. Mia suocera.»

«Era indirizzata a lei la lettera che vi ho visto consegnare prima di prendere il largo?»

«Sì, proprio a lei. Le avevo scritto anche qualche giorno prima, ma ho preferito avvertirla del ritardo nella partenza. È sempre buona cosa essere rassicuranti con i propri affetti più cari.»

Gagliardo annuì, poi venne distratto dal miagolio del felino che, con uno scatto improvviso, balzò sul tavolo. Gli occhi del dottore indugiarono sulla bestiola per poi soffermarsi sul dorso di alcuni tomi riposti ordinatamente in un angolo.

«Sono libri a tema religioso» affermò Mrs. Briggs, soddisfacendo la curiosità di Gagliardo. «Siamo una famiglia molto devota e puritana. Crediamo in Dio e rifuggiamo dalle tentazioni.»

Lo sguardo del dottore si spostò rapidamente verso un oggetto che aveva scorto in precedenza: il piccolo crocefisso appeso sopra il letto di Sophia Matilda. «Capisco, anche mio padre era molto religioso» disse quasi compiaciuto.

«Mio marito pratica ormai da anni la completa astinenza da alcol.»

Gagliardo ricordò l'incontro alla Fraunces Tavern, quando Briggs si era tenuto alla larga da alcol e fumo, ingaggiando una piccola disputa verbale con quel capitano canadese. Si riscosse e guardò Mrs. Briggs con aria incuriosita. «Come mai questa scelta?»

«Mio padre era reverendo. È stato una guida per me e per la mia famiglia. Ci ha insegnato a condurre una vita morigerata.»

«Parlate al passato di vostro padre.»

Gli occhi di Sarah Elizabeth si intristirono. «Purtroppo è venuto a mancare due mesi fa.»

«Oh, mi spiace!»

«Questa è una delle ragioni che mi ha spinto a imbarcarmi. Stare a casa mi faceva pensare spesso a lui e ai miei problemi di salute che...»

Fu in quel momento che Sophia Matilda gettò via le bambole e scoppiò a piangere. Il brigantino seguitava a beccheggiare, ma Gagliardo sembrava non farci più caso, totalmente assorbito da quella chiacchierata. Che problemi di salute aveva quella donna?

Mrs. Briggs prese in braccio la figlia nel tentativo di calmarla.

Un istante dopo il capitano aprì la porta.

«Perché non suoni un po' l'armonium, mia cara? Lo sai che Sophy lo adora. Intanto il dottore e io ci trasferiamo nella sua cabina. Head sarà qui tra poco.»

Mrs. Briggs posò la bambina nel lettino, poi spostò la sedia fino a piazzarsi davanti ai tasti dell'armonium.

«Andiamo, dottore, ho voglia di chiacchierare con voi» fece Briggs, accennando l'uscio.

Nell'aria, ancora i singhiozzi insistenti di Sophia Matilda.

* * *

Bara galleggiante. Così l'aveva definita Gagliardo, pensando tra sé e sé, non appena aveva preso possesso dell'alloggio di Gilling. Ma, dopo la visita nella residenza del comandante, quello spazio gli era parso ancora più angusto se non claustrofobico. Quattro pareti di legno in grado di contenere tuttavia lo stretto necessario: una branda, una piccola cassapanca, uno sgabello, un gancio appendiabiti e un tavolino richiudibile, a cui veniva chiesto l'arduo compito di diventare un confortevole piano di appoggio. Infine, un oblò, unico tramite tangibile tra lui e il mondo esterno, verso l'immensità dell'oceano. Quando era entrato per la prima volta, lo aveva fatto curvando la schiena e chinando il capo. Poi aveva scoperto che si poteva stare ben dritti senza problemi, visto che sopra la sua testa c'era un margine di almeno una quindicina di pollici.

Una volta all'interno, Gagliardo sentì il bisogno di rischiarare l'ambiente. Scostò le tendine e, dopo un'occhiata fugace oltre il vetro, le tirò da un lato, lasciando che un po' di luce filtrasse nella cabina, gesto che riscosse l'approvazione del suo ospite. Quindi sedette sul bordo della branda, mentre il capitano si accomodava sulla cassapanca.

Seppur attutite, si cominciarono a udire le note di un brano melodico che Gagliardo non seppe identificare, un brano capace di far cessare il pianto della bambina.

«Come ve la state passando, dottore?»

«Direi bene, ma non è facile.»

«Me ne rendo conto, le cose peggiori per un passeggero sono la noia e l'attesa, purtroppo.»

La musica dell'armonium si interruppe e riprese subito dopo.

I due si guardarono negli occhi.

L'espressione di Briggs sembrava serena. «Ditemi la verità, vi secca non aver potuto adempiere al dovere di buon cittadino?»

«Me ne farò una ragione. Voi, invece?»

Briggs sospirò. «La gloriosa bandiera a stelle e strisce perdonerà la mia mancanza, ma quando gli affari chiamano è necessario rispondere.» Poi incrociò le braccia sul petto. «Per chi avreste votato? Grant o Greeley?»

«Grant, senza ombra di dubbio» rispose secco Gagliardo.

«Nonostante lo scandalo sulla manipolazione dei mercati finanziari che hanno coinvolto alcuni membri del suo governo?» ribatté Briggs inarcando le sopracciglia.

«È vero, ma nulla toglie alla bontà del suo programma elettorale a difesa dei diritti civili» ribadì Gagliardo. «Credo che alla fine si riveleranno le elezioni più scontate della storia americana, anche alla luce della mancanza di una vera e propria alternativa politica credibile.»

«Dite?»

«Certamente. Lo sanno anche i sassi che Greeley è un esponente politico di facciata. Sostenuto dai democratici, ma di fatto candidato per una frangia allo sbando dello stesso partito repubblicano di Grant.» Si interruppe e fece una smorfia. «Non lo trovate grottesco?»

Ogni risposta fu bloccata sul nascere perché qualcuno bussò alla porta.

Briggs aprì e sulla soglia comparve la figura corpulenta di Edward Head.

«Vostra moglie mi ha detto che eravate qui.»

Briggs annuì, poi Head lasciò un vassoio con due tazze fumanti di tè e un bricco di latte, prima di salutare e richiudersi la porta alle spalle.

Il capitano sollevò il bricco. «È latte di capra, ne volete un po'?»

«State scherzando? Un purista del tè non lo sporcherebbe mai con del latte» replicò un po' irrispettosamente Gagliardo, afferrando con una mano la bevanda calda, quasi bollente.

Briggs colmò la sua tazza con il latte fino all'orlo. «Viste le

vostre origini, dovreste definirvi purista del vino, piuttosto.»
Quindi sollevò le labbra dalla tazza scrutandolo negli occhi.

Briggs gli parlava di alcol. Era forse un modo per coglierlo
in fallo? Per quale ragione un astemio fermamente convinto
come lui faceva allusioni al vino?

«Conoscete l'Italia, dunque, capitano Briggs...»

Lui mandò giù un sorso di tè e annuì, gli occhi scuri e profondi, le gote arrossate dal calore della bevanda. «Ho navigato
diverse volte nel Mediterraneo, fino a oltrepassare le coste del
Marocco e della Spagna. Ho fatto tappa a Cagliari, Genova,
Napoli. Ho comandato golette e altri brigantini.»

«Spero conserviate piacevoli ricordi riguardo a quelle città.»

«Altroché! Splendidi posti e gente ospitale.» Briggs abbozzò un sorriso malinconico. «Quasi vi invidio, dottore.»

Gagliardo gli restituì il sorriso. «Quanto ci vorrà?»

«Un mese, forse anche meno.»

«Certo che sono cambiati i tempi. Quando con mio padre
e mio cugino Andrea lasciammo Genova, impiegammo due
mesi per raggiungere New York.»

«Con quale imbarcazione avete viaggiato?»

«Brigantino *Bettuglia*, maggio del Quarantasette. Un'o-
dissea! Ho ancora nelle orecchie il pianto dei bambini e negli
occhi la disperazione della gente che si ammalava e che moriva
a bordo.»

«Immagino in quali condizioni si sia potuto viaggiare...»

«La disgustosa ripugnanza che si avverte quando si viene
trattati come merce infima è tale che non si dimentica più»
replicò Gagliardo con espressione mesta. «E voi? Avete mai
avuto problemi seri sulle vostre navi?»

Briggs esitò qualche istante prima di rispondere. «Vedete,
dottor Gagliardo, i problemi non si possono prevedere. L'importante è sapere come affrontarli e di conseguenza superarli.
Come ho sempre fatto.» Posò la tazza sul vassoio. «Di cosa

avete timore? Siete nelle mani di un navigatore esperto. Ho sfidato mari in burrasca, ho portato in salvo imbarcazioni sull'orlo del naufragio. Vent'anni di onorata carriera...» Si interruppe, come smarrito in ricordi lontani.

«Andate avanti, ve ne prego!»

Briggs tentennò ancora, poi fece un lungo respiro. «Una carriera offuscata da una vicenda che alcuni hanno voluto far passare per una macchia disonorevole.»

«A cosa alludete?»

«A uno stupido incidente di tanti anni fa, quando ero aiutante capo del mercantile *Hope*» replicò in tono evasivo Briggs. «Ma il destino mi ha ricompensato, affidandomi il comando del brigantino *Sea Foam* e successivamente della goletta *Forest King*. E poi ancora altre imbarcazioni importanti fino alla *Mary Celeste*.»

Gagliardo soprassedette, annuendo con un leggero cenno del capo. «E i pirati, invece? Non li temete?»

«Sarei un bugiardo se vi dicessi di no. Ma nella mia cabina c'è un revolver pronto all'uso, carico di pallottole e polvere da sparo. Nell'evenienza, troverebbero pane per i loro denti.»

Gagliardo posò sul vassoio la sua tazza di tè, turbato dalla notizia. «Speriamo non accada.»

«È molto raro che i pirati si avventurino in pieno oceano» lo tranquillizzò lui, poi lo fissò con aria interrogativa. «E voi? Siete fuggito soltanto per i debiti o c'è dell'altro?»

Gagliardo distolse lo sguardo e lo diresse verso la porzione di oceano oltre l'oblò, prima di replicare. «Forse a New York stavo vivendo una vita che non mi apparteneva.»

«Di vostra moglie non mi avete detto molto...»

Gagliardo si sentì in trappola. La domanda più scomoda che gli poteva essere rivolta era arrivata. Sospirò. «È stata una grande storia d'amore, ma anche le storie d'amore importanti possono finire. Il fatto di non aver avuto figli ha finito per pesare indiscutibilmente sul nostro rapporto. Forse è per quello che ho cercato rifugio nel gioco, senza immaginare che invece avrei trovato l'abisso. E a un certo punto lei non ha più tollerato il mio comportamento.»

Il capitano Briggs si alzò e gli appoggiò una mano sulla spalla. «L'Italia è un bel posto, dottore. Sono sicuro che troverete la vostra strada e che vi farete una nuova vita.»

5

Oceano Atlantico, 10 novembre 1872
(24 giorni prima del ritrovamento)

Il primo tuono irruppe nel suo sonno come un colpo di cannone.

Si rigirò tra le coperte cercando di scacciare quell'incubo inquietante. Lui che camminava sul ponte e all'improvviso veniva sovrastato da un'onda gigantesca. Poi il vortice che lo risucchiava negli abissi dell'oceano e, infine, creature marine che lo stritolavano tra una selva di tentacoli.

Il secondo tuono, più forte, lo strappò definitivamente dalle spire dell'incoscienza.

Antonio Gagliardo balzò a sedere sulla branda, ansimante. Quel sogno angoscioso era stato così vivido che gli parve di vedere i contorni di un lungo tentacolo dileguarsi nella penombra della cabina. Respirò profondamente, mentre pian piano prendeva cognizione dell'ambiente che lo circondava. Fuori la pioggia batteva sul vetro dell'oblò, producendo un rumore grave e tamburellante. Il pensiero della tempesta lo costrinse a restare in ascolto. Dal ponte di coperta provenivano le voci concitate dei marinai unite al trambusto dei loro passi pesanti. Con i sensi ancora annebbiati, si alzò ed estrasse dalla sua borsa il flacone del laudano. Una volta aperto, mandò giù in gola il solito quantitativo di gocce. L'ansia era tornata a impossessarsi di lui e sentiva il bisogno di placare il suo stato d'animo. Da qualche anno, ormai, al sopraggiungere delle crisi, non poteva fare a meno di affidarsi a quel rimedio in grado di alleggerire la mente oltre che, naturalmente, di alleviare il dolore.

Tornò a distendersi e, dopo una serie di profondi respiri, si mise a pensare. Le ultime cose che ricordava risalivano alla sera prima: la cena con un tozzo di pane e aringhe affumicate, l'uso della latrina, il ritiro anticipato in cabina e la testa affondata nel cuscino. Poi, evidentemente, era crollato in un torpore profondo, molestato soltanto nelle prime ore del mattino.

Rimase in quella posizione per un po', in attesa che il laudano facesse effetto, mentre la tempesta, fuori, sembrava essersi placata. Senza accorgersene, scivolò in un sonno breve ma quieto.

Passarono diversi minuti prima che si alzasse e provvedesse a cambiarsi. Quando sbucò in coperta non pioveva più, sebbene grosse nubi scure e minacciose stazionavano sopra il brigantino. Il rollio crescente dello scafo lo costrinse a camminare cautamente sul ponte inzuppato d'acqua. In quel momento vide i due fratelli tedeschi alle prese con il sartiame e ciò gli fece pensare che di lì a breve avrebbero spiegato le vele.

Giunto al parapetto, vi rimase saldamente aggrappato con entrambe le mani. Per la prima volta si rese conto che quella traversata si stava rivelando una dura prova per i suoi nervi. Si sporse a guardare di sotto le onde alte e spumeggianti, poi davanti a sé, dove il mare ingoiava il cielo facendo apparire il tutto un mantello di piombo fuso.

«Buongiorno, dottore!» lo accolse Richardson. Rispetto al mattino prima indossava una giubba incerata, sicuramente per ripararsi dagli spruzzi che ogni tanto arrivavano sul ponte. Per il resto era la stessa imperturbabile persona, impegnata al comando dell'imbarcazione. La tempesta sembrava non averlo smosso per nulla.

«Buongiorno, Mr. Albert!»

Richardson lo fissò. «Noto con piacere che avete messo la sciarpa giusta, questa mattina.»

Istintivamente Gagliardo se la strinse al collo, sentendo ancora di più il calore della lana a contatto con la pelle. «Grazie! Ci voleva.»

Richardson indugiò su di lui con lo sguardo. «Avete una brutta cera. Non state bene?»

Gagliardo scosse la testa. «Devo dire che oggi il mare non è per nulla indulgente nei miei confronti.»

«Provate a mettere qualcosa nello stomaco.»

«Magari più tardi. Adesso ho una nausea terribile.»

«Vedrete che vi abituerete presto.»

«Anche il capitano Briggs mi ha detto la stessa cosa. Spero soltanto che i giorni passino in fretta.»

«Quando sarete a Genova non ci penserete più.»

«Ne sono convinto, anche il mio cervello continua a pensare che non c'è niente di meglio che tenere i piedi ben saldi sulla terraferma.»

Richardson e Gagliardo scoppiarono a ridere, ma le urla di un battibecco a centro ponte richiamarono la loro attenzione. I fratelli Lorenzen si stavano rimbrottando a vicenda esprimendosi nella loro lingua madre. Sebbene avesse studiato il tedesco a scuola, Gagliardo ricordava soltanto pochi termini. Non fu in grado di capire da cosa fosse scaturito il litigio. Tuttavia, in quei pochi giorni di navigazione, aveva già avuto modo di assistere alle sfuriate reciproche di Boz e Volkert Lorenzen. Il dottore sapeva però riconoscere quello che era un classico rapporto di amore e odio tra consanguinei, glielo aveva insegnato la vita di strada nei ghetti di Lower East Side quando era ragazzo. Difatti, dopo qualche minuto, grazie anche all'intervento pacificatore di Martens, i due erano già tornati in sintonia per sistemare le vele dell'albero di trinchetto. Dietro di loro, Goodschaad stava invece agganciando delle vele oblique triangolari che Gagliardo non aveva mai visto.

«Il rollio si sta affievolendo» rivelò Richardson. «Tra poco avremo il vento in poppa.» Indicò quelle strane vele messe per obliquo. «I marinai sono pronti a piazzare la vela di straglio e l'altra di controstraglio tra l'albero di maestra e quello di trinchetto.»

«Sono simili a quelle di prua, all'estremità della nave» fece notare Gagliardo.

«Esattamente. Tra il trinchetto e il bompresso adoperiamo il fiocco e il controfiocco. Vedrete che a momenti aumenteremo la velocità di un paio di nodi.»

«E come farete a calcolarla?»

Il primo ufficiale abbandonò il timone, aprì il gavone ed estrasse qualcosa che dovette reggere con entrambe le mani. «Con questo.» Glielo mostrò. «Solcometro a elica di nuova generazione. Viene calato in mare a poppa, ben legato a questa sagola» spiegò esibendo un cavo di canapa arrotolato, «che a propria volta è agganciata con l'altra estremità all'asse di un contatore da fissare a bordo. La rotazione dell'elica, in base alla velocità della nave, viene trasmessa dalla sagola al contatore mediante la sua torsione. Gli indici rivelano le miglia orarie.» Ripose tutto nel gavone e tornò al timone. «Ecco come calcoliamo la velocità.»

«Dunque la misura è in miglia e non in nodi.»

«Esatto. Sappiate che un nodo equivale a un miglio nautico. In gergo usiamo i "nodi" perché con i vecchi solcometri, non potendo fare affidamento su un contatore, bisognava fare appunto dei nodi a distanza alla sagola per poter capire approssimativamente la velocità.» Richardson sorrise. «C'è anche da dire che la misura della velocità non può mai essere considerata come un dato certo e affidabile, soprattutto quando la corrente del mare è molto forte.»

Gagliardo mostrò un'espressione compiaciuta. «Sono da poche ore sulla *Mary Celeste* e ho già imparato una trentina di termini nuovi.»

Nel frattempo l'attività a bordo procedeva senza sosta: i marinai si alternavano ad attrezzare gli alberi e a lavare il ponte. Il dottore salutò Richardson e continuò ad aggirarsi in coperta.

Vi rimase per il resto della mattinata, spesso assorto ad ammirare il mare, respirando il vento a pieni polmoni, sotto un cielo divenuto via via sempre più azzurro. In quel lasso di tempo ne approfittò per familiarizzare ulteriormente con la ciurma e osservare le operazioni. Lo sguardo attento, rapito dai gesti metodici ed esperti dei marinai, tutti con indosso calzoni bianchi di tela e giubbe blu, corte fino alla vita. Il dottore aveva sempre pensato che l'uniforme, specie negli ambienti marinareschi, trasmettesse ordine e affidabilità a chi non fosse avvezzo a quel tipo di vita. Ora ne aveva la conferma.

«Venite, dottore!» Fu Head a chiamarlo in disparte a un certo punto.

Gagliardo lo raggiunse in cambusa e il cuoco estrasse una bottiglia dal fondo della cassapanca.

«Come va il vostro stomaco? Richardson mi ha detto che lo avevate sottosopra.»

«Non sono ancora a posto, ma va un po' meglio.»

Head versò del liquido paglierino in un bicchiere di metallo e glielo porse. «Ecco, provate questo, vi rimetterà in sesto. Però fate in fretta! È bene non farsi vedere dal capitano Briggs. Così come per il gioco d'azzardo, non tollera assolutamente che a bordo si faccia uso di alcol. Il pastore sa diventare diavolo, a volte.»

Gagliardo annusò. «È rum?»

«Non solo...» disse in tono sospeso. «Grog, mezza pinta di rum e un quarto d'acqua. Ma questa è la ricetta personale di Edward William Head.» Strizzò l'occhio. «Quella con l'ingrediente segreto che previene anche lo scorbuto.»

Gagliardo buttò giù il liquore e subito dopo sentì le viscere bruciare. Fece una smorfia che Head sembrò trovare divertente.

«Bene, dottore, adesso vedrete che il vostro stomaco vi ringrazierà.» Si riappropriò del bicchiere e ripose la bottiglia dentro il nascondiglio segreto per celare le prove del misfatto. «Se ne volete dell'altro non avete che da chiedere. Ma dovete parlare in codice.» Altre risate del cuoco si levarono in cambusa e finirono per contagiare anche Gagliardo. Assistere all'allegria di quell'uomo fu un toccasana per il suo umore. Ne aveva bisogno.

Il dottore non avvertì un immediato beneficio per il proprio malessere, ma doveva ammettere di sentirsi un po' più a suo agio dopo aver bevuto quel delizioso grog.

Tornato sul ponte, non trovò più Richardson a sovrintendere il lavoro dei marinai, bensì Gilling. Sollevò la mano nella sua direzione e il danese ricambiò il saluto mostrando la mano destra fasciata con una benda scura.

«Che cosa vi è successo?» volle sapere Gagliardo.

«Oh, niente di importante. Mi sono ferito mentre cercavo un attrezzo nel gavone» rispose lui con un sorriso.

Gagliardo rimase un po' disorientato, mentre il secondo ufficiale di bordo gli dava una pacca rassicurante sulla spalla con l'altra mano e lo aggirava per raggiungere i fratelli Lorenzen.

Gilling ordinò loro di regolare la randa dell'albero di maestra, prima di riprendere la sua postazione.

Il dottore decise di rimanere ancora sul ponte di coperta, passeggiando da poppa a prua, talora fermandosi per guardare il mare, talora per seguire con occhi interessati le manovre dei marinai.

Intorno a mezzogiorno il tempo mutò ancora: grosse nubi grigiastre si addensarono fino a rendere il cielo nuovamente cupo, mentre il vento rinforzò parecchio, proprio come aveva predetto Richardson, tanto che lo scafo cominciò a fronteggiare onde sempre più grandi. La chiglia del brigantino non aveva tregua e le oscillazioni aumentarono di ampiezza.

Il capitano Briggs e il primo ufficiale Richardson sbucarono in coperta e rimasero per diverso tempo ritti a prua a scrutare l'orizzonte con il cannocchiale. Di tanto in tanto non disdegnavano di intrattenersi con Gagliardo, coinvolgendolo nei loro discorsi. Lui, dal canto suo, si sentiva lusingato da tanta attenzione. Era stupito dal modo estremamente professionale con cui entrambi affrontavano le situazioni a bordo, dal governo del brigantino fino alla gestione della ciurma, compito assolutamente non facile visti i molteplici problemi che ogni marinaio, nella propria condizione di sottoposto scandita da regole e obbedienza, poteva manifestare. E poi doveva ammettere che era davvero piacevole stare all'aperto a respirare l'aria, mentre la luce del giorno poneva in risalto ogni curva e convessità del brigantino. Si chiese se quella vita si addicesse a lui. Non che rinnegasse la sua professione, ma l'adrenalina che avvertiva su quelle assi di legno galleggianti gli procurava una sensazione impareggiabile rispetto a qualsiasi altra cosa provata prima.

Il mare...

Ovunque volgeva lo sguardo, Gagliardo non trovava che acqua, una distesa immensa, sconfinata, senza alcun punto di riferimento. Se si escludeva la traversata da Genova a New York, era la prima volta che affrontava il mare aperto con la coscienza di un adulto. Cercò fra i ritagli dei ricordi l'istantanea del suo arrivo a Castle Garden, a bordo del brigantino *Bettuglia*, una delle tante imbarcazioni che attraversavano impavidamente l'oceano per trasportare tonnellate di merci e centinaia di persone nel Nuovo Continente. Fatiscenti, lente e insicure carcasse, senza la minima garanzia di igiene a bordo per quegli emigranti che, con un minore attaccamento al suolo natio e desiderosi di un mezzo di riadattamento superiore, non esitavano ad avventurarsi verso terre sconosciute e lontane. Esattamente come aveva deciso di fare un giorno suo padre, intraprendendo quel lungo viaggio insieme a lui e al figlio del fratello, ancora tredicenne, alla ricerca della terra dei sogni che potesse scacciare le sofferenze patite in quel Regno di Sardegna in mano ai sabaudi, a cui non importava nulla della crisi agraria sempre crescente. Gagliardo non poteva dimenticare quell'adolescenza complicata senza il conforto di una madre, i primi periodi duri, a tratti impossibili, in un decrepito e umido alloggio di Mott Street, dove avevano trovato dimora numerose famiglie italiane. Così come non poteva dimenticare il giorno in cui aveva perso un importante punto di riferimento, colui che riteneva un fratello maggiore. Suo cugino Andrea, ribelle e sognatore, aveva deciso infatti che quella vita non faceva per lui e se ne era andato a Boston a suonare l'organetto per strada.

Il dottore ripensò agli enormi sacrifici compiuti da suo padre per farlo studiare alla Columbia University. Quell'uomo premuroso si era tolto il pane di bocca per assicurargli un futuro migliore, che lui aveva sì ripagato, ma che adesso rischiava di dissolversi per colpa di quel dannato vizio del gioco. E, come un marchio indelebile impresso nella memoria, la rassegnazione per il mancato ricongiungimento con il resto dei familiari oltreoceano, gli zii e altri cugini. Un desiderio rimasto a lungo inespresso.

Ma i ricordi svanirono in fretta. Fu un certo languore allo stomaco a portarlo nuovamente alla realtà, nel momento in cui lo sentì brontolare. Chissà che cosa aveva preparato Head per pranzo...

«Andrew!» urlò a un certo punto Richardson, sempre accanto a Briggs.

Gagliardo sollevò lo sguardo e si accorse che Gilling e Goodschaad si erano voltati di scatto nella loro direzione.

«Venite qui!» ordinò il primo ufficiale, sotto gli occhi del capitano, richiamando il suo secondo con un solerte cenno della mano.

I due si dissero qualcosa, poi Andrew Gilling fece ritorno verso il giardinetto, non prima di aver parlato con Goodschaad e Martens. Erano tutti talmente impegnati che nessuno di loro sembrava aver fame. Il secondo ufficiale di bordo aveva ordinato ai compagni di dare una prima mano di terzaroli, in modo da ridurre le porzioni di vele esposte al vento.

Un braccio si posò sulle spalle di Gagliardo.

«Forza, dottore, andiamo» disse Head con voce squillante. «C'è una zuppa calda che vi aspetta.»

* * *

Il pasto era stato abbondante. E anche gustoso, giudicò Gagliardo. Contravvenendo all'invito di Head, aveva atteso educatamente che l'ultimo della ciurma sedesse a tavola prima di toccare cibo. In un'atmosfera conviviale, ciascun marinaio aveva consumato una scodella di zuppa di verdure, accompagnata da una porzione generosa di carne salata di maiale, mentre la famiglia Briggs e Richardson, come d'abitudine, avevano pranzato nelle rispettive cabine. Il dottore si era trovato a condividere la panca con Martens e con i fratelli Lorenzen, mentre di fronte a lui c'erano Gilling, ancora con quella fasciatura improvvisata alla mano destra, e l'inseparabile Goodschaad, con Head costretto a sedere vicino alla stufa, posizione che gli consentiva di potersi alzare più agevolmente e servire i compagni, i quali non si erano certo fatti pregare per ricevere un altro mestolo di quella minestra così invitante. Tra un boccone e l'altro, i fratelli Lorenzen si erano messi a discutere animatamente sulle qualità di alcuni tipi di vela. Parlavano di straglio, di randa, di fiocchi. Quando si erano accorti che Gagliardo li stava guardando in modo strano, avevano cercato di rendere più comprensibile la discussione. Sul finire del pranzo, qualcuno, di nascosto, aveva approfittato del grog segreto di Head. Ma a quel punto il dottore si era defilato. I toni erano diventati leggermente più alti e lui si era sentito fuori posto. A dire il vero, a parte qualche battuta scherzosa e un fitto brusio, la compagnia non aveva mai trasceso il limite della buona educazione e del rispetto reciproco. A mantenere l'ordine ci pensava il secondo ufficiale di bordo. A dispetto della giovane età, Gilling aveva il compito, oltre che di timoniere, anche quello di fungere da tramite tra la ciurma e il comandante. In quei pochi giorni di navigazione il dottore si era fatto un'idea di come funzionassero le cose sulla *Mary Celeste*. Nonostante la differenza di impiego a bordo, era rimasto impressionato dalla serietà, dalla disciplina, dalla tenacia e anche dalla passione con cui tutti i marinai svolgevano le loro mansioni. Per il bene comune, come l'incastro perfetto di un meccanismo.

Fu mentre tornava in cabina che incrociò nuovamente Mrs. Briggs. Lei se ne stava in mezzo al corridoio insieme a Sophia Matilda, che indossava un vestitino marrone e una cuffia di lana dello stesso colore. La bambina era impegnata a rincorrere la gatta per poi farsi inseguire a sua volta in una sorta di divertente girotondo.

«Mrs. Briggs, che piacere rivedervi!»

«Piacere tutto mio, dottore» rispose lei con un sorriso.

«Vedo che la piccola è scatenata.»

«Non riuscivo più a tenerla in cabina e allora siamo uscite un po'. Ne ho approfittato per lasciare tranquillo mio marito. Non si sente molto bene.»

«Ma come...»

«Oh, non è ciò che pensate. Benjamin non sa nemmeno che cosa sia il mal di mare. Ma l'emicrania, quella sì. Adesso sta riposando.» Nel pronunciare le ultime parole, la donna aveva abbassato il tono della voce.

«Poo-uh Poo!» esclamò come al solito la piccola. E poi altre parole smozzicate che Gagliardo faticò a comprendere.

La gatta non si lasciava afferrare. Si muoveva a scatti e lanciava flebili miagolii.

Gagliardo si chinò e con dei gesti richiamò l'attenzione dell'animale, ma inaspettatamente fu la bambina a lanciarsi tra le sue braccia. Lui la strinse a sé e la sollevò facendola volteggiare ripetutamente sopra la testa.

Coinvolta dal gioco, Sophia Matilda emise dei versi gioiosi e, quando si trovò al cospetto del volto di quel signore appena conosciuto, gli strizzò le guance deformando la sua espressione in una smorfia curiosa.

Il dottore sentì il cuore incendiarsi. Non gli sembrava vero che quella piccola creatura gli si attaccasse al collo con tanta tenerezza. Poteva essere sua figlia. Quante volte l'aveva desiderato?

«È molto affettuosa» disse con voce incrinata dall'emozione.

«Non fatevi ingannare» rispose Mrs. Briggs. «È una piccola peste giocherellona.»

Quasi leggendo nel pensiero, Sophia Matilda cominciò a sgambettare e ad agitarsi, mentre indicava la gatta sotto di sé. «Poo-uh Poo. Poo-uh Poo!»

Gagliardo si accorse con un certo imbarazzo di non saperci fare, come se dovesse domare una bestiola imbizzarrita, tanto che fu costretto a deporre la piccola sulle assi di legno.

Dopo pochi secondi Sophia Matilda era già pronta per continuare la sua caccia.

«Avete figli?» chiese la donna all'improvviso.

Gagliardo la scrutò, mentre lei si lisciava il lungo vestito, l'occhio sempre vigile sulla bambina. Possibile che suo marito non gli avesse raccontato nulla al riguardo?

«Oh, no... no! Non ho figli.»

Sarah Briggs sorrise. «Essere genitore dà soddisfazioni straordinarie, anche se è un ruolo molto faticoso.»

Gagliardo annuì suo malgrado, nonostante quella risposta gli avesse riaperto una ferita ancora sanguinante. Pensò a Clara, alla sua solitudine, e pensò anche al capitano Briggs, uomo fortunato, uomo amato, padre di due figli. Non sapeva se fosse invidia, la sua, ma in quel momento il dottore si sentiva ferito nell'orgoglio.

Intanto Sophia Matilda era tornata a reclamare coccole con una serie di strattoni decisi al vestito della mamma.

Mrs. Briggs la prese in braccio.

«Sophia, saluta il dottore!»

La bimba sollevò la mano e la agitò. «Dotto-he!»

Per tutta risposta Gagliardo le diede un bacio sulla fronte, ricevendo in cambio un sorriso innocente.

«Perdonatemi se non mi trattengo oltre, Mrs. Briggs. Mi ritiro in cabina.» Era emozionato e turbato allo stesso tempo, ma non voleva darlo a vedere.

«Buon riposo, dottor Gagliardo. Credo che a breve rientreremo anche noi.»

«Dotto-he!» Sophia Matilda agitò di nuovo la mano, quindi tornò a rincorrere Pupu.

Gagliardo si richiuse la porta alle spalle e si distese sulla branda, incrociando le mani dietro la nuca. Rimase a pensare per un po' all'opportunità di quel viaggio di salvezza piovutogli dal cielo di punto in bianco e senza un perché. Per distrarsi, decise di prendere il libro che gli aveva prestato Richardson: *Redburn*.

Aveva appena finito di sfogliare la prima pagina, quando qualcuno bussò alla porta.

Si alzò e aprì. La prima cosa che vide fu un vassoio che faceva capolino. Poi sbucò la faccia grassoccia di Head.

«Vi ho portato del tè» disse ossequiosamente il cuoco, indicando due tazze. In una era stato versato del latte. «Lo gradite liscio o macchiato?»

«Liscio, grazie, accetto molto volentieri.» Detto questo, afferrò la tazza. Era calda, ma non scottava.

«Sicuro di non volere anche quest'altra? Era il tè del capitano. Mrs. Briggs glielo ha macchiato, ma lui alla fine ha deciso di non berlo.»

«Siete molto gentile. Una tazza è sufficiente, e poi non amo particolarmente il latte di capra.» Gagliardo alzò la tazza e bevve un sorso, mentre Head salutava e richiudeva la porta.

Il dottore sorseggiò lentamente il suo tè, seduto sulla cassapanca, cullato dal moto delle onde e dal brusio regolare del sartiame. Pensò che pian piano avrebbe finito per abituarsi alla vita di mare.

Terminato di bere, appoggiò la tazza vuota sul piccolo scrittoio a ribalta e si rimise a leggere il libro di Melville, che narrava la storia di un giovanissimo marinaio americano in viaggio verso l'Inghilterra.

Dopo un po' di pagine, si sforzò di ricacciare ancora una volta indietro la stanchezza, mentre udiva dei rumori provenire dal ponte di coperta. Poi un vociare confuso nella cabina accanto. O nella cabina di Richardson? Non vi diede peso. Se c'era una cosa che aveva imparato sulla *Mary Celeste*, era che il trambusto rappresentava la normalità lì a bordo.

Gagliardo stava pensando proprio a quello, quando sentì nuovamente bussare. Stavolta con maggiore insistenza. Esitò un istante, poi, sollecitato da un colpo più forte, si alzò e aprì la porta.

Davanti a lui c'era Briggs, pallido e visibilmente sconvolto come se avesse visto un fantasma.

«Presto, dottore» disse ansimando. «Abbiamo bisogno di voi.»

* * *

Arian Martens e Volkert Lorenzen giacevano sofferenti nella loro cabina, all'interno della tuga. Il primo era stato ritrovato rannicchiato sul proprio giaciglio, mentre l'altro riverso bocconi in una pozza di urina e vomito ai piedi della scala a pioli sul ponte di corridoio, probabilmente nel vano tentativo di raggiungere la latrina. Entrambi con le mani al ventre in preda a dolori lancinanti.

Gagliardo aveva fatto uscire tutti, eccetto Briggs che, in disparte, osservava la scena con espressione preoccupata. Se c'era una cosa che il dottore odiava, era la confusione in momenti delicati come quelli.

Dopo aver esaminato entrambi i marinai con un'occhiata sommaria, Gagliardo indugiò su quello che sembrava versare in condizioni peggiori. Martens aveva la faccia pallida, il corpo scosso a tratti da spasmi violenti che gli toglievano il fiato.

Una voce irruppe all'improvviso nella cabina.

«Voglio sapere che cos'ha mio fratello! Vi prego...»

Il dottore si voltò appena in tempo per cogliere la figura di Boz Lorenzen che veniva afferrato da Gilling e trascinato via con forza. Quindi tornò a occuparsi del membro più anziano della ciurma. Intanto qualcuno si era premurato di portare la prima cosa che lui aveva richiesto una volta giunto sul posto: un bacile pieno di acqua e aceto. Con una pezza bagnata, deterse la fronte madida di sudore su cui si erano incollati molti di quei suoi capelli castani, poi esaminò gli occhi, in quel momento vitrei, quindi sentì il polso controllando i battiti con l'orologio che aveva estratto dal gilet, il tutto sotto lo sguardo presente di Briggs che, senza essere di intralcio, lanciava alternativamente un'occhiata verso le brande per sincerarsi delle condizioni dei suoi uomini.

«Cacciate fuori la lingua!» ordinò Gagliardo.

Per tutta risposta, Martens emise un lamento angoscioso, mentre continuava a contorcersi come un ossesso. Facile immaginare che il dolore dovesse essere atroce.

«Arian, per l'amor del Cielo, ho bisogno di vedere la vostra lingua! È importante...» ripeté Gagliardo con voce più alta.

Gli occhi acquosi di Martens ebbero un guizzo, come d'approvazione, ma era evidente la sua incapacità di comunicare.

Gagliardo prese l'iniziativa e gli tirò fuori la lingua dalla bocca. Ciò che vide non gli piacque per nulla e, quando incrociò lo sguardo di Briggs, si accorse che non era riuscito a dissimulare la sua smorfia di disgusto.

«Posso fare qualcosa?» chiese il capitano.

«Sì, aiutatemi ad abbassargli i pantaloni.»

Lo fecero con enorme fatica per via dei continui spasmi di cui Martens era preda. Una volta immobilizzato, Gagliardo gli tastò il ventre a mani unite, prestando attenzione a non provocargli altra sofferenza. Le sue perplessità si acuirono nel momento in cui tornò a esaminare la lingua del marinaio.

«Per favore, capitano, chiamatemi Head» disse voltandosi.

Dopo un momento di esitazione, Briggs uscì dalla cabina.

Nel frattempo, il dottore prese a occuparsi di Volkert Lorenzen, che a differenza del compagno sembrava immerso in uno stato catatonico, ora che le sue urla di dolore si erano spente.

«Volkert! Volkert! Mi riconoscete?» L'indice della mano destra di Gagliardo si muoveva velocemente davanti agli occhi dell'uomo, da una parte all'altra.

Nessuna reazione. Le pupille erano fisse, così come anche la bocca, semiaperta, da cui usciva un rantolo soffocato. I medesimi gesti di primo soccorso vennero ripetuti nuovamente: il controllo dei battiti del polso, il palpamento dell'addome e, infine, l'esame della lingua.

Il cuoco sbucò sull'uscio, impaurito, quasi tremante. La sua attenzione venne subito catturata dai due infermi. «Come stanno?»

«Per niente bene» rispose Gagliardo. «Ma ditemi una cosa, Edward. Avete messo dell'aglio nella zuppa? Oppure avete aromatizzato oltremodo la carne?»

«Assolutamente no, dottore. Non tutti lo gradiscono, perciò cerco di usarlo con parsimonia.»

«Sapete, ne ero quasi sicuro, perché anch'io ho mangiato le stesse pietanze. Volevo soltanto una conferma.» Gagliardo si accarezzò il mento. «Questi due uomini possono averlo mangiato in altre circostanze, magari prima o dopo il pasto?»

Head scosse la testa. «No, non credo. Perché me lo chiedete?»

«Sto cercando di capire. Il loro alito sa fortemente di aglio.»

Anche Briggs, intanto, era rientrato in cabina. Fissava il cuoco senza tuttavia proferire parola. Gagliardo pensò che Head avesse assunto quell'atteggiamento perché si sentiva vittima di un implicito atto d'accusa. L'accusa di essere un bugiardo.

Gagliardo cercò di rassicurare il cuoco. «Sia chiaro, Edward, non sto insinuando alcunché. L'aglio non ha mai ucciso nessuno. Anzi, conosciamo bene le sue virtù salutari. Ma la mia professione mi impone di valutare attentamente ogni sintomo. E non riesco a spiegarmi il perché questi due marinai sembra ne abbiano mangiato un cesto intero.»

Head allargò le braccia.

Briggs indicò i marinai. «Solo loro possono fugare i nostri dubbi. Avanti, chiedeteglielo!»

Gagliardo indugiò per qualche secondo. Poi, vista l'impossibilità di collaborare da parte di Volkert Lorenzen, si rivolse a Martens. Tossiva spasmodicamente, mentre le labbra erano diventate secche e bluastre. «Che cosa avete mangiato, Arian, per la miseria?» chiese, scuotendolo leggermente.

Da un angolo della bocca colò un rivolo di schiuma sanguigna. Seguì l'ennesimo spasmo, che culminò in un fiotto violento di vomito scuro.

Colto di sorpresa, Gagliardo indietreggiò di qualche passo. Fu un'asse sbilenca a fargli perdere l'equilibrio. In un attimo, si ritrovò con il fondoschiena sul pavimento di legno.

«Dottore, vi siete fatto male?» lo soccorse Briggs, tendendogli prontamente la mano. «Santo Cielo! Fate qualcosa, vi prego!»

Ma Gagliardo ignorò quel gesto d'aiuto, poiché la sua attenzione era stata attratta da un particolare a cui non aveva fatto caso prima: le piante dei piedi nudi di Martens. Si alzò con le proprie forze e le analizzò con cura, mentre l'uomo ora proferiva parole senza senso. Parlava di mare, di vento, di suo padre.

Il dottore si spostò a osservare Volkert Lorenzen. Anche le piante dei suoi piedi presentavano le stesse, strane pigmentazioni.

Briggs e Head si scambiarono uno sguardo interrogativo, che Gagliardo colse di sottecchi.

Poi, all'improvviso, negli occhi del dottore si accese una luce. «Aiutatemi a scoprire il petto di entrambi» disse agli altri.

Briggs e Head eseguirono, sbottonando completamente la camicia di ognuno. Sembravano due mozzi agli ordini di un comandante di vascello.

I sospetti di Gagliardo divennero certezza quando vide la pelle dei marinai segnata da inconfondibili macchie rosse.

A quel punto, tutto gli fu chiaro.

Arian Martens e Volkert Lorenzen erano stati avvelenati.

* * *

«Arsenico?»

«Esattamente! Credo di non avere dubbi in proposito.»

«Spiegatevi meglio, dottore.»

«L'alito agliaceo senza aver ingerito aglio. Quei dolori e quegli spasmi. Gli attacchi di vomito, le pustole sulla lingua, le chiazze rosee sulla cute. E, per concludere, le lesioni sulla pianta dei piedi. Tutto questo, capitano, non possono che essere effetti da avvelenamento da arsenico.»

«Ma com'è possibile?» Briggs scaricò i suoi sentimenti negativi con un pugno sulla cassapanca.

Era stato Gagliardo a suggerire di parlare della faccenda in privato, lontano da orecchie indiscrete. Prima di entrare, si erano imbattuti in Mrs. Briggs, visibilmente preoccupata della situazione che regnava a prua. Nell'occasione, la donna aveva riferito che la gatta era fuggita dalla cabina e non si trovava più. Il capitano aveva selezionato le parole giuste per rassicurarla, tenendosi però sul vago. Era forse per via delle condizioni non proprio ottimali di salute della moglie?

Gagliardo decise di non pensarci, poiché incombevano questioni ben più importanti.

«Capitano Briggs» attaccò, deciso. «È giunta l'ora di capire...»

«Capire? Capire cosa? Se è stato uno sfortunato incidente o, Dio ce ne scansi, una mano criminale? È questo che dobbiamo capire?»

«Proprio così.»

«Che sciagura! Questa non ci voleva.» Briggs si accarezzava nervosamente la barba con aria afflitta. Rifletteva, si mordeva le labbra.

Gagliardo, dal canto suo, cercava di mantenere quella lucidità che gli aveva sempre permesso di individuare la soluzione migliore. Ma non era per niente facile. Una cosa era fronteggiare temibili malattie nelle stanze di un ospedale, un'altra a bordo di un brigantino sospeso nel nulla più assoluto. Non la malaria, né la tubercolosi, e nemmeno la peste. Ora il nemico si annidava in una sostanza inodore e insapore in grado di uccidere senza scampo.

«Non potete salvarli in alcun modo?» chiese Briggs, fissandolo negli occhi.

Gagliardo scosse la testa. «Purtroppo l'arsenico è un veleno micidiale. Una volta ingerito, provoca dei danni irreparabili. Dagli organi interni, fino a devastare il sistema nervoso. Avrete notato la rigidità dei muscoli di Martens e Lorenzen, il loro corpo scosso da tremiti.»

Briggs sembrò accogliere quella versione, ma c'era qualcosa nella sua espressione che sembrava conservare una flebile speranza. «Il fatto che abbiano rigettato l'anima, però, forse può aiutare...»

Gagliardo scosse nuovamente la testa e in maniera più netta. «Non fatevi illusioni. Quei due poveretti sono ormai abbandonati al loro destino.» Lo disse con quella fermezza che non ammetteva repliche.

Briggs distolse per un attimo lo sguardo. «Trovo tutto così assurdo.»

Il dottore si schiarì la voce. «Una cosa è certa: Martens e Lorenzen hanno ingerito il veleno. Gli altri, voi e io compresi, no. Perché?»

«Le pietanze erano uguali per tutti, abbiamo già chiarito.»

«Sì, ma poi abbiamo preso tutti il tè, giusto? Anche quello era uguale per tutti?»

«Io non l'ho bevuto» rispose Briggs. «Ma...»

«Ma?»

«Se lo avessi fatto, lo avrei macchiato con il latte di capra. Anzi, lo aveva già fatto mia moglie per me perché conosce le mie abitudini.»

«E quanti altri oltre a voi?»

«Santo Cielo!» esclamò il capitano. «Il latte!» Fissò il dottore con occhi sgranati. «Presto, venite...»

Briggs e Gagliardo uscirono come dei fulmini dalla cabina. In coperta la situazione non era cambiata. Richardson sempre al timone, Gilling e Goodschaad a centro nave con un occhio vigile agli alberi e uno a Boz Lorenzen, rannicchiato vicino alla lancia di salvataggio con la testa tra le ginocchia. Head, invece, sulla soglia dell'alloggio con l'ingrato compito di tenere d'occhio i due moribondi.

Il capitano si avvicinò al cuoco.

«Ho l'impressione che stiano peggiorando, signore» riferì a bruciapelo Head, anticipandolo. «Stento ancora a crederci che sia successo veramente.»

«Siamo tutti scossi, Edward. Adesso, però, ascoltatemi...» Briggs fece una pausa, durante la quale rivolse uno sguardo intenso all'indirizzo di Gagliardo.

Non d'approvazione a ciò che stava per dire, pensò il dottore, piuttosto d'autorità. Se fino a quel momento aveva lasciato campo aperto alle competenze mediche, ora sembrava desideroso di sfoderare di nuovo il piglio del comandante.

«Voglio che ci aiutate a chiarire la vicenda» disse Briggs.

Head annuì con aria remissiva.

«Partiamo dall'inizio. Intendo da quando avete preparato il tè. Eravate solo in cambusa?»

«Sissignore.»

«Quindi, escludete anche di esservi allontanato brevemente per qualche ragione...»

«Sì, lo escludo, signore.»

«Nel primo pomeriggio mi avete portato in cabina una tazza di tè che poi mia moglie ha macchiato con il latte di capra. L'avete gettato o l'ha bevuto qualcun altro? Pensateci bene.»

Head inarcò per un istante le sopracciglia cespugliose, davanti a ciò che era un interrogatorio a tutti gli effetti. «Arian» disse, deciso. «Il vostro tè l'ha bevuto Arian.» Scosse la testa come tormentato dal ricordo. «Mi disse che sarebbe stato un peccato gettarlo.»

«E ora ditemi: chi altri ha bevuto il tè macchiato con quel latte?»

Head ripeté il gesto di pochi minuti prima, poi sgranò gli occhi di colpo. «Sant'Iddio! Ma...»

«È stato Volkert Lorenzen, non è così?» incalzò Gagliardo.

Il cuoco si prese la testa tra le mani, angosciato. «Sì, è stato lui. Ma voi state dicendo che... che...»

«Quel latte è avvelenato» rivelò Gagliardo a bassa voce. «Dove lo tenete?»

«In cambusa. Ce n'è un bricco pieno. La scorta, invece, nella cella.»

Gagliardo capì subito che il posto a cui alludeva il cuoco era quello dove erano riposti i viveri, nella stiva.

«Andate a prendere il bricco del latte!» ordinò Briggs a Head in tono perentorio.

«Sissignore!» Il cuoco eseguì prontamente, girando intorno alla tuga con un'agilità inaspettata.

Gagliardo ne approfittò per portarsi a ridosso del parapetto e respirare un po' di aria salmastra. Ne sentiva il bisogno, come per ripulire i polmoni. Immaginava l'interno del suo corpo avvelenato da un morbo pestilenziale capace di bruciare la carne. Ma era soltanto una sensazione, frutto di pensieri negativi che ora si stavano aggrovigliando dentro la sua mente.

Quando poco dopo fece ritorno, Head consegnò il bricco in questione a Briggs.

«Dottor Gagliardo» disse il capitano, passandogli il contenitore del latte. «Tocca a voi.»

Gagliardo rimase disorientato. Era sì un medico, ma non aveva idea di cosa fare a quel punto. Il liquido gli parve bianco, di un bianco normalissimo, così come doveva essere. Sapeva bene che l'arsenico era una sostanza inodore e insapore, tuttavia portò ugualmente il bricco alle narici e annusò. Quando lo fece, non avvertì alcun odore particolare, se non quello del latte stesso.

Non seppe dire se fu per una distrazione, o forse per la tensione crescente, fatto sta che il bricco gli scivolò dalle mani. Lo vide rovinare sulle assi di legno del ponte e finire in frantumi. Il latte si sparse un po' ovunque, sporcando anche gli stivali del capitano Briggs.

Dal nulla, senza che i tre uomini se ne accorgessero, dall'angolo della tuga sbucò Pupu, che si mise a leccare il latte.

Fu Gagliardo a notarla per primo e indicarla con fare concitato. Briggs la prese prontamente in braccio. A nulla, però, servirono le carezze da parte del capitano perché, pochi istanti dopo, gli affettuosi miagolii della graziosa compagna di giochi di Sophia si trasformarono in lamenti strazianti.

Dopo aver adagiato la gattina sofferente accanto alle gomene, il capitano chiamò a raccolta i restanti uomini e spiegò loro la situazione, rivelando l'avvelenamento dei loro compagni. In un silenzio irreale, Gagliardo rimase a scrutare i volti dei marinai, che esprimevano sentimenti diversi. C'era quello frustrato di Head, che evidentemente si sentiva in colpa per quanto accaduto, quello disperato di Boz Lorenzen, quelli smarriti di Gilling e Goodschaad, quello assorto e pensieroso di Richardson.

«Voglio sperare che ci sia una spiegazione a tutto questo» disse a un certo punto Briggs. «Ciò non toglie che è mio dovere, quale comandante della *Mary Celeste* e unica autorità a bordo, adoperarmi per capire esattamente che cosa sia occorso ai nostri compagni.»

Gli sguardi di tutti si incrociarono. Nessuno, però, osò proferire una sola parola.

«Forza, adesso! Non è più il momento di tergiversare» concluse Briggs. «Ripulite per bene questo ponte!»

Goodschaad e Boz Lorenzen si mossero senza fiatare.

Il capitano guardò Head. «Quanto latte è rimasto nella stiva?»

«Cinque o sei galloni, all'incirca.»

«Bisogna sbarazzarsene, non possiamo correre altri rischi.»

In poco tempo il ponte venne tirato a lucido e il contenitore con il latte di capra vuotato oltre il parapetto. Il mare inghiottì in un baleno il liquido incriminato, con il crepuscolo che andava sfumando nel buio della sera.

Il capitano pose fine alla faccenda e assegnò le mansioni, mentre lui assumeva i comandi del brigantino.

Dopo aver appurato la morte di Pupu, sopraggiunta in quelle poche ore, Gagliardo si sentì in dovere di assistere i due marinai agonizzanti e si sistemò al loro capezzale. Lo fece con tutto il rispetto che nutriva per quegli uomini ormai inermi, immersi nel mondo dell'incoscienza. Se ne stette lì per un bel po' a scrutarli, a inumidire le loro labbra secche, ad ascoltare quel respiro ridotto a un sibilo.

«Come stanno?»

Gagliardo si voltò, quasi stupito nel sentire una voce dopo tanto silenzio. Briggs era immobile sulla soglia della cabina, stretto nella sua giacca dai bottoni dorati.

Il dottore scosse tetramente il capo, gesto che costrinse il capitano ad allungare lo sguardo sui due sventurati.

«E che mi dite del latte?» aggiunse il comandante con espressione ancora più seria.

Il dottore rimase estremamente colpito da quell'atteggiamento. Non tanto perché Briggs era entrato nella cabina di Martens e Volkert Lorenzen per informarsi delle loro condizioni di salute, quanto per il modo un po' subdolo con cui l'aveva fatto: un mero pretesto per arrivare ad altro. «Non saprei, sono costernato per averlo rovesciato. Mi sento terribilmente in colpa per Pupu...»

«Oh, non è il caso che ve ne facciate cruccio. Troverò il modo per consolare mia moglie e, soprattutto, mia figlia.»

Gagliardo respirò profondamente. «Vi ringrazio. Spero i vostri cari comprendano il mio stato d'animo. Mi spiace davvero molto per Sophia Matilda. Ho visto quanto era affezionata a quella gatta.» Subito dopo abbassò la testa, rammaricato.

«Non sentitevi responsabile» rispose Briggs. «È stato un incidente. Per contro, diciamo che il suo sacrificio non è stato vano. Ci ha dato conferma, qualora ve ne fosse bisogno, che il latte era avvelenato.»

«Sì, ormai non vi sono dubbi in proposito.»

Briggs cominciò a grattarsi nervosamente la barba. «Che situazione!»

«Credo, comunque, che il responsabile del misfatto, chiunque esso sia, si sarà già sbarazzato di qualsiasi prova lo possa inchiodare.»

«Avete ragione, dottore. L'ampolla contenente il veleno sarà già in fondo all'oceano.» Il capitano scosse la testa con aria tormentata, poi incrociò nuovamente lo sguardo di Gagliardo come se aspettasse che fosse lui a proseguire.

«Non credete sia comunque il caso di procedere con una perquisizione accurata del brigantino?» consigliò il dottore.

«Una perquisizione» ripeté Briggs con aria pensosa. Poi lo guardò dritto negli occhi. «Sì, lo faremo domani, quando potremo contare sulla luce del sole.»

Gagliardo percepì un tono combattuto in quelle parole. Evidentemente Briggs non era mai arrivato a insinuarsi così a fondo nella vita dei suoi sottoposti, e il solo pensiero di doverlo fare gli costava parecchio.

«Bene, capitano, sappiate che sarò al vostro fianco. Voi mi avete salvato dagli uomini di Danny Lyons. Vi sarò sempre debitore.»

«Le vostre parole mi confortano, ora più che mai...» Briggs si interruppe e distolse lo sguardo. Poi lo riportò sul suo interlocutore, l'espressione angustiata. «Credo che qualcuno qui a bordo voglia uccidermi!»

«Uccidervi? Chi vuole uccidervi?»

«Non ne ho idea, ma il tè era destinato a me. È risaputo che lo bevo macchiato ed è soltanto un caso che io l'abbia rifiutato.» Briggs lanciò un'ultima occhiata alle facce sempre più spente di Martens e Volkert Lorenzen, illuminate dalla lampada a olio agganciata alla paratia, poi aprì la porta della cabina e si soffermò a guardare Gagliardo per lunghi istanti. Sembrava un lontano parente di quel capitano coraggioso pronto a offrirgli una salvifica via d'uscita.

«Dottor Gagliardo» concluse con espressione grave. «Prepariamoci al peggio.»

6

Oceano Atlantico, 11 novembre 1872
(23 giorni prima del ritrovamento)

Arian Martens e Volkert Lorenzen erano morti durante la notte, a un paio d'ore di distanza l'uno dall'altro.

Gagliardo aveva constatato il decesso dei marinai e poi aveva dato la terribile notizia a Briggs e al resto degli uomini. Erano stati momenti difficili, probabilmente i più duri che ricordasse. Nonostante avesse visto morire moltissima gente nel corso della sua esperienza professionale, non gli era mai capitato di imbattersi in un caso in cui due individui, nel pieno della loro vigoria fisica, si trasformassero in autentiche larve umane. Così, incredibilmente, nel giro di pochissimo tempo dall'ingestione del veleno omicida.

Momenti ancora più terribili erano arrivati nelle prime ore del mattino, quando i cadaveri erano stati portati sul ponte di coperta e distesi sulle assi di legno, le braccia incrociate sul petto, un crocefisso tra le mani. Accanto alle loro teste e ai loro piedi, delle lanterne accese per simboleggiare una sorta di luce perpetua in grado di traghettarli nell'aldilà. Poco distante, avvolta in un fagotto, aveva trovato posto anche Pupu.

A eccezione di Mrs. Briggs e Sophia Matilda, tutto l'equipaggio si era radunato intorno alle salme. I volti degli uomini erano costernati, a tratti impauriti.

Gagliardo li scrutò a uno a uno, cercando di cogliere un indizio, una qualsiasi traccia che lo aiutasse a capire.

Chi di loro aveva avvelenato il latte? E perché?

Poi si soffermò su un impietrito Boz Lorenzen. Nonostante un dolore che doveva essere enorme, manteneva un portamento fiero, pieno della dignità di uomo di mare e refrattario persino al pianto per la scomparsa di un fratello.

Fu il capitano che a un certo punto prese la parola.

«Oggi qui, su questa nave, piangiamo due uomini di valore» esordì in tono solenne. «È un'assurda tragedia che ci lascia tutti nello sgomento più assoluto.» Briggs si interruppe e fece una pausa studiata. Per l'occasione, al collo portava un grande crocefisso di legno, mentre tra le mani reggeva la *Bibbia*. «Tutti noi ricorderemo i poveri Arian e Volkert per il loro impegno, per il loro spirito di abnegazione, per la costante devozione al lavoro. Uomini veri con uno spiccato senso del dovere, sempre disponibili a fornire prezioso supporto nel corso di questo lungo viaggio.» Altra pausa. «Adesso, però, è il momento del silenzio. Riflettiamo sui nostri peccati, con la sicura speranza che questi nostri fratelli possano trovare finalmente la pace.»

Gagliardo chiuse gli occhi e mormorò una breve preghiera dentro di sé, a capo chino, senza accertarsi se anche gli altri stessero facendo la medesima cosa.

Briggs diede un colpo di tosse che richiamò l'attenzione generale. «Una volta mio padre mi disse che, se fosse morto in mare, avrebbe voluto che al suo funerale venisse letto un passo dal libro del profeta Giona. Ma lui non è morto in mare, è morto durante un temporale, colpito da un fulmine sull'uscio di casa, dove si sentiva al sicuro. Dove chiunque si sentirebbe al sicuro. Ecco, oggi mi sono tornate in mente le parole di mio padre Nathan su quel brano che mi ha insegnato ad apprezzare.» Briggs aprì la *Bibbia* a una pagina contrassegnata da un nastro, quindi si schiarì la voce. «Mi hai gettato nell'abisso, nel cuore del mare, e le correnti mi hanno circondato. Tutti i tuoi flutti e le tue onde sopra di me sono passati. Io dicevo: "Sono scacciato lontano dai tuoi occhi, eppure tornerò a guardare il tuo santo tempio". Le acque mi hanno sommerso fino alla gola, l'abisso mi ha avvolto, l'alga si è avvinta al mio capo. Sono sceso alle radici dei monti, la terra ha chiuso le sue spranghe dietro a me per sempre. Ma tu hai fatto risalire dalla fossa la mia vita, Signore mio Dio.»

Il capitano chiuse la *Bibbia* e sollevò lo sguardo. «Oh, Padre, accogli le anime dei nostri marinai, caduti con onore qui in mezzo al mare. Fa' che le loro sofferenze vengano restituite alle acque che tanto hanno amato e per cui hanno vissuto. Per questo noi ti preghiamo, affidando i loro corpi agli abissi.»

Detto questo, Briggs fece un cenno verso i suoi uomini.

Gilling provvide a spostare le lampade. La sua mano fasciata attirò ancora una volta le attenzioni del dottore, il quale si ripromise di darle un'occhiata non appena si fosse presentata l'occasione.

Goodschaad e Head, invece, si chinarono sulle salme, dispensando Boz Lorenzen dal penoso compito. Dapprima le cucirono dentro le rispettive lenzuola bianche di tela, poi le issarono oltre il parapetto e, una volta ricevuto l'assenso finale da parte del comandante, le fecero scivolare fuoribordo con dei pesi legati alle estremità. Per ultimo toccò al piccolo fagotto che conteneva il corpo di Pupu.

A tutti venne naturale seguire con lo sguardo il viaggio verso l'ignoto di Arian Martens e Volkert Lorenzen, poi i marinai si strinsero a uno a uno attorno al proprio compagno più triste con degli abbracci silenziosi nel rispetto del suo dolore composto, fino a quando Briggs non li chiamò al proprio dovere.

«Rimettetevi al lavoro!» comandò con voce stentorea. «Fino a nuovo ordine, nessuno dovrà entrare nelle cabine.» Quindi si rivolse a Richardson. «Albert, prendete voi il timone. Voglio che le vele siano ben spiegate. Dobbiamo guadagnare velocità. Fate controllare randa, trinchetto e fiocchi. Con il vento in poppa, non possiamo permetterci di perdere nemmeno un colpo.»

Richardson, che nel frattempo aveva tirato fuori la pipa, si interruppe e la ripose nel taschino interno della giacca. «Certamente, sarà fatto.» Poi girò sui tacchi, pronto a impartire le direttive agli uomini.

«Dottore, voi venite con me» fece subito dopo il capitano. «Cominciamo dalla stiva.»

Gagliardo annuì.

Infilarono il boccaporto e, lanterna alla mano, si diressero verso il ponte più in basso della nave. Le narici di Gagliardo tornarono a riempirsi di quel fastidioso odore di alcol. Ma non solo. L'aria era satura anche di altri olezzi. C'era quello della pece, quello del cordame, e poi ancora quello putrido dell'acqua di sentina. Il dottore rimase a osservare con estremo interesse Briggs mentre frugava tra gli scaffali dove erano riposti i viveri e, ancor di più, quando il capitano aprì quella porta a cui soltanto poche persone avevano accesso: la cella, uno scomparto dalle doppie pareti rivestite internamente ed esternamente di acciaio, nelle cui intercapedini, alla partenza, venivano sistemati numerosi blocchi di ghiaccio. Era stato Head a spiegargli che gli alimenti maggiormente deperibili andavano consumati per primi, essendo il freddo destinato a esaurirsi con lo scongelamento del ghiaccio, da sostituire una volta giunti al primo porto di attracco. Gagliardo sentì un brivido penetrargli fin nelle ossa e, con il naso, l'inconfondibile odore di pesce essiccato. Vide l'ufficiale curiosare nelle botti di aringhe e baccalà e, subito dopo, lanciare una fugace occhiata ai tagli di carne salata che penzolavano dai ganci. Quel posto meritava davvero di essere ispezionato? Cosa sperava di trovare lì, il capitano? A tratti meticoloso, subito dopo distratto, Briggs sembrava scettico su quella ricerca.

Prima di salire in coperta, il capitano cercò anche in mezzo ai barili. Con le nocche delle mani, batteva sul legno delle botti, come alla ricerca di un suono cavo che rivelasse l'esistenza di uno spazio fondo, di un nascondiglio segreto. Tutto inutile, perché era impossibile esaminare l'intero carico. E così, nemmeno venti minuti più tardi, dopo aver dato una controllata sbrigativa anche al ponte di corridoio, i due si ritrovarono all'aperto, al punto di partenza.

«Dottor Gagliardo, procediamo a perquisire la tuga, adesso.»

«D'accordo, ma lasciate che vi chieda una cosa prima...»

«Dite pure.»

«Riguardo all'equipaggio, che sospetti nutrite?»

Briggs esitò prima di replicare, come se la domanda nascondesse una trappola. «Posso tranquillamente confessarvi che le uniche due persone di cui mi fido ciecamente siete voi e Richardson. Con Albert sono legato da un sentimento di profondo affetto. Se sono diventato comandante della *Mary Celeste*, in parte lo devo a lui.»

A Gagliardo venne in mente la poesia che aveva letto sullo scrittoio di Richardson. Non ricordava esattamente le parole, ma era sicuro che esse si riferissero a un rito funebre officiato da un capitano in mezzo al mare. Come quello a cui aveva appena assistito. Era soltanto una coincidenza o un'incredibile premonizione? Il dottore scacciò quel pensiero e si concentrò sulla conversazione. «Ah sì? E come mai lo dovete ad Albert?»

«Lui è sposato con Fannie, la bella nipote dell'azionista di maggioranza della nave. James Winchester, non credo lo conosciate, ma è un uomo d'affari molto noto in ambito marinaresco.»

Gagliardo scosse la testa. «Mai sentito, in effetti. Quindi Richardson vi ha messi in contatto.»

«Esattamente. Poiché servivano altri soci in grado di concorrere ai costi di ristrutturazione e rilancio della *Mary Celeste*, ha pensato subito a me e ha fatto il mio nome allo zio. Ed eccomi qui, azionista proprietario e comandante.»

«Capisco. E gli altri uomini?»

«In realtà nutro buoni rapporti anche con Head, che può contare su una raccomandazione personale proprio di James Winchester. I restanti marinai, invece, sono tutta gente arruolata qualche mese fa direttamente dal consorzio J.H. Winchester & Co., di cui si occupano i soci di minoranza Goodwin e Sampson. Altri uomini d'affari di New York che gestiscono una serie di imbarcazioni.»

Gagliardo incassò la risposta senza replicare. Non era ciò che si aspettava di sentire, perché non immaginava che più della metà degli uomini a bordo fosse alla prima esperienza sulla *Mary Celeste*. Un dubbio cominciò a serpeggiare nella sua mente. Perché durante il rito funebre Briggs aveva tessuto le lodi a marinai che non conosceva affatto? Allontanò momentaneamente quell'interrogativo e scortò il comandante verso la tuga per dare inizio alla perquisizione. Prima toccò alla cabina dove fino a qualche ora prima Arian Martens e Volkert Lorenzen avevano esalato l'ultimo respiro. Oltre alle loro brande, c'erano anche quelle di Boz Lorenzen ed Edward Head. Il dottore venne investito dall'ennesimo odore sgradevole. Non ci mise molto a capire che esso era dovuto ai panni umidi stesi sopra al filo di ferro agganciato alle estremità superiori delle paratie. La morte poteva aver annientato due giovani vite, ma non cancellato le abitudini. Non sempre era possibile far asciugare gli indumenti alla luce del sole, specie se il vento riempiva il ponte di aria salmastra, e questo i marinai lo sapevano bene. Nonostante avesse trascorso diverse ore lì dentro insieme ai moribondi, soltanto allora Gagliardo si rese conto di quanto esigui fossero realmente gli spazi. Se non fosse stato per la bontà di Gilling nel cedergli l'alloggio, probabilmente una di quelle brande sarebbe toccata a lui, il che significava convivere con altre persone, per giunta sconosciute. Dopo essersi riscosso dai suoi pensieri, decise di limitarsi soltanto a osservare, così come aveva fatto nella stiva. Non voleva passare per una persona invadente.

Briggs intanto esaminava qualsiasi cosa gli capitasse a tiro, cercava nei posti più impensabili che potessero essere usati come nascondiglio. Non si faceva scrupoli nel sollevare e tastare i materassi delle brande, o nel rovistare tra indumenti ed effetti personali degli occupanti. Tutto ciò che era presente in cabina venne passato al setaccio, persino libri, lettere e fotografie.

Al termine del controllo i due si scambiarono uno sguardo come per dirsi che anche lì la ricerca non aveva prodotto alcun risultato.

Dopo che furono usciti, girarono attorno alla tuga ed entrarono nell'altra cabina, quella occupata da Gilling e Goodschaad. Gagliardo la trovò più ordinata rispetto alla precedente. I due inseparabili amici sembrava coltivassero un ordine maniacale nel custodire le proprie cose, ragion per cui a Briggs risultò più facile perlustrare quel locale. Giacigli, indumenti, effetti personali degli occupanti furono esaminati anche in questo caso con particolare attenzione. La presenza di numerosi libri sulle mensole faceva pensare che uno dei due, o forse entrambi, fossero lettori assidui. Il capitano prese a sfogliare le pagine di qualcuno di essi prima di riporli al loro posto. All'interno di una cassapanca trovarono degli strumenti da navigazione. Gagliardo riconobbe una bussola, un sestante, una mappa e un cannocchiale. Pensò che tutto ciò dovesse appartenere a Gilling, ufficiale di bordo in piena regola.

«Capitano, non c'è nulla di sospetto» disse prima che abbandonassero la cabina.

«Già, nulla...»

La frase di Briggs rimase sospesa nell'aria, mentre lui, immobile al centro, indugiava con lo sguardo sui propri piedi.

«Pare invece che abbiate trovato qualcosa di interessante» gli fece notare Gagliardo.

Lui scrollò le spalle, evasivo. Poi abbozzò una smorfia vaga. «Tocca alla cambusa, adesso.»

I due uscirono sul ponte ed entrarono nell'ultimo locale

della tuga. Era tutto in ordine, così come da perfetta e buona abitudine di Edward Head. Briggs si mostrò ancora più deciso nel frugare tra stoviglie e pentole varie. Quando lo vide apprestarsi a ficcare il naso nella cassapanca, il pensiero di Gagliardo andò subito al cuoco di bordo. Ma non poté fare nulla per aiutarlo, poiché il capitano dopo pochi secondi tirò fuori ciò che non doveva essere trovato.

Briggs annusò cautamente dal collo della bottiglia di rum, poi ritrasse la testa con espressione disgustata. La passò a Gagliardo. «Tenete un attimo questa e non muovetevi da qui, dottore.» Detto questo, uscì dalla cambusa.

Gagliardo fu investito da un turbinio di interrogativi. Quale reazione poteva suscitare nell'animo di un uomo morigerato come Briggs, cattolico fino al midollo e completamente refrattario ai vizi, una circostanza simile? Ci sarebbe stata una punizione esemplare nei confronti di Head? Oppure avrebbero pagato anche i restanti marinai? E la perquisizione a cosa stava portando? Il dottore, così come Briggs, era consapevole di non avere nulla tra le mani, neppure uno straccio di prova. Soltanto dubbi e incertezze. Non c'era modo di capire come e perché dell'arsenico fosse stato portato a bordo della *Mary Celeste*. Men che meno perché fosse finito nelle bevande di due sventurati marinai.

Il tempo trascorse in un'attesa infinita. Dove si era cacciato il capitano? Proprio mentre si poneva quell'interrogativo, sull'uscio della cambusa comparve Briggs, scuro in volto e con gli occhi iniettati di rabbia. Insieme a lui c'era Head.

Il capitano indicò la bottiglia che Gagliardo reggeva tra le mani. «Edward, credo mi dobbiate una spiegazione che giustifichi la presenza di questo oggetto immorale sulla mia nave.»

Il cambusiere avvampò in viso e assunse lo stesso colore del rum, lo sguardo fisso sulla bottiglia, che poi fece migrare su Gagliardo.

Il dottore temette di essere chiamato in causa, ricordandosi che anche le sue labbra si erano bagnate del delizioso grog preparato con quel liquore.

Head prese un respiro. «Vogliate perdonarmi, capitano» disse, sostenendo lo sguardo. «Un goccio ogni tanto per tenere alto l'umore. Soltanto questo.»

Briggs si riappropriò della bottiglia con un gesto deciso che sorprese Gagliardo, quindi la sollevò in aria mostrandola come un trofeo. «Un goccio, eh?»

Head parve trattenere il fiato. «È colpa mia, ho sbagliato.» Abbassò gli occhi avviliti e, nei frangenti di silenzio che seguirono, Gagliardo ebbe modo di apprezzare il coraggio e l'onestà di quell'uomo che si era addossato tutte le responsabilità pur di scagionare i propri compagni.

Ma c'era un particolare che invitava a riflettere: se Head aveva mentito riguardo a una circostanza marginale come quella, poteva averlo fatto anche in relazione all'arsenico. "Menzogna non toglie menzogna", pensò il dottore.

«Edward, esigo che questo liquido faccia la stessa fine del latte di capra. Non lo voglio più vedere sulla mia nave.»

«Sissignore» rispose il cuoco. «Me ne occuperò personalmente.»

«E...» riprese il capitano, «nel caso ve ne sia dell'altro nascosto chissà dove, sbarazzatevene al più presto. Mi sono spiegato?»

«Perfettamente, signore.»

«Bene. Visto che tra poco dovrò mettermi al timone, mi ritiro in cabina per stare con la mia famiglia.» Fece per andare, ma si bloccò sull'uscio, rivolgendo lo sguardo all'indirizzo di Gagliardo. «Perdonatemi, dottore. Per oggi può bastare.»

Gagliardo rimase stupito dall'atteggiamento incoerente del capitano. Fino a poco prima era sì preoccupato, ma desideroso di smascherare il presunto assassino dei suoi marinai. Era bastata la scoperta del rum per trasformarlo in un uomo remissivo, come se l'indagine fosse passata improvvisamente in secondo piano. Ma era davvero così? O c'era dell'altro sotto?

Il dottore uscì dalla cambusa.

Mentre si portava verso poppa, con l'aria fredda che gli frustava il volto, si imbatté in Gilling, i capelli rossi al vento, le lentiggini sempre più evidenti a causa del sole.

«Andrew!»

«Sì, dottore...»

«Vorrei controllare la vostra ferita.»

Lui fece sparire la mano nella tasca della giacca. «È solo un graffio. Credetemi!»

«Insisto, invece. Quale medico a bordo, è mia premura sincerarmi delle condizioni di salute di ogni marinaio.»

Gilling esitò quel tanto che bastava perché Gagliardo si mostrasse più convincente.

«Venite nella mia cabina. O forse dovrei dire la vostra?»

Gilling non protestò oltre e seguì il dottore sottocoperta.

«Sedetevi» disse Gagliardo una volta aver chiuso la porta.

Il danese si accomodò sulla cassapanca e allungò il braccio. Il polso nudo rivelò un tatuaggio raffigurante una piccola ancora.

Il dottore disfece la benda e ispezionò la ferita poco sotto l'attaccatura dell'indice: era gonfia e purulenta.

Non appena si sentì tastare, Gilling fece una smorfia.

«Normale che sentiate dolore» disse Gagliardo. «C'è un'infezione.»

Il danese non si scompose. «È una sciocchezza. Guarirà spontaneamente.»

«Non si rischia con queste cose. Le ferite vanno disinfettate a dovere.»

«Ci ho rovesciato sopra mezza fiaschetta di alcol.»

«Avete fatto bene, ma vedete» riprese il dottore con voce più riflessiva, «a volte l'alcol non basta per uccidere i germi.» Si interruppe e rovistò nella sua borsa, da cui estrasse una boccetta di vetro e un paio di pinzette. Scaldò queste ultime alla fiamma di una candela e, quando fu pronto, si concentrò sulla ferita.

«Ehi, che cosa avete intenzione di fare con quell'aggeggio?» chiese l'ufficiale con voce preoccupata, ritraendo istintivamente il braccio.

Gagliardo riportò l'arto sotto il suo controllo. «Devo torturarvi la mano, per cui se vi fa tanto impressione potete guardare altrove.»

Ma Gilling non distolse lo sguardo. Si limitò a trarre un respiro profondo.

«Questa volevate portarvela a Genova?» chiese Gagliardo, mostrandogli poco dopo una scheggia di legno estratta da sotto la cute. Prese quindi una garza imbevuta di fenolo e disinfettò la parte della mano arrossata. «Brucerà un po'.»

Gilling serrò le mascelle per tutto il tempo. Alla fine rimase a guardare con soddisfazione la sua mano avvolta in una benda bianca.

«Ottimo lavoro, dottore. Ve ne sono grato.»

«Oh, figuratevi. È il minimo che io possa fare...»

«Voi mi ricordate mio padre e mio nonno. Stessa scrupolosità e precisione.»

«Lo prendo come un complimento, allora.»

«Lo è. Se sono diventato un bravo marinaio lo devo a loro. Mi hanno insegnato ogni segreto di questo duro lavoro, nei mari nordeuropei.»

«Noto con interesse che ognuno di voi marinai ha una particolare storia da raccontare. Com'è la vostra, Andrew? Sono questi mari nordeuropei ad avervi forgiato?»

«Altroché! Sebbene io sia nato a New York, il mio battesimo sulle onde è avvenuto nel Mar Baltico. È lì che per la prima volta mi sono imbattuto nel maelstrom. Dovreste vederlo anche voi per capire...»

«Di che si tratta?»

«È un gorgo causato dalla marea, che inghiotte ogni cosa.»

Gagliardo rabbrividì al solo pensiero e la paura lo riportò alla dura realtà dei fatti. Oltre al pericolo del mare, ce n'era un altro a bordo. E Gilling, così tranquillo a parlare del suo passato, poteva esserne la fonte.

Un colpo alla porta, forte e deciso.

Gagliardo aprì all'istante. Sull'uscio c'era Goodschaad, che annuì in maniera dimessa e, con pochi gesti, fece capire a Gilling che c'era bisogno di lui in coperta.

Il danese uscì dalla cabina, ma prima di salire sul ponte si voltò compiaciuto in direzione di Gagliardo. «Ancora grazie, dottore.»

Mentre i due amici tornavano al lavoro, Gagliardo rimase immobile sulla soglia. Non riusciva a scacciare una sgradevole sensazione di impotenza che si era impossessata improvvisamente di lui. Il tranquillo viaggio verso la libertà sembrava diventato un gioco mortale. Così tutti i suoi dubbi legati alla scelta di partire tornarono a galla. Quell'imbarcazione era ancora un mezzo di salvezza? No, adesso era oscura, irta di pericoli. Gli tornarono in mente le parole di Briggs, quando per la prima volta gli aveva mostrato la stiva.

"Questo brigantino è in credito con la sorte."

Che cosa voleva dire?

Cosa si nascondeva in quelle parole sibilline?

Fu in quel momento che Gagliardo capì il da farsi, non appena i suoi occhi si posarono sulla porta di fronte a lui.

C'era una sola persona in grado di raccontargli la verità.

Albert Richardson.

* * *

Gagliardo bussò garbatamente sul legno. Pochi secondi dopo la porta si aprì e sulla soglia comparve il primo ufficiale di bordo.

«Dottore, che sorpresa!»

«Vi disturbo, Albert?»

«Assolutamente no. Prego, accomodatevi.»

Gagliardo mosse dei timidi passi. La porta si richiuse. Nell'aria, il solito odore di incenso, lievemente mischiato a quello di tabacco, ma meno intenso rispetto alla volta precedente. Probabilmente i grani erano stati spenti da un bel po'.

Sedettero uno di fronte all'altro.

«Speravo di trovarvi» disse Gagliardo.

«Avete scelto il momento giusto, ho appena lasciato il timone al capitano.» Richardson appoggiò le mani sulle ginocchia e si protese in avanti. «Di cosa avete bisogno?»

«Scambiare qualche parola, e voi mi sembrate la persona adatta per ascoltare i miei tormenti.»

«Infatti vi vedo giù di morale, come quella sera alla Fraunces Tavern.»

Gagliardo sospirò. «Non è facile dimenticare, è un disagio che mi attanaglia da lungo tempo.»

«Vi riferite a vostra moglie?»

«No, ma alla sciagurata conseguenza del mio vizio del gioco.»

«Me ne volete parlare? Come ci siete cascato?»

Gagliardo tentennò, quindi atteggiò il volto a una smorfia sofferta. «Tutto ebbe inizio senza che ne fossi realmente consapevole» rispose poi. «Con il mio matrimonio sempre più scricchiolante, mi lasciai convincere da un collega con cui nel tempo avevo stretto amicizia. In realtà non volevo deluderlo, me lo aveva chiesto un sacco di volte di andare con lui.»

«A volte bisognerebbe diffidare proprio degli amici» fece notare Richardson.

«Ma io in quel momento ero disposto ad accettare la compagnia di chiunque pur di distrarmi e così mi sedetti a un tavolo di dadi e cominciai a giocare. E a vincere. Decine di dollari finirono nelle mie tasche con una facilità che stupiva me stesso.

Quella notte faticai a prendere sonno. Guardavo Clara addormentata al mio fianco e pensavo che le emozioni provate al tavolo da gioco erano talmente nuove, talmente coinvolgenti, da oscurare del tutto i sentimenti verso di lei. Ci tornai più e più volte in posti come quello, anche da solo. Oltre ai dadi, imparai le regole di altri giochi, tra cui il poker e il blackjack.»

«Scommetto che poi la fortuna vi ha girato le spalle.»

«Esattamente. Iniziarono le serate negative, di quelle che lasciano il segno. Dopo circa sei mesi ero tornato al punto di partenza. Mi resi conto di aver fatto tutto per nulla. Potevo fermarmi, ma ormai avevo perso il controllo e decisi che dovevo assolutamente riscattarmi. Al termine del turno di lavoro, finivo puntualmente nei seminterrati più malfamati di New York. Vi fu qualche vincita illusoria, subito soppiantata da ingenti perdite. Vidi aumentare i creditori e i miei risparmi andare in fumo. Dovetti vendere persino l'orologio d'oro di mio padre. Nel frattempo Clara era diventata sospettosa sui miei movimenti, sui ritardi nel rientrare a casa. Così la frattura del nostro matrimonio divenne insanabile.»

«Una storia drammatica, percepisco dolore nel modo in cui me lo avete raccontato. E ora, tutti insieme, siamo costretti a vivere un dolore ancora più grande per questa sciagura. Se penso alle mogli e alle figlie dei poveri Volkert e Arian, che non rivedranno più i propri cari...»

«Caspita, erano entrambi genitori?»

Il primo ufficiale chinò mestamente il capo. «Da quello che so, pare che Mrs. Martens sia anche incinta.»

«Speriamo non accada nient'altro di spiacevole» replicò Gagliardo, mentre i suoi occhi intercettavano un foglio in bella mostra sopra lo scrittoio, poi alzò lo sguardo verso il suo interlocutore.

«Ho appena buttato giù qualche verso» fece il primo ufficiale. «L'inchiostro sta asciugando.» Gli porse il foglio. «Ma prego, leggete, se vi va.»

Il dottore lo afferrò e lo portò sotto agli occhi:

Solcando l'onda con la fiera chiglia,
l'oscuro galeone sopra il mare
avea percorso diecimila miglia.
E il Capitano, come su un altare,
in mezzo alla tempesta senza fine,
non cessava un momento di pregare,
reggendo un crocefisso in alto e il crine
al vento sciolto, come le parole,
pareva andare ben oltre il confine
di ciò che più desiderar si vuole.

I pensieri di Gagliardo tornarono ad addensarsi, irrequieti. Gli restituì il foglio. «Una bella poesia, Albert. Ho notato che il tema dei vostri versi è sempre il medesimo.»

«Che cosa volete farci, dottore? Siamo marinai, e i marinai parlano di mare, di vento, di tempeste. E, naturalmente, di preghiere.» Richardson abbozzò un sorriso di circostanza, appena percettibile sotto i baffi. «Vi ho visto in compagnia del capitano per tutta la mattinata. Avete scoperto qualcosa?»

«Ancora no. Prima, però, ci sono altre situazioni da chiarire, come per esempio il perché la *Mary Celeste* sia in credito con la sorte.»

Richardson, nella sua espressione, non riuscì a dissimulare lo stupore. «Come fate a sapere queste cose?»

«Ciò non ha alcuna importanza. Piuttosto rispondete alla mia domanda.» Gagliardo era soddisfatto di aver affondato il colpo con sfrontatezza. Se bisognava nuotare in mezzo agli squali, allora lui era pronto a sfoderare una pinna ancora più grande. Non si sarebbe mai perdonato se, per sfuggire a Danny Lyons, si fosse infilato in un pericolo maggiore. Mostrò anche lui un sorriso ambiguo, che non gli si addiceva, ma che serviva in quel momento allo scopo. «Ebbene, che cosa avete da dirmi su questo brigantino?»

Richardson, che nel frattempo aveva posato lo sguardo altrove, tornò a fissarlo. «Non so se...»

Gli occhi di Gagliardo si strinsero in due fessure acute e penetranti.

Richardson esitò ancora, finché Gagliardo non gli afferrò il braccio.

«Albert, non vi lascerò in pace finché non saprò.»

Dopo una combattuta riflessione, il primo ufficiale annuì. «D'accordo!»

Gagliardo allentò la presa e rimase quasi in apnea.

Richardson rivolse lo sguardo in direzione della porta, nel timore che qualcuno potesse entrare all'improvviso, poi protese la testa in avanti. «La *Mary Celeste* è una nave maledetta.»

7

Oceano Atlantico, 12 novembre 1872
(22 giorni prima del ritrovamento)

Il dottor Antonio Gagliardo si svegliò di soprassalto. E questa volta non era stato un incubo a scuoterlo, ma un'ansia improvvisa, frutto di cattivi pensieri che si rincorrevano nella sua testa senza sosta. Ancora stordito per il sonno interrotto, si alzò quasi barcollando. I piedi nudi sulle assi di legno lo guidarono verso i suoi vestiti abbandonati disordinatamente sulla cassapanca. Aveva la bocca amara, le palpebre pesanti.

Aprì la porta e fece capolino, ma sentì un vociare proveniente dalla cabina dei Briggs, come se qualcuno stesse per uscire. Richiuse subito e tornò a stendersi sulla branda. L'ultima cosa che voleva era che incrociassero la sua faccia ancora addormentata.

Intrecciò le mani dietro la nuca e rimase a fissare le travi del cassero.

"Nave maledetta", l'aveva definita Richardson.

Mary Celeste.

O *Amazon*, il nome originario con cui era stato varato quel brigantino, in Nuova Scozia, quando batteva bandiera canadese.

Gagliardo cercava di ricordare ogni parola riguardante il racconto di Richardson del giorno prima. Aveva parlato di un disastroso viaggio inaugurale, durante il quale il primo capitano dell'*Amazon* era morto. Poi Richardson aveva fatto riferimento ad altre sventure, tra cui due collisioni con altre imbarcazioni e perfino un incendio a bordo. Gagliardo non era propriamente scaramantico, ma sapeva riconoscere le avvisaglie di cattivi presagi. Una situazione che era peggiorata nel tempo, intimamente connessa a ricordi che faceva fatica a scacciare. Ricordi personificati contenenti una parte importante del suo vissuto: i suoi cari morti, le sue fughe, i suoi vizi e i suoi fallimenti. Non c'era mai fine al peggio, questa era la conclusione a cui giungeva ogni volta.

Ora che conosceva la verità sulla maledizione dell'*Amazon*, le parole di quel vecchio, sulla banchina di Staten Island, acquistavano improvvisamente un senso.

"Se ci tenete alla vostra vita, non salite a bordo."

"Dovete stare tranquillo, dottor Gagliardo!" lo aveva rassicurato tuttavia Richardson. "Ciò che è accaduto a Martens e Lorenzen è stata soltanto una disgrazia dovuta a qualche contaminazione del latte. In qualche modo, la malasorte ci ha trovati del tutto impreparati. Io sono fermamente convinto che qui a bordo non ci siano assassini, ma brave persone desiderose di portare a termine la missione. E così sarà. Sia noi sia il carico arriveremo a destinazione come previsto."

Già, il carico. Un altro aspetto di cui preoccuparsi. Millesettecento fonti di pericolo per l'incolumità dell'intero equipaggio.

Il dottore chiuse gli occhi, lasciandosi dondolare dal movimento beccheggiante della *Mary Celeste*. Per essere al sesto giorno di navigazione doveva ammettere che non era andata poi così male dal punto di vista meteorologico. Ripensò ai due marinai morti. Era stata davvero una disgrazia? No, lui era un uomo di scienza e, come tale, era abituato a ragionare per assiomi. Dell'arsenico era finito nei loro stomaci. E, prima ancora, nel bricco contenente il latte di capra.

Nessuna contaminazione naturale. C'era di mezzo la mano dell'uomo, la sua volontà perversa e diabolica. Ma di chi? Davvero l'obiettivo era Briggs?

Gagliardo inghiottì a vuoto. Gli era venuto spontaneo come in tante altre occasioni in cui era sottoposto a grandi stress. In questo caso era un riflesso scaturito dall'aver pensato al latte avvelenato. Per fortuna a lui non piaceva. In caso contrario il suo corpo devastato sarebbe finito in fondo all'oceano con dei pesi assicurati alle caviglie. Quell'immagine lo fece rabbrividire.

Fin da ragazzo aveva dovuto affrontare avversità e delusioni, ma la sofferenza che ne scaturiva era un pozzo senza fondo. Ogni volta sperimentava nuovi modi di avere paura.

Chiuse gli occhi. Aspettava di vederli tutti, quei demoni del passato, pronti a ghermirlo e a tormentarlo. Un pensiero angosciante gli intossicò di nuovo la mente.

Si ribellò all'istante scuotendo la testa e serrando i pugni, mentre sentiva il sangue pulsargli nelle vene. Aveva assolutamente bisogno di un antidoto, una panacea per i suoi mali.

Un attimo dopo tutto gli fu chiaro.

Se c'era una cosa che aveva imparato, era riconoscere l'animo umano nei suoi risvolti più intricati e dolorosi. Da quel momento Antonio Gagliardo avrebbe dato un senso diverso al suo viaggio a bordo di quell'imbarcazione maledetta.

E aveva un solo modo per farlo: scoprire chi si era macchiato di quel crimine.

* * *

«Chi è?» chiese l'inconfondibile voce di Briggs dall'interno della propria cabina.

Il dottore, che aveva appena bussato, rimase con il braccio a mezz'aria. «Sono io, capitano. Gagliardo.»

Fu lo stesso Briggs ad aprire. Alle sue spalle, la moglie con Sophia Matilda addormentata tra le braccia.

«Cosa posso fare per voi?» chiese il capitano.

«Prendere una boccata d'aria e scambiare quattro chiacchiere insieme.» Gagliardo mosse qualche passo in avanti, sforzandosi di mostrare un'espressione neutra. Non era sua intenzione andare subito al sodo, ma nemmeno insinuare ulteriori dubbi in Mrs. Briggs, che nel frattempo si era premurata di adagiare Sophia Matilda nel lettino.

«Sì, credo che una boccata d'aria mi farà bene» replicò il capitano prendendo la sua giacca dall'appendiabiti.

Gagliardo si guardò rapidamente attorno, soffermandosi per un attimo sulla macchina per cucire, altro oggetto, oltre all'armonium, in cui Sarah Elizabeth poteva trovare rifugio per estraniarsi dalla dura realtà dei fatti. Quindi uscì accennando un inchino nei confronti della donna, la quale ricambiò con un sorriso tirato piuttosto eloquente. Per quanto tempo suo marito avrebbe resistito nel mentirle, nel far finta che la scomparsa dei due marinai fosse dovuta a tutt'altra ragione?

I due si portarono sul ponte di coperta. Il vento piacevole del primo mattino era ora più sostenuto, mentre le vele afflosciate si erano tese sui pennoni. L'aria, poi, sembrava carica di umidità. Gagliardo la sentiva risalire intensa dal mare, a stemperare il fumo della stufa che sostava in coperta insieme all'odore di carne. Gilling era al timone con espressione apparentemente distaccata, mentre Boz Lorenzen e Goodschaad serravano velaccino e controvelaccino. All'appello mancavano Richardson, che stava riposando in cabina, e Head, probabilmente già impegnato a preparare la cena, dopo aver passato il primo pomeriggio a rassettare la cambusa.

«Allora, dottore, di cosa volevate parlarmi?»

Gagliardo avanzò ancora di qualche passo verso prua, fino a raggiungere il cabestano, poi guardò dietro di sé per assicurarsi che i marinai fossero abbastanza distanti da non poter udire. «Capitano Briggs» attaccò subito dopo fissandolo negli occhi, «perché oggi a pranzo avete dato quell'ordine?»

«Quale ordine? Quello di non toccare cibo fino a quando Head non avrà assaggiato per primo ciò che ha preparato?»

«Esattamente.»

«Inevitabile. Nessuno si fida di nessuno, adesso. Non giudicatemi male, dottore. Forse voi pensate che io dubiti del mio cuoco, ma non è così. Gli ho tolto la chiave del lucchetto che dà accesso ai viveri e gli ho ordinato di assaggiare le pietanze soltanto al fine di tranquillizzare l'intero equipaggio. E poi anche di chiudere sempre a chiave la porta della cambusa quando lui non è presente. Credo abbia capito. Head è una persona intelligente.»

«Sicuro» rispose Gagliardo, annuendo ripetutamente con la testa. «Ma così facendo si corre il rischio di gettare petrolio sul fuoco.»

Sulla fronte di Briggs si scavarono delle rughe ancora più profonde di quelle che la solcavano normalmente. «Che cosa volete dire?» chiese in tono risentito.

«Voglio dire che questa vostra decisione non può fare altro che mettere ulteriormente Head sotto pressione e creare malcontento tra gli altri. Sì, malcontento, non tranquillità come sostenete. Voi mi parlate di prudenza, capitano, e fate bene, ma vi ricordo che troppa prudenza non sempre paga. Produce tensione, diffonde incertezza, finisce per alimentare sospetti, proprio ciò di cui non abbiamo bisogno.»

Briggs gonfiò il petto. «È mia responsabilità salvaguardare la sicurezza e lo stato di salute generale qui a bordo.»

Gagliardo capì che quello era il momento di essere più diretto di quanto fosse stato in altre circostanze. «Consentitemi un'altra domanda, capitano.»

Briggs lo guardò con diffidenza. «Vi ascolto.»

«Qualcuno crede nella colpevolezza di Head?»

Briggs allungò lo sguardo verso gli uomini presenti sul ponte prima di rispondere. «Non ne ho idea, nessuno dei marinai ha sollevato la questione con il sottoscritto. Neppure con Richardson e Gilling. Sarei costernato di apprendere eventuali attacchi nei suoi confronti.»

Gagliardo si concesse una pausa durante la quale osservò le onde incresparsi davanti allo scafo, laddove il bompresso proiettava la sua ombra allungata e fiera. «Io invece sono costernato di aver appreso una cosa, capitano. Una cosa che in qualche modo vi riguarda.»

Briggs accusò il colpo indietreggiando di un passo, la mano a tormentare la mandibola. La sua barba vibrava leggermente accarezzata da folate costanti. «Che cosa volete insinuare? Mi state accusando di qualcosa che ha a che fare con la morte dei miei uomini?»

«Oh, no. Non vi sto accusando di questo. Però siete stato poco onesto con me. Mi avete taciuto la storia della maledizione che perseguita il brigantino fin da quando ha iniziato a solcare le acque.»

«Chi? Richardson? Mia moglie? Soltanto loro ne sono al corrente.»

«Se le rispondessi Richardson cambierebbe qualcosa? In ogni caso, io avevo il diritto di sapere...»

Briggs sospirò. «Ho evitato di parlarvene per non turbare ulteriormente il vostro stato d'animo. Voi avevate bisogno di essere rassicurato. Ricordate? Vi avevo ritrovato in un vicolo cieco di Lower East Side, malconcio e spaventato.» Il capitano parve amareggiato, ma anche desideroso di rimediare alla sua mancanza. «Non vorrete credere a tutte queste corbellerie...»

Gagliardo mostrò un'espressione seria. «Io credo nel destino. Se le corbellerie ne fanno parte, allora le voglio conoscere.»

«Mi sembra doveroso, ora che sapete la verità» rispose Briggs in tono accondiscendente. «Richardson vi ha raccontato del povero Robert McLellan?»

Gagliardo annuì. «Mi ha detto che morì durante il viaggio inaugurale, ma non ha specificato come.»

«Si ammalò di polmonite soltanto nove giorni dopo essere divenuto comandante dell'*Amazon*, più di una decina di anni fa. Non ebbe il piacere di terminarlo, quel viaggio, purtroppo...» Briggs si appoggiò al parapetto e si sporse sull'oceano aperto. «Dopo uno scontro accidentale contro una barca da pesca nel Maine, un incendio scoppiato a bordo al cantiere navale di Eastport e un'altra collisione contro un brigantino nel canale della Manica, l'*Amazon* conobbe un periodo commerciale tranquillo, navigando per anni nelle acque delle Indie Occidentali. Poi, purtroppo, avvenne un tragico evento che tornò ad alimentare credenze sulla maledizione.»

«Quale evento?»

«Una tempesta. Una violenta tempesta distrusse il brigantino mentre si trovava nella Baia di Glace, al largo dell'isola del Capo Bretone. Dell'*Amazon* non rimase che un relitto, ma un certo Richard Haines lo comprò per poche migliaia di dollari, provvide a farlo riparare spendendone diverse altre in più, dopodiché ne curò il trasferimento dal registro canadese a quello americano attribuendogli il nome di *Mary Celeste*.»

«E poi siete entrati in gioco voi» dedusse Gagliardo. «Giusto?»

«Più o meno. Diciamo che Haines era braccato dai creditori e non gli rimase che rivenderla al consorzio guidato da James Winchester.»

«È stato un bel colpo, mi pare.»

Briggs scosse la testa. «Per nulla. I lavori di riparazione non erano stati eseguiti come si doveva. Questo ha comportato degli interventi supplementari a fronte di un esborso finale di circa diecimila dollari.» Briggs si ritrasse sul ponte e si appoggiò con la schiena al parapetto. «Sapete una cosa, dottore? Un paio di anni fa sentivo di essere arrivato all'apice della mia professione. Volevo provare un'esperienza diversa, ne avevo parlato con mio fratello Oliver, anch'egli marinaio in carriera. L'intenzione era di aprire un negozio di ferramenta.»

«Davvero? E dove di preciso?»

«A New Bedford, dalle nostre parti.»

«Un bel rischio cambiare così, di punto in bianco.»

«In realtà si era presentata l'occasione di rilevare un'attività già avviata. Alla fine rimase soltanto un progetto nella nostra mente.»

«Come mai?»

«Nostro padre ci aveva già provato, ma con pessimi risultati, tanto che era dovuto tornare in mare per recuperare i debiti accumulati. Quindi mio fratello e io decidemmo di investire i nostri risparmi nuovamente in imbarcazioni. Lui sulla *Julia A. Hallock*, io sulla *Mary Celeste*.»

«Noto che siete molto legato a vostro fratello...»

«Sì. Vi confesso che quel giorno che tornai da Staten Island a Lower East Side, quando vi trovai in quel vicolo, non lo avevo fatto solo per parlare con i miei committenti, ma anche per accertarmi se la *Julia A. Hallock* fosse arrivata in porto. Avevo trascorso molto tempo a controllare le colonne delle spedizioni locali perché Oliver doveva giungere a New York in quei giorni.»

«Avevate una sorta di appuntamento?»

«No, in realtà abbiamo deciso di incontrarci al porto di Messina. Dopo Genova, andrò lì per un carico di frutta da trasportare a New York. Ma mi sarebbe piaciuto vedere mio fratello prima...»

«Capisco. Spero per voi che sia valsa la pena rinunciare a quell'attività di cui mi parlavate per rimanere nel mondo marittimo.»

Un debole sorriso si dipinse sulle labbra sottili di Briggs. «Sono ancora giovane per rispondervi. Tuttavia sono molto orgoglioso di quanto realizzato finora. Riguardo ai lavori, è stata ampliata l'intera stazza, è stato aggiunto un ponte, poppa e prua ristrutturate a nuovo. Un investimento importante che però darà i suoi frutti soltanto a medio termine. Come vedete, dottore, siamo nelle mani di Dio...»

«Capisco perfettamente e vi ringrazio di avermi ragguagliato sulla storia della *Mary Celeste*.»

«E io, invece, che abbiate compreso il mio silenzio. Se posso darvi un consiglio, non lasciatevi suggestionare. La morte di quei due sventurati non ha nulla a che vedere con la maledizione dell'*Amazon*.»

«Lo credo anch'io e proprio per questo volevo chiedervi un favore.»

«Che favore?»

Gagliardo avvicinò la testa a quella del capitano per confidargli la sua richiesta, ma non ne ebbe il tempo, perché proprio in quel momento, da qualche parte all'interno della tuga, echeggiarono delle grida.

* * *

«Maledetto di un tedesco!» urlò Head sull'uscio della cambusa, tenendo una mano sull'occhio sinistro.

«Vieni a ripetermelo in faccia» replicò Boz Lorenzen, rosso in viso.

Gottlieb Goodschaad, intanto, cercava di dividere i due litiganti.

«Ma che sta succedendo qui?» tuonò Briggs, che nel frattempo aveva fatto il giro intorno alla tuga insieme a Gagliardo.

«Chiedetelo a quel pazzo, capitano!» rispose ad alta voce Head. Era agitato, tremante, la fronte imperlata di sudore.

Boz Lorenzen, sempre trattenuto a forza da Goodschaad, agitò il braccio destro, dove la camicia, macchiata di sangue, recava uno strappo. «Vieni qui, cane rabbioso, che te ne faccio assaggiare ancora!»

«Va' al diavolo, Lorenzen! Andate tutti al diavolo e state alla larga dalla cambusa. Ne ho abbastanza.»

«Adesso chiudete il becco!» proruppe con fermezza Briggs. «Qualcuno, piuttosto, è così gentile da spiegarmi che cosa è successo?»

Nessuno rispose. Gli occhi dei due contendenti erano ancora attraversati da lampi di collera.

«Lorenzen, tornate subito al lavoro» ordinò il capitano. «Con voi parlerò dopo.»

Il marinaio tedesco rivolse uno sguardo in cagnesco al suo antagonista, quasi a minacciare che non sarebbe finita lì. Subito dopo abbassò il capo e si allontanò verso poppa.

Gagliardo seguì il suo incedere fino all'albero di maestra, là dove Gilling, mollato il timone, aveva mosso qualche passo in avanti, per cercare di capire anch'egli il motivo dell'alterco.

Attirata l'attenzione su di sé, Goodschaad gesticolò qualcosa che nessuno sembrò comprendere. Gagliardo si sforzò di carpire il significato, ma la concitazione del marinaio era tale da far risultare la spiegazione molto confusa. Probabilmente, voleva far intendere di essere stato il primo ad accorrere sul posto per sedare gli animi accesi dei due contendenti. Così aveva trascinato fuori un indemoniato Boz Lorenzen.

Briggs liquidò anche lui, indicandogli qualcosa in direzione del bompresso, e poi, insieme a Gagliardo, condusse Head all'interno della cambusa, dove lo fecero sedere su una panca.

«Fate vedere» disse Gagliardo.

Il cuoco scoprì un livido paonazzo piuttosto evidente.

«Non è niente» lo tranquillizzò Gagliardo dopo uno sguardo sommario. «Edward, intingete una pezza nell'acqua fresca e tenetela per un po' sull'occhio, dopodiché farete uso di un rimedio tanto semplice quanto efficace per affrettare la guarigione. Ce l'avete anche qui a portata di mano.»

Head corrugò la fronte. «Quale rimedio?»

Briggs si protese in avanti con aria interessata.

«Sbucciate una patata, tagliatene una fetta spessa e applicatela sull'occhio. Oltre a ridurre il gonfiore, vi darà sollievo.»

«Vi ringrazio, dottore. Seguirò il vostro consiglio.» Head si alzò e fece per raggiungere il cesto degli ortaggi.

«Edward» intervenne Briggs, «non mi avete ancora detto nulla a proposito di questa zuffa. Sapete che non voglio noie a bordo.»

«Non è colpa mia, capitano» rispose Head cercando di giustificarsi. «Ero tranquillo qui in cambusa a stufare la carne, quando è entrato Lorenzen perché, a detta sua, aveva sete.» Indicò il bollitore. «Gli ho offerto del tè che avevo appena preparato e mi ha risposto in malo modo. Sapete cosa mi ha detto? Che con il tè potevo solo pulire il mio lurido sedere. Quel bastardo mi crede responsabile della morte di suo fratello.»

«E voi avete reagito?»

«Gli ho solo risposto che il mio sedere è comunque più pulito della sua faccia. A quel punto mi ha tirato un pugno, che per fortuna non mi ha centrato in pieno. Sono caduto all'indietro e quella serpe mi è saltata addosso tentando di colpirmi di nuovo, ma sono riuscito a bloccarlo e a mordergli il braccio.» Head serrò i pugni e prese un respiro sofferto. «L'ho fatto solo per difendermi. Dovete credermi.»

«Vi credo, Edward» rispose Briggs. «Con Boz parlerò personalmente. Questo clima di caccia alle streghe non giova a nessuno. Il viaggio è ancora lungo, bisogna mantenere calma e controllo. Voglio che questo vi sia ben chiaro.»

«Mi spiace di aver mandato tutti al diavolo, capitano. È solo che mi sento costantemente sotto accusa. Sembra che all'improvviso io sia diventato un assassino che medita di avvelenare i compagni.»

«Comprendo il vostro stato d'animo. Avete agito e detto cose in un impeto di rabbia» lo rincuorò Briggs con una pacca sulle spalle. «Adesso, come raccomanda il dottore, prendetevi cura del vostro occhio.»

Briggs e Gagliardo uscirono dalla cambusa e tornarono all'aperto. Anche Richardson, intanto, era salito sul ponte di coperta, molto probabilmente attirato dalle grida dei due marinai. Se ne stava nel giardinetto, tra il timone e la chiesuola, a fumare la pipa e a chiacchierare con Gilling, il quale stava di certo fornendo la sua personale versione dei fatti accaduti, gesticolando in direzione della tuga di prua e del bompresso, dove Boz Lorenzen e Goodschaad erano ora impegnati a sistemare il fiocco e il controfiocco.

Briggs si portò al centro del ponte e si appoggiò con le natiche alla lancia di salvataggio.

Gagliardo gli si pose di fronte.

«Che cosa volevate chiedermi prima, dottore?»

Gagliardo esitò qualche istante. «Vorrei condurre un'indagine sulla vicenda» rivelò tutto d'un fiato. «Interrogare i marinai, setacciare ogni singolo buco della *Mary Celeste*, fino a quando non avrò inchiodato il responsabile della morte dei poveri Arian e Volkert. È questo che vi chiedo.»

Briggs non si scompose, anche se agli occhi del dottore la sua espressione bonaria sembrò incrinarsi. Poco, ma sufficiente a denotare fastidio.

A Briggs sfuggì un mezzo sorriso. «Chi vi crede? Allan Pinkerton?»

«Assolutamente no» rispose a tono Gagliardo. «Desidero soltanto sfruttare le mie doti intuitive e, comunque, lungi da ogni forma di protagonismo.»

«Dite un po', ci sono altre ragioni che vi spingono a cercare la verità?»

Gagliardo scosse la testa. «A me interessa capire come possa essere accaduto un fatto tanto grave e, soprattutto, avere la possibilità di rendermi utile. Non so spiegarvelo, ma quello che cerco è dare un senso al mio viaggio, alla mia vita...»

Seguì una pausa di silenzio e Gagliardo notò che Briggs lo stava fissando con aria interrogativa, la testa un poco flessa sulla spalla. Sembrava stesse aspettando il momento giusto per rispondere, un tempo continuamente scandito dai soffi del vento su vele e sartiame.

«D'accordo» concesse alla fine, allontanando ogni traccia di perplessità dal suo volto. «Avete il mio benestare.»

«Vi ringrazio...»

«Non vi nego, dottore, che il vostro supporto qui a bordo si sta rivelando molto importante. State diventando un punto di riferimento per tutti. Mi auguro che i marinai capiscano.»

«Non ve ne pentirete.»

Briggs si staccò dalla lancia e si sistemò la giacca, stirandola con le mani. «L'unica cosa di cui sono pentito è di aver acconsentito che mia moglie e mia figlia viaggiassero con noi.»

«Come posso darvi torto?»

«Non ve ne ho mai parlato, ma lei non gode di ottima salute.»

Gagliardo rimase in silenzio fingendo di non sapere. «Spero nulla di grave» lo imboccò astutamente.

«Il suo cuore fa i capricci» rivelò Briggs. «Come quello di suo padre, il reverendo Leander Cobb.»

«Ho saputo che vostro suocero è venuto a mancare di recente.»

«Sì, tradito guarda caso da un infarto.»

«Da quanto tempo vostra moglie è alle prese con la malattia?»

Briggs sembrò riflettere. «All'incirca cinque anni.»

«Che cosa le è stato diagnosticato di preciso?»

«Un'aritmia cardiaca.»

«La forma più subdola del cuore ballerino. Immagino quanto angosciante sia convivere con un disturbo simile.»

«Da quando lo abbiamo saputo, le ho proibito di compiere sforzi eccessivi. Mia moglie ha passato la propria giovinezza a svolgere lavori di ogni tipo, anche quelli pesanti.»

«E adesso ditemi la verità. È per questo che mi avete voluto a bordo?»

«In parte sì! Ma, vi prego, non giudicatemi un cinico opportunista. Vi avrei aiutato anche se mia moglie non avesse deciso di imbarcarsi.»

«Vi ringrazio.» Gagliardo fece una smorfia di approvazione. «Siete fortunato, capitano, ad aver trovato la vostra perfetta metà.»

«Certo, fortunato, anche se non è stato semplice...» Briggs si interruppe, quasi in difficoltà nel continuare.

«Per quale motivo?»

«Sapete, Sallie è anche mia cugina.»

«Sallie?»

«Oh, io l'ho sempre chiamata così. Le comunità di Wareham e Marion, all'inizio, spettegolavano sulla nostra relazione. Non era vista di buon grado. L'avevano già fatto con mio padre che, rimasto vedovo della prima moglie, ne aveva sposato la sorella, mia madre. Entrambe della famiglia Cobb.»

«Quindi il reverendo Leander Cobb è fratello di vostra madre e della prima moglie di Mr. Nathan.»

«Esattamente, Leander è stato mio zio e suocero. Per fortuna, a suo tempo, decise di benedire le nozze. Fu lui a celebrarle nella chiesa congregazionale di Marion.»

Gagliardo dissimulò l'imbarazzo con un sorriso. «Come si dice, alla fine l'amore ha prevalso sugli stupidi pregiudizi...»

Briggs guardò verso prua. «Adesso credo che andrò a parlare con Boz Lorenzen, poi darò il cambio a Gilling. Voglio rilassarmi un po' al timone.»

«Che direte al ragazzo?»

«Poche parole. Cercherò di tranquillizzarlo così come ogni padre farebbe con il proprio figlio.»

«Ben detto! Io, invece, mi ritiro in cabina.»

«Vi auguro buona fortuna per le vostre indagini» fece Briggs allontanandosi.

Gagliardo rimase immobile a fissarlo nel suo incedere fiero. Le ultime parole pronunciate, ma soprattutto il tono di voce, sapevano di presa in giro. Se da una parte comprendeva il disagio di quell'uomo di mare nel sentire la propria autorità messa all'improvviso in discussione a bordo del suo piccolo mondo galleggiante, dall'altra non apprezzava l'atteggiamento ambiguamente collaborativo. Lo aveva percepito già durante la perquisizione della stiva, delle cabine e della cambusa.

C'era qualcosa che non andava. Qualcosa che sembrava legare Briggs alle due morti misteriose. Già, ma cosa?

Dopo essere rimasto immerso nei propri dilemmi, riempì i polmoni di aria fresca, quindi si intrattenne brevemente con gli uomini presenti sul ponte. Tutti si dimostrarono poco loquaci, persino schivi, compresi Richardson e Gilling.

Alla fine Gagliardo infilò il boccaporto. Mentre scendeva, ripensò a Mrs. Briggs e ai suoi problemi di salute. La sua aritmia era così grave come aveva fatto intendere il marito? Diversa gente ci conviveva per molti anni, anche fino alla vecchiaia, senza alcun problema. In ogni caso, non era stata una buona idea quella di imbarcarsi, soprattutto alla luce della piega che avevano preso gli eventi.

Gagliardo fece per aprire la porta, ma si bloccò sull'uscio perché ebbe l'impressione di aver captato qualcosa di simile a un lamento. Continuò a rimanere in ascolto, poi si avvicinò alla porta adiacente, quella della cabina del capitano, e appoggiò l'orecchio al legno.

Non si sbagliava.

Sarah Elizabeth Briggs stava piangendo.

8

Oceano Atlantico, 13 novembre 1872
(21 giorni prima del ritrovamento)

«Mrs. Briggs, come state?»

«Oh, dottore, buongiorno.» La donna sorrise, ma sembrava più un sorriso di circostanza che realmente convinto. «Sto bene, grazie.»

Gagliardo ricambiò il sorriso, scrutandola attentamente. Sarah Elizabeth era vestita di grigio, avvolta in uno scialle nero che esacerbava il suo aspetto cupo. Negli occhi non c'era più posto per la consueta dolce malinconia dei primi giorni, ora scalzata da una tristezza profonda.

Il dottore si era alzato presto, quella mattina, aveva consumato la colazione in cambusa e poi aveva dato una controllata all'occhio di Head. L'idea di sgranchire le gambe sul ponte di coperta era morta sul nascere, perché delle forti raffiche di vento lo avevano indotto a tornare di sotto. Non voleva buscarsi un malanno. Quando aveva sentito la porta della cabina della famiglia Briggs che si apriva, si era affacciato appositamente per sorprendere la donna, approfittando del fatto che gli ufficiali erano tutti al ponte superiore. Il desiderio di iniziare il suo nuovo lavoro di investigatore si era però scontrato con le emozioni. Per l'intera notte, infatti, non era riuscito a scacciare dalla sua mente i singhiozzi tormentati di Sarah Elizabeth.

«Mi fa piacere che vi sentiate meglio di ieri» la incalzò Gagliardo, cercando di farla uscire allo scoperto.

«Di ieri? A cosa vi riferite?»

«Mrs. Briggs, devo confessarvi che non ho potuto fare a meno di udire il vostro pianto...»

La donna si contrasse, lo sguardo improvvisamente freddo e sorpreso.

«Non l'ho fatto di proposito, ve lo giuro. La cosa mi ha arrecato molta preoccupazione per voi.»

«La vostra premura mi consola» rispose lei dopo un momento di esitazione. «Ma adesso va tutto bene. Sapete, non mi aspettavo che questo viaggio si sarebbe trasformato in un incubo. Non ero preparata a tutto ciò.»

«Capisco perfettamente. Nessuno poteva immaginarlo. Voi, comunque, dovete pensare alla vostra bambina.»

Sarah Elizabeth gettò istintivamente un'occhiata all'interno della cabina. «Sì, certo.» Si aggiustò una ciocca di capelli che era sfuggita all'acconciatura. «Sophy adesso sta dormendo. Beata lei, io faccio fatica ultimamente ad addormentarmi.»

«Forse ho il rimedio che fa al caso vostro.»

«Dite sul serio? Di cosa si tratta?»

«Laudano. Ne faccio uso anch'io. Placherà le vostre ansie e migliorerà la qualità del vostro sonno, credetemi.» Gagliardo mosse un passo in avanti. «E ricordatevi che potete sempre contare su di me. Non esitate, anche per una sola parola di conforto, un consiglio.»

«Siete sempre molto gentile. Mi sento così triste e oppressa...»

«Immagino cosa state provando, ma dovete farvi forza. Suonare l'armonium potrebbe aiutarvi.»

«Lo farei volentieri, ma Benjamin me lo ha proibito per rispetto dei marinai morti. Non trovo piacere nemmeno a salire di sopra. E poi anche la mia piccola sente la mancanza della sua gattina. La chiama spesso. Inutilmente...» Il ricordo della bestiola produsse una lacrima che lei si affrettò a cancellare. «Non che fosse più importante dei nostri marinai, ma è pur sempre un dolore che si aggiunge ad altro dolore.»

«Ho notato infatti che vi si vede pochissimo in coperta. Vi assicuro che un po' di sole, ogni tanto, non vi farebbe che bene.»

«Avete ragione, dottore. Oltretutto me lo ripete sempre anche mio marito.» Sarah Elizabeth si interruppe. Poi si lasciò sfuggire una strana espressione di smarrimento. «Voi ultimamente vi accompagnate spesso a lui. Vi confrontate...» Altra pausa. Più lunga, più grave. «Siate di aiuto anche a Benjamin, ve ne prego. Non l'ho mai visto così preoccupato come in questi giorni.»

Gagliardo si strinse il labbro inferiore tra pollice e indice. Briggs era preoccupato per le sorti della *Mary Celeste*? O lo era per altro?

Il dottore allontanò quel pensiero e si affrettò ad annuire. «Ho un debito di riconoscenza nei confronti di vostro marito, pertanto sono pronto a offrirgli tutto il mio sostegno.» Guardò verso le scale, temendo di venire disturbato in quella conversazione che poteva fornire altre rivelazioni utili alle sue indagini personali.

Sarah Elizabeth fece per rientrare in cabina. «Ora, dottore, se permettete...»

«Un momento» la bloccò lui con un'invadenza che non gli si addiceva. «C'è un'ultima cosa che voglio chiedervi, Mrs. Briggs.»

«Ditemi pure.»

«Che cosa sapete a proposito della maledizione che regna su questa nave?»

Sarah Elizabeth ebbe un sussulto. «Chi vi ha raccontato questo? È stato Benjamin?»

«In parte anche lui, sì. Ma rispondete alla mia domanda, per favore. Credete alla maledizione?»

Mrs. Briggs scosse la testa. «Oh, io no. Non sono il tipo. Ma nemmeno Benjamin, altrimenti non si sarebbe gettato a capofitto in questo affare. Io credo soltanto in Dio, così come mi ha insegnato mio padre. Credere nelle stregonerie non è qualcosa che può appartenere alla nostra famiglia. Però non capisco perché Benjamin ve ne abbia parlato. Conoscendo il suo carattere schivo, è davvero strano...»

«Diciamo che sono stato io a insistere. Per mia natura, sono una persona abbastanza curiosa e questo viaggio mi sta stimolando parecchio, nel bene e nel male, nell'approccio al mondo marinaresco e quindi nella conoscenza della storia della *Mary Celeste*. Naturalmente non mi considero uno sprovveduto, ma un uomo che usa la dottrina per scacciare i pregiudizi e giustificare le superstizioni.» Gagliardo fece una pausa. «Devo dire che vostro marito mi sembra preparato a ogni evenienza, anche alla più dolorosa. Su questo non ho dubbi.»

«Lo è, e non lo dico soltanto perché sono sua moglie. La sua carriera poteva essere migliore, se non fosse stato per uno spiacevole evento all'inizio del suo percorso di ufficiale.»

«Mi aveva accennato qualcosa un paio di giorni fa, poi ha cambiato discorso e non è più tornato sull'argomento.» Gagliardo fece un passo in avanti, attirato da quel dettaglio mancante. «Di che cosa si trattò esattamente?»

Anche Mrs. Briggs lanciò uno sguardo furtivo in direzione della scala. «Dottore, mi dovete promettere che non ne farete parola con nessuno, men che meno con Benjamin.»

«Ve lo assicuro. Ma, prego, continuate...»

Sarah Elizabeth si torse nervosamente le mani. «Riguarda un fatto di tanti anni fa, quando Benjamin e suo padre prestavano servizio sul mercantile *Hope*.»

Gagliardo si accarezzò il viso irsuto dalla barba, che non tagliava dal giorno della partenza. «Vi riferite a Mr. Nathan?»

«Sì, mio suocero era il comandante della *Hope* e Benjamin

si trovava a bordo in qualità di aiutante capo, ossia il primo ufficiale. Con loro c'era anche Albert Richardson, allora un semplice marinaio.»

«Vi fu un incidente?»

Sarah Elizabeth confermò con un sospiro. «Mentre erano di rientro al porto di Boston, entrarono in collisione con un peschereccio. A seguito dell'impatto, il proprietario, un certo Peter Holm, cadde sfortunatamente in acqua e morì annegato. Il corpo fu restituito dalla corrente il giorno seguente.»

«Brutta storia...»

«Sì, lo fu. Ma Benjamin non si è mai sentito colpevole della disgrazia perché quella sera le condizioni di visibilità erano pessime: imperversava una nebbia fittissima e quell'incosciente di un pescatore non avrebbe mai dovuto prendere il largo con la sua imbarcazione. Per giunta, con a bordo un figlio non ancora adolescente, che invece se la cavò nonostante fosse stato scaraventato contro l'albero. Non era una questione di regole d'ingaggio, dottore, ma di buon senso, che Holm, allontanandosi dal porto, non aveva avuto per nulla.»

«Vostro marito, però, non era il comandante, non era responsabilità sua.»

«Invece Benjamin, per una questione di orgoglio, si ostinò a volersi esporre di persona perché non tollerava che il padre finisse davanti al Grand Jury federale. "Ero il primo ufficiale di bordo" continuava a ripetere, e poi altre frasi tipo "c'ero io al timone in quel momento", "mio padre si trovava sottocoperta". Alla fine furono chiamati in causa entrambi.»

«State dicendo che ci fu un processo?»

«Sì. Da una parte l'accusa, fondata sulle dichiarazioni del giovane sopravvissuto, secondo cui la *Hope* non aveva fatto nulla per correggere la rotta ed evitare il peschereccio che procedeva nel senso contrario. Il capo d'accusa invocato fu l'omicidio colposo. Dall'altra parte la difesa, che fece leva sull'imprudenza del pescatore. Con grande abilità, riuscì a far dichiarare al ragazzo ciò che non doveva, ossia che il padre si era disinteressato ai comandi della propria imbarcazione sporgendosi in maniera inappropriata fuoribordo, ragione per cui era poi finito in acqua. Benjamin, così come gli altri marinai presenti sul ponte, non si resero conto della reale emergenza, perché il peschereccio era sembrato continuare lungo la propria rotta come se nulla fosse. In poche parole, la collisione ci fu, ma non tale da richiedere le necessarie misure di soccorso.»

«Fin qui mi sembra che vostro marito e vostro suocero se la siano cavata.»

«Giuridicamente sì. Il Grand Jury stabilì che non si trattò di omicidio colposo, perché se Holm fosse stato meno sconsiderato si sarebbe salvato proprio come il figlio. Tuttavia, nella comunità dei pescatori di Boston, da sempre animati da grande spirito di solidarietà, girò voce che mio marito e mio suocero avessero dichiarato il falso per salvare la reputazione. Da quel momento alcuni armatori si mostrarono restii a offrire loro un ingaggio e, per un breve periodo, i loro nomi rimasero nella lista dell'associazione marinai tra quelli in cerca di lavoro. Poi, per fortuna, grazie anche a delle conoscenze, si lasciarono quella storia alle spalle e tornarono normalmente alla loro professione.»

«E voi che idea vi siete fatta in proposito?»

«Mi sono sempre guardata bene dall'approfondire l'argomento con Benjamin, conoscendo il suo ritegno.» Sarah Briggs rivolse l'ennesimo sguardo ansioso verso le scale. «Vedete, io non ho mai avuto un buon rapporto con mio suocero e il fatto che anche lui vi fosse invischiato non mi ha mai convinto del tutto su come siano andate effettivamente le cose.»

«I familiari della vittima non ne ricavarono nulla, dunque...»

«Solo un piccolo indennizzo. Visto il concorso di colpe e il fatto che c'era stato il ferimento di un minore, la compagnia di assicurazioni della *Hope* versò un risarcimento. Ma fu giudicata una cifra miserevole e la notizia dell'incidente continuò ad avere clamore ancora per qualche tempo.»

Gagliardo si lisciò il mento. «State dipingendo Mr. Nathan come una persona ambigua.»

Mrs. Briggs alzò gli occhi per un istante verso quel cielo che non poteva vedere. «Che il Signore mi perdoni se ho osato infangare il suo nome. Però non mi sarei stupita se avessi scoperto che mio suocero avesse plagiato Benjamin facendogli commettere un falso pur di evitare grane.»

«Capisco, scusatemi se sono stato inopportuno.»

Sarah Elizabeth sembrava sopraffatta dai ricordi. Fece un profondo sospiro. «Be', ora sapete tutto.»

Fu il pianto di Sophia Matilda a interromperli. Dapprima flebile, poi sempre più insistente.

Mrs. Briggs e Gagliardo si guardarono in silenzio: il tempo per le confidenze era scaduto. E, mentre la donna rientrava nella cabina per consolare la figlia, il dottore rimase sull'uscio ancora per qualche istante a far fluire i pensieri. Vicenda interessante e per certi versi inaspettata, quella dell'incidente, ma che nulla aggiungeva alle sue congetture. Se voleva dare una svolta alle indagini, bisognava necessariamente cercare degli indizi concreti che lo mettessero sulle tracce dell'assassino, sfruttando il beneplacito di Briggs.

Rientrò e chiuse la porta. Poi scostò un poco la tendina e guardò attraverso quella porzione di oblò le onde dell'oceano che si increspavano in una miriade di scaglie d'argento.

Era giunto il momento di parlare con i marinai.

* * *

Chi sarebbe stato il primo?

E, soprattutto, quali domande porgli?

Dopo la conversazione con Mrs. Briggs, Gagliardo aveva saltato il pranzo e si era addormentato con il pensiero di dover studiare le prossime mosse, nonostante si sentisse piuttosto confuso. No, lui non si credeva Allan Pinkerton, così come aveva asserito un po' troppo audacemente il capitano. Pinkerton era un vero detective, aveva curato la sicurezza di Abraham Lincoln, svelando poi il raccapricciante complotto che aveva portato al suo assassinio. Il dottore era invece uno qualsiasi, investigatore per caso, un novello da quel punto di vista. La curiosità e la sagacia non gli erano mai mancate, ma occorreva anche altro per smascherare l'essere subdolo che aveva avvelenato due marinai a bordo della *Mary Celeste*. Probabilmente costui non aveva agito con l'intenzione di colpire proprio quei due sventurati. Tuttavia, se il vero obiettivo era Briggs, non si era fatto scrupoli a sacrificare comunque delle anime innocenti.

Tra quegli uomini, dunque, si nascondeva il colpevole. Di sicuro sarebbe stato difficile stanarlo con delle domande improvvisate. Serviva metodo.

Gagliardo scostò del tutto la tendina dell'oblò, cercando di far entrare quanta più luce possibile. Nonostante il sole si stesse abbassando sull'orizzonte, decise di radersi. Versò dell'acqua in un bacile, che adagiò subito dopo sullo scrittoio a ribalta, poi tirò fuori il rasoio, il panetto di sapone da barba, il pennello e infine un piccolo specchio. Si pose quest'ultimo davanti e guardò il proprio riflesso. Era un po' che non lo faceva e quella visione non gli piacque per nulla: i capelli scombinati, il volto macilento e pallido, provato da giorni difficili.

Dopo aver passato il pennello insaponato sulla pelle irsuta, afferrò il rasoio e piegò leggermente la testa, ma si accorse che la mano gli tremava troppo. Avrebbe rischiato di tagliarsi come un pivello alle prime armi. Cercò di calmarsi e di concentrarsi sul movimento oscillante dell'imbarcazione. Bagnò la lama nell'acqua e riprovò. Sentì l'acciaio freddo scivolare sulla pelle, dalla mandibola al mento, e poi fino alla gola.

Finì comunque di radersi in fretta. Mentre guardava allo specchio la faccia liscia, gli tornarono alla mente gli appuntamenti da Sullivan, la sua barberia di fiducia. E per un attimo si immaginò seduto sulla poltrona imbottita su cui finiva puntualmente per addormentarsi prima che le mani sapienti di quel chiacchierone di un irlandese si prendessero cura di lui.

Dopo essersi sciacquato la faccia, Gagliardo dovette ammettere a se stesso di sentirsi meglio, così decise di recarsi sul ponte di coperta.

Quando si ritrovò all'aperto, il vento gli soffiò sul viso, facendogli provare una sensazione incredibile di freschezza, mentre una scia di luce dorata, ormai prossima all'arancio e al rosso, lo costringeva a portare una mano a protezione degli occhi. Vide i marinai al lavoro sulle vele, come se fosse una qualsiasi giornata di navigazione. E in fondo lo era.

Lorenzen controllava che randa e controranda fossero ben agganciate alle sartie, mentre Goodschaad le puliva con una spazzola. Non ricordava chi, ma qualcuno all'inizio del viaggio gli aveva spiegato che i tessuti andavano ogni tanto puliti per rinvigorire la loro resistenza al vento. Richardson, impettito sul giardinetto, si voltò per un attimo nella sua direzione e lo salutò sollevando un braccio.

Gagliardo ricambiò, mantenendosi tuttavia a distanza.

Lorenzen, nel frattempo, era passato ad arrampicarsi sulle griselle dell'albero di trinchetto con un'abilità tale da sembrare un funambolo sospeso nel vuoto. Gagliardo gli vide agganciare le vele di straglio e controstraglio. Una volta tesate le scotte, esse si gonfiarono sotto la spinta del vento e il brigantino ebbe uno scossone che fece vibrare il fasciame e sobbalzare un po' tutti lì in coperta.

Si continuava a procedere verso l'Italia, dunque, solcando quella distesa d'acqua ammantata dalla luce tenue del crepuscolo.

Lorenzen, il fratello ferito nell'animo, si dava da fare salendo e scendendo senza la minima paura. Goodschaad, il marinaio muto, puliva le vele appeso alle griselle come una camicia stesa al sole, imperturbabile anche lui. Richardson continuava a starsene al timone senza scomporsi minimamente. E poi ancora Gilling e Briggs, nascosti da qualche parte nel ventre della *Mary Celeste*. Sembrava non fosse accaduto nulla lì a bordo.

"Da chi cominciare, dunque?" si chiese ancora una volta Gagliardo.

La risposta fu naturale, nel momento in cui il cambusiere di bordo sbucò dal portello principale per poi dirigersi verso la tuga, probabilmente per preparare la cena.

Sì, l'indomani, alla prima occasione, Gagliardo avrebbe interrogato Edward William Head.

9

Oceano Atlantico, 14 novembre 1872
(20 giorni prima del ritrovamento)

«Dunque, Edward, voi mi confermate che vi sono due copie della chiave che apre il lucchetto della cella delle provviste e che, prima dell'incidente di qualche giorno fa, ne avevate una voi e una Briggs. Mentre adesso sono entrambe in possesso del capitano...»

«Sì!» rispose Head senza esitare. Il suo volto rubicondo recava i segni della stanchezza e della tensione, acuiti dal vistoso livido violaceo che si era esteso allo zigomo sinistro. Si strofinò l'occhio buono come per allontanare un prurito improvviso. «D'ora in poi dovrò rapportarmi con lui per fare la scorta di cibo per la giornata.»

«Quel giorno, alla mattina, voi avete riempito il bricco con il latte di capra e poi lo avete portato qui in cambusa. Quel latte è stato consumato a colazione senza che creasse alcun problema e successivamente, dopo pranzo, con le conseguenze che purtroppo conosciamo.»

Head annuì in modo convinto. «Proprio così.»

«Dove lo tenevate il bricco?»

Head indicò la mensola posizionata sopra la cassapanca più lunga, quella dove si era accomodato Gagliardo. «Lì, proprio sulla vostra testa. Lo custodivo sempre lontano dalla stufa altrimenti il latte avrebbe finito per guastarsi.»

Il dottore osservò brevemente la mensola, poi tornò con gli occhi sul cambusiere. «Bene! E adesso ditemi: chi può essersi appropriato del bricco dal termine della colazione fino a quando avete preparato il tè?»

«Ah, chiunque direi. Io entro ed esco in continuazione e tutti hanno, anzi avevano, libero accesso alla cambusa. Mi sono assentato diverse volte, per recarmi in cabina, alla latrina e sicuramente in stiva a prendere le provviste.»

«Non avete fatto caso a qualcuno in particolare che si è intrattenuto? O che ha indugiato nei pressi della mensola? Cercate di ricordare.»

Head sembrò pensarci, poi scosse la testa. «Che volete che vi dica? Tutti! Persino voi siete entrato per bere dell'acqua. Sì, credo che nell'arco di quella mezza giornata, tutti, chi per un motivo, chi per un altro, siano entrati da quella porta.» La indicò. «E qualcuno anche più di una volta. Ricordo che sorpresi il comandante a metà mattina, di ritorno dalla mia cabina.»

Gagliardo corrugò la fronte. «E cosa ci faceva il capitano Briggs qui in cambusa?»

«Mi disse che non si sentiva bene e stava solo curiosando perché non rammentava che cosa ci fosse per pranzo. Nell'occasione mi chiese di preparare un paio di mele cotte per la sua signora e la bambina.»

«Altro? Qualsiasi ricordo, anche quello ritenuto il più insignificante, può risultare importante.»

Head rifletté brevemente. «Mi pare che si intrattennero un bel po' anche Martens e Goodschaad perché avevano fame, però in quel momento c'ero io dentro e mi sarei accorto se qualcuno si fosse avvicinato a quella mensola.» Si toccò le tempie nel tentativo di sforzare oltremodo le meningi. «Ho dato loro una fetta di pane a testa, questo lo ricordo perfettamente.»

«Richardson, Gilling, i Lorenzen?»

«Come dicevo, probabilmente anche loro sono entrati per bere o per scambiare quattro chiacchiere, o semplicemente per riscaldarsi, ma non ve lo posso assicurare.»

«Adesso, invece, parlatemi delle abitudini a bordo. Chi è solito bere il latte di capra?»

«Al mattino, per colazione, un po' tutti. Forse l'unico che non l'ha mai bevuto siete proprio voi.»

«E in aggiunta al tè?»

«Che io ricordi, l'unico che lo ha sempre macchiato è il capitano Briggs.»

«E questo era risaputo, giusto?»

«Sì, perché se ne parlò il giorno della partenza, a cena, quando avevamo preso il largo e voi vi eravate già ritirato nella vostra cabina. La cosa fu breve argomento di discussione, che tra l'altro suscitò l'ironia di tutti. Ovviamente non in presenza del capitano e di Richardson, il primo intento a cenare nel proprio alloggio, il secondo al timone. La maggior parte dei marinai, in seguito, volle provare il sapore del tè con il latte. A qualcuno piacque, a qualcun altro per niente.»

«Perfetto, Edward. Vi ringrazio.»

«Sarei disposto a tutto pur di dimostrare la mia totale estraneità a questa faccenda. Di qualsiasi cosa abbiate bisogno, dottore, sappiate che potrete contare su di me.»

«Ne sono sicuro» replicò Gagliardo, alzandosi dalla cassapanca e tendendo la mano.

Head gliela strinse. «Voi che idea vi siete fatto su questa storia?»

Gagliardo ritrasse la mano da ciò che considerò una presa debole. Se c'era qualcuno da cui si aspettava una stretta di mano così incerta, quello era proprio Head, un "non marinaio" al servizio di uomini temprati dalla fatica della vita di mare. «Al momento sto soltanto cercando di raccogliere tutti i cocci» rispose, quindi uscì sul ponte.

La navigazione nel frattempo era mutata. Si era passati dalla totalità di vele ben spiegate a trinchetto e parrocchetto terzarolati. Il ponte dava l'impressione di essersi inclinato di una decina di gradi, mentre l'onda prodiera risaliva alta con spruzzi biancastri.

Gagliardo annodò la sciarpa attorno al collo e alzò il bavero del cappotto. Il vento freddo e impetuoso che soffiava da nord pungeva la faccia come tanti spilli infilati nella pelle. Di lì a qualche ora i pallidi raggi del sole sarebbero stati inghiottiti dal buio della sera.

«Cinquantatré gradi Fahrenheit sopra lo zero» sentenziò Gilling, sorprendendolo alle spalle.

Gagliardo si voltò a guardarlo.

«O dodici Celsius, se preferite» aggiunse l'aiutante in seconda. Indossava la giubba abbottonata fino alla gola, mentre in testa calzava il solito berretto che a stento riusciva a contenere la sua chioma di capelli rossi.

Il dottore avrebbe giurato che la temperatura fosse molto più bassa di quanto aveva appreso, ma pensò che non era il momento di mettersi a discutere di quisquilie con un ufficiale di bordo.

«Corre voce che fate domande all'equipaggio» riprese Gilling in tono acido. «E che il capitano abbia acconsentito.»

La puntualizzazione era arrivata a togliere Gagliardo dall'imbarazzo. Non era per nulla facile far valere quella sorta di autorità che egli stesso si era attribuito.

«Noto che siete ben informato, caro Andrew...»

Le labbra di Gilling si incresparono in una smorfia di sfida. «Un bravo marinaio deve essere sempre in grado di sentire l'odore della tempesta.»

Gagliardo si interrogò sul senso di quelle parole. A cosa si riferiva il danese? Stava forse parlando di lui? Possibile che da importante punto di riferimento, come aveva detto Briggs, fosse diventato improvvisamente un elemento ostile? «Sto solo cercando di far luce su questo gravissimo fatto» replicò con voce conciliante. «Non è anche vostro desiderio scoprire il colpevole?»

Gilling rimase impassibile, le mani infilate nelle tasche, poi corrugò la fronte. «Certo che lo voglio. Che cosa crede? Ma sappiamo tutti chi è il principiale indiziato...»

«Oh, perbacco. Illuminatemi, allora. Chi sarebbe costui?»

«Suvvia, dottore. Non vi siete chiesto perché Boz Lorenzen abbia aggredito Head?»

«Faccio fatica a seguirvi» replicò Gagliardo, confuso.

Gilling si guardò attorno indugiando. «Non fatevi fuorviare dal nostro cuoco di bordo.» Si sporse leggermente in avanti. «Detto tra noi, il buon Edward dà l'impressione di essere un tipo simpatico, socievole, obbediente, ma sotto sotto nasconde un carattere ribelle e, onestamente, a me sembra che pasticci molto in cucina.»

«Cosa volete dire?»

«Le pietanze che prepara sono molto gustose, nulla da obiettare. Ma ho l'impressione che faccia troppi esperimenti, troppi intrugli. Chissà che diavolo ha combinato con quel latte...»

Gagliardo era rimasto ad ascoltare in silenzio, senza ribattere a quelle che erano accuse personali molto gravi. Non solo Boz Lorenzen, anche Andrew Gilling era convinto della colpevolezza di Head. A riflettere bene, dopo aver raccolto la testimonianza del cuoco, non aveva più senso ascoltare la versione degli altri marinai. Tutti erano entrati in cambusa e nessuno di loro avrebbe ovviamente confessato.

«Non dovreste stare ai comandi, Andrew?» Gagliardo cambiò astutamente discorso e rispedì tutto al mittente. Non aveva intenzione di intavolare questioni intorno ai sospetti che gravavano su Edward Head. Sarebbe stato controproducente per le sue deduzioni.

Il secondo ufficiale di bordo estrasse la mano destra dalla tasca, ancora protetta dalla benda che lui stesso gli aveva applicato. Indicò Briggs che stava recandosi a poppa. «Ecco a chi tocca reggere il timone questo pomeriggio» rispose deciso, poi sorrise sibillino. «Forse le vostre teorie cominciano a vacillare.» Tolse anche l'altra mano dalla tasca, mentre il suo volto arrossiva e le lentiggini si facevano più evidenti. «Ora, se permettete, vado a riposare, perché a mezzanotte dovrò dare il cambio proprio al capitano Briggs. Mentre voi dormite, qualcuno dovrà pur provvedere alla vostra incolumità.» Detto questo, salutò con un cenno del capo e se ne andò.

Gagliardo rimase sorpreso da tanta irriverenza nei suoi confronti. Dov'erano finiti i modi garbati dell'ufficiale danese?

Improvvisamente si sentì stanco.

Stanco della costante incertezza che regnava a bordo, stanco di dover dare un senso a ogni cosa.

Tornò sui propri passi, rientrò in cambusa e comunicò a Head che per quella sera avrebbe saltato la cena. Suo padre gli aveva insegnato che lo stomaco non sempre risponde quando la testa è piena di pensieri. E Antonio Gagliardo aveva già avuto modo di sperimentarlo nella sua turbolenta vita.

* * *

Gagliardo voltò la pagina con febbrile impazienza, mentre le ombre del suo corpo, alla luce della lampada accesa, si muovevano sulla paratia. Non poteva immaginare che quel romanzo prestatogli da Richardson lo avrebbe affascinato così tanto. Una volta rientrato in cabina, infatti, aveva deciso di rifugiarsi in un altro mondo, un mondo immaginario che non gli dava grattacapi. E così ora giaceva sotto le coperte immerso in una profonda lettura.

Il protagonista Redburn, adolescente di buona famiglia, un po' ingenuo, all'inizio della storia era stato costretto a rivedere le proprie ambizioni e a imbarcarsi, senza un soldo in tasca e con indosso una vecchia giacca da caccia che lo aveva reso lo zimbello dell'equipaggio, sul mercantile *Highlander*. Dopo momenti difficili al limite della sopportazione, Redburn, grazie anche alla ferrea volontà di migliorarsi, era riuscito a prendere dimestichezza con i lavori tipici da mozzo, consolidando la sua posizione tra i marinai. Il giovane si era temprato man mano grazie alla conoscenza più approfondita della ciurma, oltre che al fatto di aver assistito a un suicidio a bordo, occupando successivamente la stessa cabina del morto, cosa che aveva indotto il dottore a interrogarsi sulle medesime sensazioni provate da coloro che avevano condiviso l'alloggio con Martens e Volkert Lorenzen.

Ora Gagliardo era giunto al ventesimo capitolo, al punto in cui il protagonista aveva appena avvistato delle balene, assistendo persino al caratteristico zampillo d'acqua, quasi da far immaginare una fontana in mezzo all'oceano. Dopo le iniziali sensazioni di meraviglia e sorpresa, il giovane era stato travolto da una delusione cocente. Le mostruose balene di cui Redburn aveva sentito tanto parlare non erano per niente delle montagne e valli fatte di carne. Non erano veri mostri capaci di far salire la marea e inondare i continenti quando si immergevano per nutrirsi. Per questo tanti dubbi lo avevano assalito, a cominciare dalla storia del profeta Giona, che mai e poi mai aveva potuto infilarsi in un ventre così poco capiente, figurarsi riuscire a viverci comodamente per ben tre giorni. Gagliardo si rese conto che lui, invece, a parte qualche suggestivo tramonto, non aveva avvistato ancora alcunché, nessuno spettacolo dei mari, nessun prodigio da lasciare a bocca aperta, ma aveva dovuto fare i conti soltanto con una preoccupazione dietro l'altra. L'unico pensiero sul profeta Giona che gli veniva da formulare non era effimero come quello di Redburn, bensì legato al tangibile dramma di un rito funebre in mezzo all'oceano.

Chiuse il libro con un gesto secco e guardò oltre l'oblò. Nonostante fosse sopraggiunta l'oscurità, riusciva a distinguere la pioggia dirompente che si stava riversando sulla *Mary Celeste*. Le gocce d'acqua si abbattevano sul vetro con un rumore crescente, che sovrastava il vociare confuso proveniente dalle cabine adiacenti, intervallato da qualche strillo di Sophia Matilda. Probabile che la famiglia Briggs da una parte e Richardson dall'altra avessero terminato la loro cena, e che Head fosse lì a portare via i resti e le stoviglie. Gagliardo ipotizzò che tutti loro si stessero preparando per andare a dormire. Tranne il capitano, impegnato al timone fino a mezzanotte, secondo quanto riferito da Gilling. Il dottore sperava che il sonno di Mrs. Briggs, quella notte, sarebbe stato più sereno, grazie al laudano che si era premurato di consegnarle.

Guardò in direzione della porta. Sapeva già che Head non avrebbe bussato quella sera, perché era stato chiaro nel dirgli di non voler essere disturbato. Adesso, a distanza di ore, si era un po' pentito per averlo fatto perché sentiva lo stomaco brontolare per la fame. In quel momento avrebbe messo qualsiasi cosa sotto i denti, persino una galletta ammuffita. "Pazienza", si disse. Per recuperare, l'indomani avrebbe consumato una colazione sicuramente più sostanziosa.

Spense la lampada e si distese sulla branda, poi si girò su un lato e chiuse gli occhi. Ma il sonno non riusciva a catturarlo del tutto. Nei suoi pensieri era tornata con una certa insistenza la figura del capitano Briggs. Cambiò posizione e si mise supino. L'ansia cominciò a montare. Fece una serie di profondi respiri e allontanò l'idea di dover ricorrere al laudano, perché ciò significava dover disturbare Mrs. Briggs. Quando il cuore rallentò i battiti, cercò di analizzare la situazione partendo da un diverso punto di approccio. Fino a quel momento aveva interrogato unicamente Head senza fare menzione dell'autorizzazione che gli aveva accordato proprio il comandante in persona. Come faceva Gilling a sapere, allora? La risposta non poteva essere che una sola. Era stato lo stesso Briggs a spiattellare tutto, se non direttamente al proprio aiutante in seconda, magari a qualcuno che avesse il vizio di non saper tenere per sé le confidenze altrui. Ma perché? Il suo intento era forse di incutere timore all'assassino rivelando che c'era un inquisitore a bordo della *Mary Celeste*? E perché Gilling, senza perdere tempo, lo aveva approcciato volutamente per informarsi? Era preoccupato, il secondo ufficiale di bordo? Qual era il suo ruolo in quella storia? Tutti interrogativi a cui Gagliardo non riusciva a dare risposta. A furia di pensare cominciò a sentire gli arti stanchi, abbandonati su quel sottile materasso che mai come in quel momento gli sembrava così comodo. Le palpebre pesanti, finalmente arrese alle lusinghe del sonno. E poi il buio, la pioggia battente, un tuffo nell'abisso, il nulla assoluto, figure sfocate che si accavallavano, tra cui suo padre, suo cugino Andrea, Clara, Mrs. Campbell, Danny Lyons, i suoi pazienti, il direttore dell'ospedale, quel figlio mai arrivato e... quel rumore insistente, molesto.

Gagliardo balzò tremante sulla branda. Quanto tempo era trascorso da quando si era addormentato? Non avrebbe saputo dirlo.

«Dottore! Dottore! Aprite per favore!» I colpi sul legno sempre più decisi, la voce sempre più forte. L'inequivocabile voce di Albert Richardson.

Gagliardo scattò in piedi e cominciò a muoversi a tentoni nel buio. Quando aprì la porta, si ritrovò davanti il primo ufficiale di bordo. Dovette sbattere ripetutamente le palpebre prima di mettere a fuoco la sua faccia: aveva le orbite quasi di fuori, la pelle di un pallore spettrale, i baffi vistosamente bagnati. E lo fissava sgomento, lì, alla luce fioca delle lampade assicurate alle paratie del corridoio, con indosso berretto e mantello, entrambi grondanti di acqua.

«Mi dispiace, dottore, se ho dovuto svegliarvi.»

«Mr. Albert, ma che ore sono?»

«Mezzanotte» rispose Richardson con voce scossa. «Il capitano Briggs mi ha mandato a chiamarvi perché è accaduta una cosa orribile.»

Gagliardo si sentì mancare, al punto che dovette appoggiarsi con la mano alla porta. «Ma... ma che cosa state dicendo?»

«Andrew Gilling è stato assassinato.»

10

Oceano Atlantico, 15 novembre 1872
(19 giorni prima del ritrovamento)

La pioggia si riversava fitta sulla *Mary Celeste*. Una pioggia non più impetuosa, ma costante. Le gocce cadevano leggermente oblique, brillando alla luce delle lampade che gli uomini avevano portato sul ponte di coperta. Le tenevano riparate sotto i mantelli di tela incerata affinché non si spegnessero. Nessuno di loro aveva osato toccare nulla. Nessuno di loro era in grado di dire una parola.

Il dottor Gagliardo, anche lui protetto da mantello e cappello, mosse un passo in avanti, verso il cadavere di Andrew Gilling che giaceva bocconi nel giardinetto di dritta, tra il parapetto e la ruota del timone, in una pozza frammista di acqua e sangue. In mezzo alla schiena dell'ufficiale danese spuntava l'impugnatura di un'arma. Gagliardo non ci mise molto a capire: si trattava della daga che aveva visto esposta nel ponte di corridoio. Si chinò avvicinando la lampada alla figura esanime sotto di sé. Da alcuni tagli presenti sulla parte laterale dell'incerata si poteva indovinare l'esistenza di altre ferite, come se l'assassino si fosse accanito sul corpo della vittima. Lo sguardo del dottore si spostò sulla testa. I capelli rossi e fradici, privi di copricapo, erano attaccati alla fronte e su parte della guancia destra. Gli occhi spalancati e la bocca semiaperta racchiudevano stupore e angoscia.

Gagliardo cercò di cristallizzare la scena del delitto, ma il tentativo fu vano, perché il sangue veniva spazzato via dalle gocce di pioggia, sfumando in un pallido rosa. Allora si rialzò e scrutò a uno a uno i presenti. Sembrava che aspettassero la sentenza del medico, come se non fosse già chiaro che il giovane ufficiale Andrew Gilling avesse reso l'anima a Dio. Per ultimo, il suo sguardo si soffermò su Gottlieb Goodschaad. Era l'unico a non indossare indumenti incerati. Se ne stava immobile, in disparte, con il capo chino e i pugni serrati. Il rumore della pioggia copriva i suoi singhiozzi cupi, ma la disperazione del migliore amico dell'uomo assassinato era tangibile. Gagliardo vide Richardson provare a porgere un mantello al marinaio muto, che rifiutò con un gesto secco.

«Allora, dottore» disse Briggs, rompendo gli indugi. «Volete ancora ispezionare il cadavere o possiamo portarlo dentro?»

Gagliardo allargò le braccia, sconfortato. «L'acqua ha cancellato tutte le tracce. L'arma del delitto è conficcata nelle sue carni. Inutile che questo sventurato rimanga ancora qui a inzupparsi. Gli darò un'occhiata attenta all'asciutto.»

«Portiamolo in cabina» ordinò Briggs a voce alta per sovrastare il rumore incessante della pioggia. Si avvicinò al cadavere e, lentamente, estrasse l'arma dalla schiena.

«Tenete, dottore.»

Gagliardo si vide porgere la piccola spada insanguinata. La prese timidamente dall'impugnatura e la guardò prima che il sangue fresco sulla lama venisse cancellato. Poi si voltò a guardare Briggs, Richardson, Head e Boz Lorenzen che, messe al riparo le lampade, stavano sollevando il corpo senza vita di Gilling.

«Fateci luce, dottore» lo richiamò Briggs.

Gagliardo si mosse verso la tuga e, seguito dai quattro uomini, sfilò con loro davanti a Goodschaad, il quale li scortò con lo sguardo afflitto senza schiodarsi dal proprio posto.

Mentre si avvicinava alla tuga, lampada in una mano e daga nell'altra, il dottore si accorse dei barili. Erano una decina, disposti in fila lungo il parapetto e lasciati aperti a raccogliere l'acqua piovana per gli usi della nave. Ma ormai tutti quei contenitori erano colmi fino all'orlo e il prezioso liquido ricevuto dal cielo strabordava sul ponte, bagnando i suoi stivali e quelli degli altri alle sue spalle.

Alla fine si ritrovarono tutti nella cabina di Gilling e Goodschaad, che non era mai stata illuminata come in quel momento. Le altre lampade accese erano state infatti portate dentro e sulle paratie aveva preso vita un inquietante gioco di ombre in movimento, cui si aggiungevano i chiaroscuri che la luce stendeva su tutti quei volti, rendendoli minacciosi e quasi sinistri.

Il corpo di Gilling venne adagiato sopra quella che fino a poche ore prima era stata la sua branda e che adesso era diventata il suo letto di morte.

«Vado io al timone» disse Richardson, tirandosi fuori da quello spettacolo desolante.

Chissà per quanto tempo la *Mary Celeste* era stata lasciata in balia di venti e correnti. Ora aveva bisogno di ritrovare una rotta sicura.

«Prima Volkert e Arian, ora Andrew. Questo viaggio si sta trasformando in un'autentica follia» esplose di colpo Boz Lorenzen, assestando un pugno alla paratia.

«Non è il momento per gli scatti di collera» lo redarguì Briggs. «Adesso fate spazio al dottore!»

Gagliardo si tolse il cappello e si avvicinò al corpo di Gilling. Per prima cosa provvide a restituire a quel volto un'espressione più umana abbassandogli le palpebre, poi si rivolse ai marinai. «Ho necessità di spogliarlo.»

Head e Lorenzen si offrirono prontamente. Il destino aveva voluto che proprio loro due, che erano stati a un passo dal farsi del male reciprocamente, si adoperassero fianco a fianco sul cadavere di un loro compagno, a riprova di una quanto meno apparente riappacificazione.

Dopo alcuni minuti di ingrato lavoro, riconsegnarono al dottore la salma di Gilling, completamente denudata, quindi si misero in disparte accanto al capitano.

Per una forma di pudore, Gagliardo prese un lenzuolo e coprì le parti intime del cadavere, dopodiché lo esaminò minuziosamente. Ne palpò il collo e gli arti, poi si concentrò sul tronco. Al centro del petto c'era una piccola ferita ancora aperta e contornata da ecchimosi, segno che la stilettata finale lo aveva trafitto da parte a parte, tale era stata la veemenza con cui era stata inferta. Gli tolse anche la benda dalla mano destra. La ferita sembrava essersi rimarginata, anche se ora non serviva più a nulla.

«Aiutatemi a girarlo.»

Head e Lorenzen obbedirono senza battere ciglio. Era evidente come tutti pendessero dalle sue labbra.

Briggs, dal canto suo, continuava a seguire le operazioni con aria assorta.

Analizzando il cadavere in posizione prona, Gagliardo si soffermò sulle ferite e le collegò ai tagli sull'incerata. Erano cinque in totale, quattro delle quali ravvicinate, in corrispondenza del fianco destro, e una in mezzo alla schiena. Il dottore immaginò la scena in cui l'assassino sorprendeva l'ufficiale danese alle spalle, una mano sulla bocca per impedirgli di gridare e l'altra a colpire crudelmente sul fianco per poi assestare il colpo di grazia.

«Io ho finito» concluse Gagliardo.

«Grazie, dottore» disse Briggs. Poi si rivolse ai suoi uomini. «Asciugatelo e rivestitelo con l'uniforme.»

Head e Lorenzen si presero cura, ancora una volta, del povero Gilling. Ma, non appena i due cominciarono a rovistare tra gli indumenti del secondo ufficiale, dalla porta sbucò Goodschaad, che lentamente prese ad avvicinarsi alla branda dove giaceva il suo compagno di mille avventure.

All'interno della cabina calò il gelo.

Gagliardo lo guardò. Era completamente fradicio, ma sembrava si fosse riscosso dal suo stato di shock, benché avesse il volto ancora provato, gli occhi fissi sul cadavere. Dopo alcuni, interminabili secondi, il marinaio muto sollevò lo sguardo e lo rivolse all'indirizzo di Briggs, poi del dottore e infine di Head e Lorenzen, che nel frattempo si erano bloccati come due statue. Fu proprio Goodschaad a tirare fuori i pantaloni bianchi, la camicia e la giacca con i bottoni d'argento che Andrew Gilling avrebbe indossato per l'ultima volta. Quindi si fece da parte.

Mentre Gilling veniva vestito, Gagliardo ne approfittò per squadrare tutti i presenti, gli occhi che si muovevano veloci sulle maniche dei loro indumenti. Molti recavano vistose macchie di sangue perché avevano trasportato il cadavere. Anche lui stesso si era sporcato. Ma una di quelle mani, molto probabilmente, lo aveva fatto anche qualche ora prima, quando aveva ferito a morte Gilling. A meno che l'assassino era stato così accorto da usare dei guanti che poi aveva gettato fuoribordo.

«Non è il caso di tornare a New York?» intervenne Boz Lorenzen, interrompendo le operazioni di vestizione della salma.

Briggs scosse la testa. «Non getterò al vento nove giorni di navigazione. Si va avanti. A Genova denuncerò tutti i fatti alle autorità.» Afferrò la daga che era stata posata in un angolo. «Questa la terrò io nella mia cabina. Provvederò a far sparire anche l'ascia di bordo e ogni altro oggetto potenzialmente utilizzabile come arma impropria.» Si voltò in direzione di Head, che si era bloccato come il compagno. «Edward, voi sarete il solo responsabile dei coltelli presenti in cambusa.»

«Capitano Briggs, perdonate la mia schiettezza» replicò Head con espressione turbata. «È giusto che voi pensiate alla sicurezza e a responsabilizzare l'equipaggio, ma Boz ha ragione.

Come possiamo andare avanti? È evidente che qui a bordo ci sia un assassino che ammazza a caso e senza un perché.»

«Mi pare di capire che siete stato voi a trovare il cadavere di Gilling vicino a quel parapetto» replicò Briggs, allusivo.

Head non fiatò. Le parole dell'ufficiale manifestavano un chiaro sospetto, che andava ad aggiungersi a quello riguardante le due morti per avvelenamento.

Il dubbio tornò a tormentare Gagliardo. Poteva, Edward William Head, aver ucciso tre persone così a sangue freddo? Gilling stesso, solo poche ore prima, aveva gettato ombre su di lui. Ora Briggs aveva dichiarato apertamente la sua diffidenza, rimangiandosi la fiducia che gli aveva accordato qualche giorno addietro.

«Edward» intervenne il dottore per stemperare la situazione, «raccontatemi di come l'avete trovato.»

Head annuì. Lasciò le ultime incombenze a Boz Lorenzen e mosse un passo in avanti. «Stavo andando alla latrina e, mentre ero sul punto di scendere dalla scala, mi sono accorto che al timone non c'era nessuno. Ho proseguito a poppavia finché non ho visto Gilling riverso accanto al parapetto. Allora ho dato l'allarme svegliando subito il capitano e Richardson.» Head serrò per un attimo le palpebre come per scacciare l'atrocità di quel ricordo.

«Che ore erano? Cercate di essere preciso.»

«Non saprei dirvelo. Non ho guardato l'orologio.»

«E voi, Boz, lo avete sentito andare via?»

Lorenzen scosse la testa. «A onor del vero, dormivo. Ricordo soltanto quando Edward mi ha poi svegliato perché gli ufficiali erano saliti in coperta.»

«Capisco» fece Gagliardo. Poi si rivolse a Briggs. «Ma il cambio al timone non sarebbe dovuto avvenire a mezzanotte?»

«Sì, però non mi sentivo bene, ancora per via di queste tremende emicranie, pertanto ho svegliato Gilling con due ore d'anticipo rispetto a quanto prestabilito. Un quarto d'ora dopo è venuto a sostituirmi.»

Gagliardo spostò lo sguardo su Goodschaad, possibile testimone di quella richiesta improvvisa di cambio al timone.

Lui, con un cenno del capo, sembrò confermare le parole del capitano.

Poi il dottore fissò il cadavere con occhi vacui. «Considerando la posizione in cui è stato rinvenuto il corpo, desumo che l'assassino abbia provato a gettarlo fuori bordo, ma invano. Ha dovuto lasciarlo lì e rinunciare al suo proposito di disfarsene.»

Fu Goodschaad a mugugnare qualcosa aiutandosi con ampi gesti delle mani. Per la prima volta provava a interagire con i presenti.

«Cosa cercate di dire, Gottlieb?» chiese Gagliardo.

«Che Gilling pesava quasi centottanta libbre» tradusse Head. «E, se posso dire la mia, è già un miracolo che l'abbia trasportato fino al parapetto.»

«È più semplice farlo scivolare su un pavimento bagnato» asserì Boz Lorenzen.

Le parole del marinaio tedesco non lasciarono Gagliardo indifferente. Ipotesi arguta o guanto di sfida lanciato davanti a tutti? Poteva essere quello un gesto che lui stesso aveva messo in pratica?

Sicuramente lì in mezzo c'era un doppiogiochista, scaltro e senza scrupoli, che sapeva il fatto suo.

A meno che il colpevole non fosse Richardson, lesto a defilarsi pur di non dover sostenere discussioni scomode.

Il dottore si affrettò a scacciare tutte quelle congetture dalla mente e fissò Briggs. «Capitano, devo parlarvi in privato.»

Gli occhi degli altri migrarono sul loro comandante, che nel frattempo si era portato sull'uscio.

Briggs si voltò, sempre più angustiato. «Mi avete letto nel pensiero, dottore. Andiamo nella vostra cabina.»

* * *

Gagliardo accese la lampada e si accomodò sulla branda, mentre Briggs sedette sulla cassapanca. I due si ritrovavano faccia a faccia nelle stesse posizioni di qualche giorno addietro, con la differenza che l'oggetto dell'argomento era notevolmente cambiato. Se all'inizio del viaggio si era parlato di sogni e speranze, adesso a tenere banco erano principalmente terrore e morte.

«Avevate ragione, dunque, capitano.»

«Su che cosa?»

«L'assassino è tornato a colpire, e stavolta lo ha fatto nel modo più efferato.»

«Già, assurdo. Dopo la scazzottata tra Head e Lorenzen, mi era sembrato che gli animi qui a bordo si fossero finalmente rasserenati.»

«Purtroppo è stata soltanto un'illusione» rispose Gagliardo, sollevando lo sguardo verso il ponte sopra di sé.

Briggs accavallò una gamba sull'altra. «Vi siete chiesto, dottore, perché ha aspettato proprio questa notte, agendo con il favore delle tenebre? Io la risposta penso di saperla già, ma voglio capire se voi abbiate fatto il mio stesso ragionamento.»

«Credo di sì. Voi sareste dovuto rimanere al timone del brigantino fino a mezzanotte. Dico bene?»

«Esattamente.»

«Indossavate il cappello e l'incerata grigia, stessi identici indumenti con cui era vestito Gilling o chiunque si fosse trovato in coperta con questa pioggia incessante.»

«Continuate pure.»

«Quando è entrato in azione, l'assassino era fermamente convinto di trovare voi al timone. Una volta scoperto che si trattava invece di Gilling, è rimasto spiazzato.» Gagliardo si concesse una pausa. «Resta da capire se il miserabile abbia abbandonato il suo proposito di gettare il corpo fuori bordo nel timore di essere visto o perché incapace di sollevarlo di peso.»

«Oppure, chissà, perché preso da un improvviso rimorso» rilanciò Briggs.

«Chi può dirlo? A ogni modo, Gilling non ha avuto neppure il tempo di fuggire, altrimenti avrebbe gridato per richiamare l'attenzione, cosa che pare non abbia fatto.»

Briggs fece un cenno d'approvazione. «Le vostre attente riflessioni, indipendentemente da queste congetture, evidenziano purtroppo come fossi ancora una volta io l'obiettivo. Il cambio al timone inaspettato, le pessime condizioni del tempo, l'oscurità e, infine, quell'incerata hanno tratto in inganno la mente malata che si nasconde in mezzo a noi.» Si lasciò andare a un sorriso nervoso picchiettando l'indice della mano destra su una tempia. «Non avrei mai immaginato che l'emicrania mi avrebbe ancora una volta salvato la vita. Prima mi ha portato a rifiutare il tè, poi a dover anticipare la fine del turno al timone.» Guardò Gagliardo con aria oppressa. «Chi è costui che mi vuole morto?»

«Bell'enigma! Ma io mi interrogherei anche sul movente. Perché vuole uccidervi?»

Briggs si prese la testa tra le mani. «Vorrei tanto saperlo, maledizione.» Si alzò con fare stanco e scoraggiato, poi fissò Gagliardo. «Temo di perdere il controllo...»

«Non ve lo potete permettere, capitano. Non voi!»

«Avete ragione, ma provate a mettervi nei miei panni. Metà dei miei uomini sono stati uccisi e sembra che non sia finita.»

«In questo momento è opportuno che manteniate i nervi ben saldi» lo rincuorò Gagliardo.

Briggs si contrasse. «Ho perso il secondo aiutante, dottore.» Tenne gli occhi chiusi per qualche istante, poi li riaprì. «E pensare che quella doveva essere la sua branda» disse amaramente, indicandola.

Gagliardo, che fino ad allora non aveva considerato quel particolare inquietante, fece leva sulle mani e si spostò appena sul materasso come condizionato dalle parole. «Povero ragazzo...»

«Non potete immaginare quanto mi addolori la sua scomparsa... Si stava dimostrando un ottimo ufficiale.» Briggs mosse qualche passo con gli occhi bassi e le mani dietro la schiena, poi si avvicinò all'oblò e, dopo aver tirato la tendina da una parte, rimase a guardare attraverso il vetro striato dalle gocce di pioggia. Ma non poteva vedere null'altro, perché oltre c'era solo un muro di oscurità assoluta. «Vorrei il vostro parere su quanto espresso dai marinai» disse voltandosi.

«Non capisco. A cosa vi riferite?»

«Al fatto di tornare a New York.»

A Gagliardo mancò il fiato. L'evenienza di mettere piede di nuovo in città lo faceva rabbrividire. Il fantasma di Danny Lyons tornò a materializzarsi nella sua mente. Lo spaventava inoltre la possibilità di doversi confrontare con Clara. E poi ancora con il direttore del Bellevue Hospital, che sicuramente si stava chiedendo dove si fosse cacciato uno dei suoi medici migliori. Non che proseguire fino a Genova, oltretutto con la minaccia incombente di un assassino a bordo, costituisse un pericolo meno grave. Però bisognava decidere. E anche alla svelta.

«Dottore, mi state ascoltando?» domandò Briggs.

Gagliardo si riscosse con un sussulto. «Ehm... sì, scusate. Stavo pensando che forse dovreste deporre per un momento la vostra autorità e il vostro orgoglio e mettere ai voti la decisione.»

Briggs alzò un sopracciglio senza replicare.

«Credo che ognuno dovrebbe poter esprimere liberamente la propria volontà» riprese Gagliardo. «Ormai siamo in una situazione di totale emergenza.»

Briggs gli girò le spalle e aprì la porta. Rimase inchiodato sull'uscio, come se fosse indeciso se andare via o rientrare. Le sue ombre, illuminate dalle lampade, erano immobili. «Ci penserò» disse alla fine senza voltarsi.

* * *

«Dal libro del profeta Geremia: il Signore me lo ha manifestato e io l'ho saputo. Allora ha aperto i miei occhi sui loro intrighi. Ero come un agnello mansueto che viene portato al macello, non sapevo che essi tramavano contro di me, dicendo: "Abbattiamo l'albero nel suo rigoglio, strappiamolo dalla terra dei viventi; il suo nome non sia più ricordato". Ora, Signore degli eserciti, giusto giudice, che scruti il cuore e la mente, possa io vedere la tua vendetta su di loro, poiché a te ho affidato la mia causa.» Briggs chiuse la *Bibbia* e fece il segno della croce in direzione della salma di Andrew Gilling. «Dio Onnipotente, ti affidiamo il corpo violato di questo nostro fratello marinaio. Possa trovare pace nel tuo regno.» Fece un cenno agli uomini e si mise in disparte.

Head, Lorenzen e Goodschaad spostarono le lampade poste ai lati del corpo, quindi presero a cucire il lenzuolo che avvolgeva la salma. Gottlieb Goodschaad non aveva voluto sottrarsi alle meste incombenze che per la seconda volta in pochi giorni stavano rendendo la *Mary Celeste* come l'anticamera della morte. Tutto perché quei grandi occhi azzurri non perdessero di vista nemmeno per un secondo le spoglie del danese, prima dell'ultimo viaggio. Ogni suo gesto e ogni suo sguardo recavano i segni di un pianto interiore all'apparenza fiero, discreto, ma certamente non meno doloroso di quello che aveva dilaniato Boz Lorenzen. Come quest'ultimo, anche lui era stato privato di un affetto fondamentale.

Gagliardo osservava la scena, cercando di capire chi fosse l'infame lì in mezzo, ma nelle espressioni di ognuno, come anche negli atteggiamenti, non c'era nulla che potesse rivelare il minimo sospetto. Allora spostò lo sguardo verso il cielo azzurro. Avevano dovuto aspettare che la pioggia smettesse di cadere sulla *Mary Celeste*. Non appena, a metà mattina, era tornato a splendere il sole, Briggs aveva impartito l'ordine di prepararsi per il rito funebre.

Gli occhi di Gagliardo conversero proprio su Briggs, che mormorava qualcosa all'orecchio di Richardson. Che cosa aveva di così importante da dirgli? E perché il capitano aveva scelto quel passo della *Bibbia*? Un passo che parlava di intrighi, di vendetta e di agnello sacrificale. Nessuno dei marinai aveva prestato particolare attenzione alla cosa. Per loro, probabilmente, una preghiera valeva l'altra. Non che lui fosse un teologo provetto, ma la *Bibbia* l'aveva letta tutta. Ritenendo Briggs un profondo conoscitore della materia, era improbabile che avesse scelto un brano a caso.

Nel momento in cui aveva conosciuto Briggs nelle vesti di suo salvatore, Gagliardo aveva provato un enorme rispetto verso di lui. Ora quel sentimento cominciava a mutare, perché il dubbio c'era, e faceva anche male.

I suoi sospetti sul conto del capitano stavano dunque prendendo corpo. Era stato lui a recarsi in cucina per curiosare prima dell'avvelenamento, magari sviando la ragione della sua presenza con il pretesto di avere delle mele cotte per la sua famiglia, poi aveva provvidenzialmente schivato la morte rifiutando il tè e, per concludere, aveva chiesto il cambio prima che l'assassino colpisse nel punto in cui proprio lui avrebbe dovuto trovarsi. Adesso lanciava un delirio biblico ai quattro venti, che risuonava come un monito.

Prima del rito funebre, Gagliardo aveva raccolto le testimonianze dei marinai. Dalle spiegazioni febbrili di Goodschaad, era emerso che Gilling era stato effettivamente chiamato anzitempo alla ruota del timone da Briggs, sebbene il danese fosse poi tornato a prendere qualcosa in cabina, quando il comandante era ormai nel proprio alloggio. Goodschaad aveva fatto intendere che, malgrado fosse stato disturbato più volte, era riuscito successivamente ad addormentarsi. Una versione che, comunque, non lo escludeva dal novero dei sospettati, considerato oltretutto l'ampio lasso di tempo in cui la vittima poteva essere stata assassinata. Nessun alibi nemmeno per Richardson, a suo dire chiuso in quelle ore nella propria cabina. Quanto a Head e Lorenzen, il primo aveva scoperto il cadavere, anche se ciò non faceva luce riguardo ai suoi movimenti prima del delitto, mentre il secondo sosteneva di non essersi schiodato dalla branda. Rimaneva da appurare la posizione di Briggs, e l'unica a poter dare conferma era Sarah Elizabeth.

I marinai nel frattempo erano pronti. Avevano caricato il corpo infagottato su un tavolaccio di legno. Briggs e Richardson tornarono a stringersi attorno alla salma di Andrew Gilling. Un'ultima benedizione, poi un cenno del capo sancì la fine. Il tavolaccio si sollevò e il corpo zavorrato da pesi scivolò oltre il parapetto.

Gottlieb Goodschaad si sporse e rimase a osservare il suo migliore amico mentre veniva inghiottito dai flutti. Quando si distolse, i suoi occhi erano di ghiaccio, duri come a Gagliardo non era mai capitato di vederli, incastonati in quel volto mite che la barba scompigliata rendeva un po' selvaggio. Lo seguì con lo sguardo mentre, insieme a Head e Lorenzen, si recava a poppa, tutti richiamati da Briggs. Ciò che rimaneva dell'equipaggio, compreso il primo ufficiale impegnato al timone, era riunito attorno al proprio comandante, probabilmente per ascoltare le ultime disposizioni. Gagliardo era troppo distante per udire distintamente la conversazione, ma i gesti del capitano erano eloquenti.

A poco a poco i marinai vennero congedati, a eccezione di Head, con il quale Briggs si intrattenne ancora per qualche istante. Gagliardo dedusse che il capitano gli aveva chiesto aiuto in coperta per supplire almeno in parte alla perdita degli uomini.

A un certo punto Goodschaad si aggrappò alle griselle dell'albero di trinchetto e cominciò a salire con incredibile rapidità, mentre Lorenzen armeggiava nervosamente le drizze. Accanto a lui c'era Head, pronto a dargli manforte.

Gagliardo decise di avvicinarsi tenendosi comunque a debita distanza per non intralciare le operazioni.

«C'è qualche problema, Boz?»

Lorenzen si voltò. «Sì» rispose lapidario, poi tornò a concentrarsi su Goodschaad, appollaiato sul pennone superiore.

«Che tipo di problema?» insistette Gagliardo.

«Il vento sta cambiando. Tramontana tendente a grecale. Il barometro indica tempesta in arrivo per domani, almeno così dicono gli ufficiali.»

«Ne abbiamo già affrontata una qualche giorno fa...»

Lorenzen sorrise, sardonico. «Quella una tempesta?» La sua espressione si fece più grave. «No, voi non potete nemmeno immaginare che cosa sia.»

Gagliardo deglutì a fatica. «Dite davvero?»

Lorenzen guardò Head al suo fianco, le drizze sempre strette tra le mani. «Ehi, cambusiere, spiega al dottore che cos'è una tempesta in pieno oceano!»

«Chiudi il becco!» replicò seccato Head. «E tiriamo giù questo diavolo di parrocchetto!»

Lorenzen raccolse le indicazioni che provenivano dall'alto e alzò un pollice all'indirizzo di Goodschaad. Con una manovra perfetta, la vela quadra venne ammainata e poco dopo anche il marinaio muto raggiunse i compagni sul ponte di coperta.

Così Gagliardo scoprì che quanto aveva paventato giorni addietro era accaduto veramente. La cucitura del ferzo laterale non aveva tenuto, creando un ampio strappo alla vela. Questo poteva spiegare tutta l'ironia unita al tono piccato di Lorenzen nel rivolgergli la parola. Lo riteneva un menagramo, per caso? Il dottore pensò che in quel momento ci sarebbe voluto un bel bicchiere di grog per scuotersi un po'. Ma ciò non era più possibile e pertanto decise di affrontare subito Briggs, il quale si era portato a prua, intento a scrutare la linea dell'orizzonte con il cannocchiale, un piede appoggiato sulla sommità del cabestano.

Gli si avvicinò con passi risoluti. Ormai, con il trascorrere dei giorni, Gagliardo aveva preso dimestichezza con la *Mary Celeste*. Aveva imparato a saggiare misure e distanze, scendere e salire agevolmente attraverso le scale e incunearsi in certi punti di passaggio bassi e angusti, come anche muoversi con disinvoltura tra cassero e tuga. Aveva imparato a "sentire" la nave. Il suo modo di appoggiare i piedi sul ponte in quei pochi giorni di navigazione era mutato. Più naturale, più sicuro. Quasi come quello di un marinaio.

«Avete riflettuto, allora, capitano?» chiese quando gli fu alle spalle.

Briggs non si scompose. Rimase con lo sguardo puntato in avanti, oltre il bompresso, un occhio chiuso, l'altro appoggiato alla lente del cannocchiale. «Sì, l'ho fatto.» Si staccò dallo strumento, lo richiuse e fissò Gagliardo. «Domani radunerò tutti e decideremo insieme. Come avete suggerito voi, è più giusto così.»

«Credo sia una scelta saggia da parte vostra.»

Briggs si lasciò andare a una smorfia. «Mi guardate in modo strano... C'è forse dell'altro che volete dirmi?»

«Sono rimasto estremamente colpito da quel passo della *Bibbia*. Perché l'avete scelto?»

Briggs tolse il piede dal cabestano e si strinse nelle spalle. «Non c'è un motivo preciso. Geremia è stato un profeta molto perseguitato, che ha vissuto nella disperazione. Alla fine è stato catturato dai suoi denigratori e ucciso da chi credeva amico. Forse un po' mi ha ricordato la situazione del povero Gilling. Si fidava di qualcuno che invece lo ha colpito a morte.»

«Soltanto questo? Si parlava di vendetta...»

«La vendetta è il cuore pulsante della *Bibbia*. Non quella che pensate voi, ma la vendetta di Dio. Non si può farla franca impunemente. C'è una giustizia divina a cui non si può sfuggire. Chiunque si sia macchiato di queste morti a bordo della mia nave prima o poi dovrà renderne conto, soprattutto davanti al tribunale del Signore Onnipotente.»

«Ma nel frattempo, prima che questo accada, ci siamo noi quaggiù.»

«Che cosa intendete dire?»

«Che possiamo adoperarci per cercare di smascherare il colpevole. In fondo siamo rimasti in pochi a bordo.»

«Tra questi pochi ci siete anche voi, caro dottore» rispose a tono Briggs.

Gagliardo accusò il colpo, ma cercò di non darlo a vedere restando per un attimo in silenzio. Non aveva considerato che Briggs e gli altri uomini potessero ritenere anche lui tra i sospettati. In fondo era l'estraneo di bordo. Il clandestino. Piegò la bocca in un sorriso di circostanza. «Già, certo. Ormai lo siamo tutti, voi compreso.»

Briggs non replicò, gli occhi induriti, puntati sul suo interlocutore.

Una raffica improvvisa di vento, più forte delle precedenti, si abbatté su di loro. Gagliardo portò istintivamente una mano sul berretto nel timore che venisse spazzato via come gli era già capitato, poi lo tolse dalla testa. I suoi capelli si agitarono nell'aria.

«Se permettete, adesso torno da mia moglie» disse Briggs tutto d'un fiato.

Con un gesto repentino, Gagliardo gli sbarrò il passaggio. «Aspettate! Non volete compiere un altro giro di perquisizioni?»

Briggs si bloccò. «Non servirebbe a nulla. La daga, ahimè, era alla mercé di tutti, di sotto, in mezzo alle dotazioni di bordo. Che cosa sperate di trovare? E dove?»

«Nella vostra cabina, per esempio.»

Briggs dilatò gli occhi, fissando Gagliardo tra stupore e risentimento.

Gagliardo capì che il capitano si stava innervosendo, perché serrava ripetutamente la mascella.

Lo sguardo di Briggs divenne duro. «Non penserete che io...»

«Io non penso nulla, mi sembra soltanto doveroso non tralasciare alcuna possibilità.»

Briggs sorrise, ma era un sorriso amaro. «Tornate nella vostra cabina, dottore» disse alla fine. «E fate attenzione, perché potreste incontrare il diavolo.»

11

Oceano Atlantico, 16 novembre 1872
(18 giorni prima del ritrovamento)

"Ciò che sta per arrivare non si può fermare, ma soltanto prevedere e assecondare."

Erano state queste le parole con cui Richardson aveva preannunciato a Gagliardo l'arrivo imminente della tempesta, prima di varcare l'uscio della cambusa. Il primo ufficiale aveva voluto condividere il pranzo insieme ai marinai per cercare di far sentire lo spirito di gruppo e rasserenare gli animi nonostante il momento difficile, ma nulla sembrava ormai come prima. La tensione a tavola era palpabile a ogni istante. Niente più battute scherzose, niente più pacche sulle spalle. Solo teste chine sulle scodelle in un silenzio irreale. Sembrava che tutti avessero perso la parola, al pari di Goodschaad. A rendere l'atmosfera ancora più pesante contribuiva Head, costretto come al solito a ingurgitare per primo ciò che era destinato ai commensali. Nonostante il modus operandi dell'ultimo delitto, il cuoco non era stato dispensato dall'odioso compito di "assaggiatore".

Gagliardo si chiese per quanto tempo quella scena grottesca dovesse andare avanti. Fu tentato di chiederlo a Richardson, con cui si era ritrovato a mangiare gomito a gomito. Proprio con lui aveva scambiato qualche parola, ma tenendosi lontano da argomenti scomodi, lì, davanti agli altri.

Al termine del pranzo, il vento era via via aumentato di intensità e anche il mare si era ingrossato con onde più alte. Gli uomini, rimpinzati da un'ottima zuppa di cavoli e patate, si erano messi al lavoro per rinforzare l'alberatura del brigantino ed evitare che trinchetto e parrocchetto venissero strappati via dai gratili. Briggs si era visto poco, dopo il rito funebre del giorno prima. Si era limitato ad assegnare qualche ordine spiccio, tra cui quello di irrobustire le sartie in testa d'albero per una maggiore sicurezza. Poi era sparito nel ventre della *Mary Celeste*.

A Gagliardo erano rimaste due opzioni: rinchiudersi in cabina o fare una passeggiata sul ponte per godere del tepore degli ultimi raggi di sole. Non si era pentito di aver scelto di andare avanti e indietro da poppa a prua.

Fu mentre si approssimava ancora una volta all'albero di maestra che si accorse di Mrs. Briggs, appena emersa dal boccaporto del cassero con in braccio Sophia Matilda. Sul vestito, indossava uno scialle nero che l'avvolgeva dalla sommità delle spalle fino al petto, e poi ancora a cadere più morbidamente sui fianchi. Per l'occasione sfoggiava un sobrio cappello di velluto legato sotto il mento. La bambina, invece, era infagottata in un grazioso vestitino con un bel fiocco sul collo e una cuffia bianca sopra la testa.

«Salve, dottore.»

«Dotto-he» fece eco Sophia Matilda.

«Mrs. Briggs, sono felice di vedervi qui sul ponte. Ma credo abbiate sbagliato giornata» disse volgendo per un attimo lo sguardo a nord, dove le nubi erano già dense sopra l'orizzonte.

«Me ne sono accorta purtroppo, ma non ce la facevo più a stare in cabina. Mi sono detta: "Meglio adesso, prima che arrivi la tempesta". Benjamin mi ha avvisato che tra poche ore ci sarà da ballare.»

Gagliardo si lasciò andare a un sospiro rassegnato. «Così pare.» Guardò la bambina che, a furia di sgambettare nell'aria, era riuscita nell'intento di farsi mettere giù. «Credo che respirare un po' d'aria buona non potrà che giovare anche a Sophia Matilda.»

«Non metterlo in bocca!» esclamò Mrs. Briggs rivolgendosi alla figlia, lesta a raccogliere un pezzo di cordame abbandonato sulle assi di legno.

Incurante del rimprovero, Sophia Matilda prese ad allontanarsi verso prua.

«Poo-uh Poo, Poo-uh Poo...»

Mrs. Briggs la rincorse e, dopo averla presa nuovamente tra le braccia, fece ritorno verso il dottore.

«Immagino quanto le manchi la gatta.»

Sarah Elizabeth annuì. Ma, nel farlo, si incupì più di quanto era logico aspettarsi.

Gagliardo piegò leggermente la testa da un lato e la fissò. «State bene, Mrs. Briggs?»

«Benjamin mi ha raccontato tutto» rispose lei, dopo un'esitazione. «È terribile ciò che è accaduto.»

«Già. Posso chiedervi una cosa a tal proposito?»

«Che cosa? Così mi fate preoccupare...»

«Non dovete. Sto soltanto cercando di ricostruire i fatti di due notti fa. Ho posto domande a tutti fuorché a voi.»

«Quali domande?»

«Per esempio dove si trovava ognuno di loro mentre si consumava il delitto.» Gagliardo fece una pausa per ottenere maggiore effetto dalle sue parole. «Che cosa ricordate voi?»

«Ricordo che non riuscivo a dormire e che a un certo punto ho deciso di ricorrere al vostro laudano.»

«Avete sentito vostro marito rientrare?»

«Sì, è stato proprio nel momento in cui mi sono alzata per prendere le gocce.»

«E la cosa non vi ha stupito?»

«Non più di tanto. Si teneva la testa perché diceva che gli stava scoppiando. Poi si è messo a letto e non si è più mosso. A quel punto credo di essermi addormentata. Mi sono svegliata quando Head ha bussato alla porta per dare l'allarme.»

«E vostro marito si è precipitato di sopra?»

«Sì. Appena ha acceso la lampada, si è vestito in fretta e furia ed è uscito. Poi non ho più preso sonno fino alle prime ore del mattino, quando sono crollata per la stanchezza.»

«Le è sembrato preoccupato?»

«Molto. Aveva la faccia sconvolta.»

«Capisco...»

Sarah Elizabeth indietreggiò di un passo. «Perché queste domande? Non starete sospettando di Benjamin?»

«No. Come vi dicevo, sto raccogliendo le testimonianze dell'equipaggio. Mancava soltanto la vostra.»

«Basta così» irruppe una voce alle loro spalle.

Gagliardo si voltò di scatto. I suoi occhi si incrociarono con quelli di Briggs, che si stava avvicinando a passo lento. Giocherellava con una bussola, passandola da una mano all'altra, ma tenendo sempre lo sguardo in avanti. Uno sguardo cupo e determinato.

«Capitano Briggs, stavo soltanto chiacchierando con la vostra signora. Spero di non avervi mancato di rispetto.»

Briggs, stretto in giubba e pantaloni cerati, fissò la moglie in silenzio per qualche istante. «Sallie, mia cara, credo sia opportuno tornare in cabina.»

Sarah Elizabeth obbedì senza fiatare. Troppo risoluto il tono del suo consorte per trovare il coraggio di ribattere, per cercare di spiegare che lei e la bambina erano salite da poco. Dopo aver preso in braccio Sophia Matilda, si diresse verso il boccaporto e sparì di sotto.

«Prego, dottore, adesso seguitemi.»

Gagliardo esitò di fronte a quella richiesta. Che cosa aveva in mente il capitano? Poi lo vide mentre, a grandi gesti, chiamava a raccolta gli uomini, che alla spicciolata conversero a centro ponte. Soltanto allora lui si mosse.

Non appena tutti si furono radunati, Briggs girò su se stesso lentamente scrutando ognuno di loro dalla testa ai piedi come un generale nell'atto di impartire ordini di guerra.

«L'altro giorno uno di voi ha sollevato una questione che mi ha fatto molto riflettere.» Gli occhi di Briggs si posarono su Gagliardo. «Ebbene, credo sia giusto decidere il futuro di questa traversata. E, visti i fatti accaduti qui a bordo, lo faremo insieme.»

«Ma... di cosa parlate, capitano?» chiese Boz Lorenzen, lisciandosi il mento.

«Una votazione. Ognuno di noi potrà esprimere la propria opinione.» Briggs indicò un punto indefinito a prua. «Se proseguire verso Genova.» Il braccio si spostò a poppa. «Oppure se tornare a New York.»

«Però siamo in sei, signore» fece notare prontamente Head. «Potrebbe finire in parità.»

Briggs infilò una mano nella tasca della giubba ed estrasse qualcosa che tenne tra indice e medio.

Gagliardo riconobbe subito quella moneta da un centesimo di dollaro.

Briggs la mostrò in modo plateale a tutti. Da un lato recava la testa di un indiano, dall'altro il valore della moneta stessa.

«Voglio sperare che non sarà un misero penny a decidere le nostre sorti» si lamentò ancora Boz Lorenzen, che sembrava il più nervoso tra i presenti.

«No, questo misero penny deciderà che cosa accadrà in caso di parità.» Briggs rigirò la moneta tra le dita più volte raccogliendo gli sguardi febbrili dei marinai.

Rivoli di sudore colarono dalla fronte di Head.

Il capitano fece scattare improvvisamente il pollice e il disco dorato di metallo roteò nell'aria, brillando per un attimo nella luce incerta del pomeriggio. Briggs la bloccò sul palmo della mano nascondendola alla vista degli uomini, quindi sollevò lo sguardo. «Testa: si torna a New York. Croce: si prosegue fino a Genova.»

Tutti annuirono tranne Gagliardo, totalmente catturato da quel gesto teatrale, frutto peraltro di una sua idea. Non avrebbe saputo dire se fosse stato saggio far germogliare tale pensiero nella testa del capitano.

La mano di Briggs si scostò a poco a poco fino a scoprire la testa dell'indiano. «Bene» fece subito dopo, «in caso di parità, faremo ritorno a New York. Adesso passiamo alla votazione.» Fece una pausa e intascò il penny. «Sarò io il primo. Ebbene, signori, la mia decisione è di proseguire fino a Genova.» Guardò in direzione di Richardson. «Albert, adesso tocca a voi.»

Richardson si accarezzò i baffi. «Sono anch'io per continuare.»

«Perfetto» si compiacque Briggs. «Due voti a favore della prosecuzione del viaggio.» Volse la testa verso il cambusiere della nave. «Edward?»

Head deglutì nervosamente. «Capitano, avevo promesso a mia moglie Emma che appena sarei tornato avremmo cercato una casa nuova. Non me ne vogliate, ma non ho alcuna intenzione di renderla vedova. Io dico "New York".»

Briggs si astenne dal commentare. Spostò lo sguardo sul marinaio con i capelli biondi. «Lorenzen?»

«Sapete come la penso, capitano: voglio tornare indietro il prima possibile.»

Una forte raffica di vento gonfiò le vele del brigantino provocando un forte rollio, come se qualcuno lassù avesse voluto lanciare un ammonimento riguardo a quella riunione surreale.

Briggs rivolse le sue attenzioni a Goodschaad. Sarebbe bastato che il marinaio tedesco avallasse la scelta dei compagni per far sì che si facesse ritorno a New York, come stabilito dal sorteggio. A quel punto il voto di Gagliardo sarebbe risultato superfluo, sollevandolo da una pesante responsabilità.

Il dottore guardò Head e Lorenzen, che già sembravano cantare vittoria per quella che sarebbe stata una decisione scontata. Lo dicevano i loro volti, la piega delle loro labbra. Tutto il contrario di ciò che invece lasciavano trasparire le espressioni dei due ufficiali di bordo.

Ma Goodschaad era immobile, pareva soltanto riflettere. Poi, di punto in bianco, la figura irrigidita del marinaio muto si sciolse nel movimento deciso del braccio, sollevato a indicare la prua.

E mentre l'espressione di Head e Lorenzen sfumava in una chiara delusione, Briggs e Richardson sembrarono tirare un sospiro di sollievo. Tre voti per proseguire, due per tornare indietro.

In un attimo tutti gli sguardi conversero su Gagliardo.

Il dottore sentì tornare gli spettri del suo passato recente. Li sentì aggrapparsi alle sue gambe, avvinghiarsi al suo petto. I dubbi di qualche ora prima si riaffacciarono più forti che mai, ma stavolta stavano presentando un conto salato. Toccava a lui dunque decidere per tutti. Qualsiasi scelta avrebbe operato, sarebbe stata irreversibile. Definitiva.

«Allora, dottore» lo incalzò Briggs. «A quanto pare il destino vi ha affidato il timone della *Mary Celeste*.»

Gagliardo esitò di nuovo, guardando a destra e a sinistra, poi in alto, e ancora lontano, nel tentativo di prendere ulteriore tempo. Le parole gli si bloccarono in gola.

Tolse il berretto e lo strinse forte tra le mani, affondando le unghie nella lana.

«Andiamo avanti» disse alla fine.

12

Oceano Atlantico, 17 novembre 1872
(17 giorni prima del ritrovamento)

Era l'undicesimo giorno di navigazione.

Un fortissimo vento che spirava da settentrione, così come previsto, stava infuriando da diverse ore. Già dal giorno prima, subito dopo la votazione indetta da Briggs, il blu del mare era sparito dalla vista della *Mary Celeste*, lasciando soltanto il bianco della schiuma ribollente, frutto della lotta serrata tra le alte onde e lo scafo. In sottofondo, lo scricchiolio del legno e il lamento del sartiame. Nonostante i marinai avessero ridotto le vele, si viaggiava a quasi dieci nodi, verso una rotta sbagliata. Una rotta che in quelle condizioni non si poteva correggere.

Gagliardo fece una smorfia di dolore, mentre cercava di dare sollievo ai muscoli della schiena. Verso sera, quando la tempesta era già iniziata, era stato infatti costretto a legarsi con delle robuste cinghie di cuoio, come aveva raccomandato Richardson. Aveva dovuto agganciarle ai bordi della branda per evitare che gli scossoni lo scaraventassero sul pavimento. Si era chiesto se il capitano Briggs, o magari anche Richardson stesso, durante i loro viaggi, l'avessero mai usate. E Sarah Elizabeth, invece? Anche lei aveva dovuto assicurarsi a quel giaciglio di costrizione? In un vortice di inquietudini e paure, si era fatta spazio l'affine immagine dei barili presenti nella stiva, assicurati gli uni agli altri tramite bande metalliche.

Oltre a guardarsi attorno, Gagliardo non poteva far altro che pensare. La sua mente virò sulla figura della buon'anima di Gilling. Se lo immaginò ancora vivo durante i primi giorni mentre, pranzando spensieratamente, spezzava una galletta e la immergeva nella zuppa, o quando gli tendeva la mano in cabina, nell'attesa di essere medicato.

Chissà se quei gorghi là fuori erano simili a quello strano fenomeno naturale di cui gli aveva parlato... In ogni caso, poco prima del crepuscolo, aveva visto abbastanza per rendersi conto di cosa fosse realmente una tempesta. Le onde spumeggianti si susseguivano rapidamente, abbattendosi inesorabili l'una sull'altra per poi sollevarsi e formare mostruose barriere di acqua, sulle cui creste lo scafo lottava con disperazione prima di precipitare nell'incavo dei flutti.

Poi era arrivata la notte, una notte più lunga persino di quella in cui era morto Gilling. Le lampade erano state tenute spente e così essa era trascorsa in un'oscurità totale, con l'acqua che aveva sommerso il ponte ed era penetrata negli ambienti sottostanti, fino alla sua cabina. A quel punto un'angoscia opprimente si era impossessata di lui, tanto da farlo sentire come paralizzato anche nei piccoli gesti.

«Oh, Signore Iddio, aiutami...» si era lasciato sfuggire, ormai esausto, di fronte al pensiero della fine.

Da quanto tempo non si rivolgeva a Dio? L'ultima volta che l'aveva fatto era stato al capezzale del padre malato, in un silenzio sacrale e non tormentato da una moltitudine di rumori. Al fragore dei tuoni si aggiungeva la pioggia che continuava a riversarsi sopra le loro teste. Si manifestava con scrosci violenti, furibondi. Il dottore sapeva che in coperta gli uomini si davano il cambio, ognuno protetto, per così dire, con la propria incerata. Li sentiva gridare mentre cercavano di comunicare tra di loro, anche se le voci gli giungevano smorzate, tanto era potente il ruggito della tempesta. Probabile che avessero azzerato la velatura per contrastare il beccheggio sempre crescente e ormai fuori controllo della *Mary Celeste*.

Per vincere quel senso di oppressione provocato dalle cinghie serrate, Gagliardo aveva pensato di distrarsi continuando a leggere le avventure di Redburn, oppure cercando di capire cosa si nascondeva davvero dietro quella catena misteriosa di delitti, ma ciò risultava impossibile. Era sconsigliato accendere la lampada e i pensieri, per quanto si sforzasse, non erano più addomesticabili.

I sensi di colpa tornarono a divorarlo. Dare il proprio assenso alla prosecuzione del viaggio era stato un errore? Forse, decidendo diversamente, e alla luce di quella terribile burrasca, sarebbe stato più saggio tornare indietro. Meno giorni di navigazione avrebbero aumentato le probabilità di portare in salvo la pelle.

L'oscurità della cabina, di tanto in tanto, veniva illuminata dal bagliore improvviso dei lampi. Erano attimi in cui le ombre facevano in tempo a stagliarsi sulla paratia come in segno di minaccia. Gagliardo non sapeva che ore fossero, ma ne aveva abbastanza di rimanere disteso su quella branda di tortura.

Sganciate le cinghie, si lasciò cadere appoggiandosi a tutto ciò che si poteva considerare un sostegno sicuro. Quindi si vestì indossando per ultima l'incerata. Impiegò qualche minuto per salire lungo la scala del boccaporto.

Non appena sbucò all'aperto, venne investito da raffiche fortissime di vento e pioggia. La nave, avvolta nel manto nero delle tenebre, era sbatacchiata dalla violenza delle onde che piombavano sul ponte come bestie inferocite.

Richardson, da qualche parte in coperta, gridò qualcosa, ma il rombo di un tuono sovrastò le parole.

Poi Gagliardo lo vide, grazie allo sfolgorio dei lampi che lo illuminò sinistramente, a intermittenza. Avanzava nella sua direzione, con l'acqua che gli arrivava alle caviglie.

«Tornate di sotto, dottore!» disse il primo ufficiale con voce ancora più stentorea, dimostrando di avere i nervi saldi di chi è già abituato a fronteggiare le forze avverse della natura.

Ma Gagliardo non si mosse. Sentiva un peso allo stomaco e aveva i muscoli contratti per l'ansia.

La voce possente di Richardson tornò a levarsi nell'aria, frammista all'urlo del grecale e ai rumori della burrasca:

"Che Dio ti salvi, o vecchio Marinaio,
dai demoni che ti tormentano!
Perché mi guardi così?" – "Con la mia balestra,
io ammazzai l'Albatro!"

Richardson scoppiò a ridere. Una risata torva, come quella di un pazzo furioso. «Non conoscete questi versi?» Ancora risate e parole inquietanti, che il dottore non riuscì a comprendere.

Fu a quel punto che Gagliardo cadde in ginocchio. Un fiotto rancido fuoriuscì dalla bocca senza nessuna possibilità di controllo. Era una liberazione che il dottore stava aspettando da ore. Sentì la gola incendiarsi, mentre altri getti violenti risalivano dallo stomaco. Alle sue spalle, Richardson seguitava a ridere fragorosamente come se fosse posseduto da uno spirito maligno. Con la mente ottenebrata, Gagliardo si rialzò barcollando. L'ennesima scarica elettrica illuminò per un attimo il ponte mostrandogli lo scempio sotto di sé: il proprio vomito che galleggiava come una melma densa e vischiosa.

Gagliardo sentì il corpo come percorso da brividi, il freddo che penetrava fino alle ossa. Mosse qualche passo, ma ebbe l'impressione che la nave stesse girando intorno a lui come una giostra. Alle risate di Richardson si aggiunsero altre voci che non riconobbe. Si sentì mancare, le gambe cedettero di schianto.

Poi tutto svanì, risucchiato nel gorgo dell'incoscienza.

La *Mary Celeste* dondolava leggermente in uno strano silenzio. I marinai se ne stavano zitti a lavorare con il capo chino. Goodschaad stava filando le scotte delle vele dell'albero di trinchetto, così come gli aveva ordinato Richardson qualche ora prima. Anche Boz Lorenzen stava collaborando alle manovre, agendo sulla randa di maestra. Nel giro di poco tempo, con il vento levatosi da sud-ovest a gonfiare le vele alte, il brigantino era diventato come un puledro ammansito dal proprio fantino, sul punto di galoppare nuovamente verso l'Europa. I marinai si affrettarono a spiegare anche le vele di straglio e i fiocchi.

Con il sole ormai oltre lo zenit, dunque, il bompresso seguitava a puntare l'orizzonte. Gagliardo si affacciò sul mascone di dritta, mentre l'onda prodiera frusciava sullo scafo. Quando si ritrasse, qualche minuto dopo, si ritrovò davanti a Boz Lorenzen, che gli lanciò un'occhiata velenosa prima di dirigersi verso la tuga.

«Va tutto bene, Boz?»

Il marinaio tedesco si voltò e tornò sui propri passi. «No, non va bene per niente. Non pensate che io abbia dimenticato la vostra scellerata decisione di mandarci a morire in mezzo all'oceano. Oltretutto, per quanto mi riguarda, in cambio del misero salario di trenta dollari al mese. Ci avete deluso! Vi siete alleato con gli ufficiali.»

«Non mi sono alleato con nessuno, ho soltanto espresso il mio pensiero. Tornare indietro sarebbe stato frustrante, avrebbe vanificato tutti i giorni di navigazione, oltre a non dare a nessuno di noi alcuna garanzia di sicurezza.»

«Però New York è molto più vicina di Genova.» Puntò il dito in maniera minacciosa contro di lui. «E state pur certo che se dovessimo incrociare un'altra imbarcazione di passaggio

Edward e io non esiteremo a farci tirare a bordo. Lo abbiamo già comunicato al capitano Briggs.» Detto questo, si allontanò.

Gagliardo rimase di sasso, incapace di replicare. Dopo che erano stati sul punto di ammazzarsi, adesso Head e Lorenzen si erano addirittura coalizzati contro il resto dell'equipaggio.

Scosse la testa e appoggiò nuovamente le braccia al parapetto. Rimase a fissare il mare quasi incredulo. Dopo aver vomitato l'anima ed essere svenuto, gli sembrava di trovarsi in un altro mondo. Già dalle prime luci del mattino, non appena il sole si era alzato di una spanna sopra l'orizzonte, era comparso un cielo limpido, solcato a tratti da innocue nubi bianche. Il vento increspava appena la superficie azzurra, finalmente placida.

Della tempesta non era rimasta più traccia, dunque, ma nelle orecchie di Gagliardo rimbombava ogni tanto l'eco dei tuoni della notte. Sembrava che quel demonio fosse stato risucchiato da qualche altra parte nell'oceano, a tormentare un'altra imbarcazione. Ma era un inganno partorito dalla mente, perché ora, nella quiete del meriggio, si udiva soltanto qualche folata improvvisa sospirare tra il sartiame.

«Vi credevo morto» lo sorprese alle spalle Richardson.

Gagliardo si voltò trasalendo, ma si ricompose subito. «Io vi credevo un invasato, invece.» Abbozzò un timido sorriso. «Vi ringrazio ancora per avermi soccorso stanotte. Temevo di non farcela.»

Richardson estrasse la pipa dalla tasca della giubba e fece per infilarla, ancora spenta, in un angolo della bocca. Poi ci ripensò e la tenne in mano. «Forse vi sarò sembrato irriverente, ma non era mia intenzione.»

«Che cosa vi è successo?»

«Bella domanda. Me lo chiedo anch'io ogni volta che tutto è finito. Ecco, la burrasca è la mia sbornia. Mi fa andare proprio fuori di testa.»

«Capisco, in effetti è, come dire... Allucinogena.»

«Sì, forse lo è davvero. In ogni caso, dottore, perdonatemi.»

«Oh, Albert, non fatevene cruccio. Anzi, mi è piaciuta la poesia. Molto suggestiva.»

«*La ballata del vecchio marinaio* di Coleridge. Roba di altri tempi, ma sempre toccante.» Richardson accese la pipa. «La storia ruota intorno a un'uccisione, sapete?»

«No, non conosco.» Il dottore fece una smorfia di compiacimento. «Non solo scrivete bene, ma conoscete anche molte opere. Siete un uomo pieno di sorprese...»

«Vi ringrazio!»

«Dicevate della ballata? Parla soltanto di un'uccisione?»

L'espressione di Richardson divenne più seria. «No, anche dei sensi di colpa che si scatenano dopo.» Espirò una boccata di fumo. «Ma, caro dottore, stiamo parlando di un semplice albatros, non di un essere umano.»

«Interessante, cercherò di rimediare appena...»

«Dottor Gagliardo» li interruppe una voce proveniente da poppa. La voce del capitano Benjamin Briggs.

I due si girarono.

«Albert, non dovreste stare al timone?»

«Sì, vado subito» rispose Richardson, passando la pipa all'altra estremità della bocca. «Stavo solo sincerandomi delle condizioni del dottore.»

Il primo ufficiale guardò Gagliardo e lo salutò con un leggero scatto del mento, quindi si avviò lasciandosi dietro piccoli sbuffi di fumo.

Non appena rimasero soli, Briggs prese sottobraccio Gagliardo. «Venite, andiamo nella vostra cabina.»

Il dottore rimase estremamente sorpreso da quei modi affabili. Dopo l'animata discussione, credeva che il loro rapporto si fosse in qualche modo raffreddato. Invece il comandante sembrava tornato l'uomo cordiale dei primi giorni.

Non appena si richiusero la porta alle spalle, Briggs e Gagliardo occuparono i soliti posti in quello che era diventato a tutti gli effetti il pensatoio riservato della *Mary Celeste*.

«Come state, innanzitutto, dottore?»

Gagliardo dondolò la testa. «Ancora scombussolato ma fortunatamente intero.»

«Richardson mi ha raccontato tutto. Siete stato sconsiderato a salire sul ponte. Poteva finirvi male...»

Il dottore non rispose subito. Anche lui poteva raccontare qualcosa riguardo al primo ufficiale, qualcosa che forse sarebbe stata giudicata imbarazzante dal suo diretto superiore. «Di che cosa volevate parlarmi, capitano?»

«Volevo sapere se le vostre indagini hanno dato qualche frutto.»

Gagliardo lo fissò con occhi guardinghi. «Mi duole dirvi che al momento non ho prove nei confronti di nessuno.»

«Tutti colpevoli e tutti innocenti, dunque» replicò Briggs a denti stretti.

Gagliardo sospirò. «Proviamo a ragionare insieme. Se dalla lista degli indiziati escludiamo noi due e vostra moglie, ne rimangono soltanto quattro: Head, Richardson, Goodschaad e Boz Lorenzen.»

«Non credo che Boz Lorenzen possa essere il nostro uomo.»

«Concordo.»

«Anche se» riprese Briggs meditabondo «non è un mistero che da quando abbiamo preso il mare i due fratelli litigassero spesso e volentieri.»

«Ne sono stato testimone anch'io» disse Gagliardo, annuendo.

«E, dunque, chi può dirlo? Immaginate Boz, magari mosso da un dissidio familiare a noi sconosciuto, che poi, a fatto compiuto, si metta a recitare la parte del fratello disperato.»

«Accettando il rischio di uccidere un'altra persona?» Gagliardo scosse la testa. «Sono molto scettico su tale ipotesi.»

«Quanto a Goodschaad, povero ragazzo, avete visto quanto fosse legato a Gilling?»

«Sì, me ne sono accorto» convenne Gagliardo. «Ma ricordiamoci che chi ha ucciso, probabilmente, pensava di colpire voi.»

«Questo è vero. Tuttavia Goodschaad sapeva che non c'ero io al timone. Anzi, era forse l'unico a saperlo perché è stata una decisione nata sul momento. Quando ho svegliato Gilling, anche lui ha aperto gli occhi. Mi ha visto e ha capito che c'era un'anticipazione sul cambio.»

«Che cos'altro potete dirmi invece di Head?»

«Edward è originario del New Hampshire. Come vi avevo già detto, gode della stima personale di James Winchester. Sposato da poco, la moglie vive a Brooklyn. Non so altro.»

«Escludendo Lorenzen e Goodschaad, pare che il cuoco possa diventare a questo punto il sospettato numero uno.»

«Già» fece Briggs, accarezzandosi il mento. «Poteva facilmente avvelenare il tè. E poi è lui che ha trovato Gilling riverso sul ponte.»

«Mi sembra una deduzione scontata. Ma, se permettete, manca un movente. A tutti questi crimini non riesco ad associare uno straccio di movente che li giustifichi.»

«Il fatto che vi sembri scontato non deve far abbassare la guardia su di lui.»

«Questo no, ve l'assicuro. Però non abbiamo analizzato la posizione dell'ultimo della lista.»

«Albert Richardson?» chiese Briggs, scettico.

«Esattamente.»

«Siete al corrente dell'enorme stima che nutro nei suoi confronti. Non ci crederei nemmeno se me lo confessasse lui stesso di persona.»

Gagliardo annuì in maniera poco convinta. Nella sua mente tornò l'immagine di quella risata perversa, cui si aggiunsero le allusioni ambigue sull'uccisione dell'albatros, senza dimenticare i piccoli dettagli della poesia premonitrice e dell'incenso che sembrava evocare, ora più che mai, mistero e sacrificio. Albert Richardson, irreprensibile navigatore e aspirante poeta di mare. E se sotto la maschera di gentiluomo nascondeva un istinto omicida?

«Albert è del Maine» riprese Briggs, catturando nuovamente l'attenzione di Gagliardo. «Un rispettabile e pluridecorato reduce della Guerra Civile. È stato lui a regalarmi il revolver.»

«Degli altri, invece, ignorate la provenienza?»

«Conosco la loro provenienza generica, riportata sulla lista dell'equipaggio: Stati Uniti d'America. In tutta onestà, a me sono sempre sembrate tutte brave persone. Ho avuto a che fare con molta gente durante la mia carriera e posso assicurarvi che in passato mi sono imbattuto in certi pendagli da forca...»

«Immagino, ma è meglio non fidarsi delle apparenze. Come vi avevo raccontato, anche Danny Lyons, seduto al tavolo da gioco, mi era sembrato un distinto gentiluomo.» Gagliardo inarcò le sopracciglia, pensoso. «Tornando ai vostri uomini, di loro mi avevate detto che sono stati arruolati dal consorzio.»

«Sì, è così, i consorzi si rivolgono all'associazione marinai, presso cui gli uomini si candidano in cerca di un impiego a bordo delle imbarcazioni. Recapiti o notizie più dettagliate sul loro conto di solito non vengono fornite.»

«Nulla di strano, quindi...»

Briggs sembrò estraniarsi per un momento. «Ora che mi ci fate pensare, credo che qualcuno dell'associazione abbia caldeggiato il blocco dei marinai che alla fine è stato arruolato qui a bordo.»

«Nessuno di loro si è lasciato andare a qualche confidenza riguardo alla propria vita privata? Con voi naturalmente...»

Briggs portò una mano alla tempia come per riflettere. «Boz

Lorenzen credo dividesse un minuscolo appartamento con suo fratello Volkert. Espatriati dalla Germania, hanno stabilito la loro base provvisoria a New York. Della buon'anima di Martens non posseggo notizie. Di Gilling e Goodschaad, invece, so che hanno cominciato a lavorare insieme nel Massachusetts.»

«Riguardo a questi ultimi due, è stato Gilling a riferirvelo?»

«Diciamo di sì. Qualcosa l'ho capita da solo, come per esempio l'accento. Se sei del Massachusetts, non puoi nasconderti da chi è nato e cresciuto lì. Ovviamente Gilling ha confermato.»

«Siete originario di Boston o di Marion?»

«Boston è una città che ho frequentato spesso, ma in realtà sono nato a Wareham, una cinquantina di miglia più a sud. A Marion ci abita mia madre.»

Gagliardo memorizzò le informazioni senza replicare. In effetti non aggiungevano niente di importante alle sue congetture.

Briggs si alzò scuotendo leggermente la testa, il volto turbato. Poi si portò sull'uscio e, quando Gagliardo l'ebbe raggiunto, tese la mano.

Il dottore gliela strinse sorpreso dalla presa salda.

«Mi dovete fare una promessa» disse Briggs in tono grave.

«Quale?»

«Se mi dovesse accadere qualcosa, vi prenderete cura della mia famiglia.»

«Ma che cosa dite? Non vi accadrà nulla.»

Briggs serrò la sua mano con maggiore vigore. «Promettete!»

Gagliardo annuì con aria solenne. «Ve lo prometto, capitano.»

13

Oceano Atlantico, 18 novembre 1872
(16 giorni prima del ritrovamento)

«Dotto-he! Dotto-he!»

Sophia Matilda giocava allegramente con le bambole, ma ogni tanto si divertiva a chiamare colui che di fatto, quella mattina, gli stava facendo da balia. Era stata Sarah Elizabeth a chiedere aiuto a Gagliardo, il quale si era recato nella cabina dei Briggs con l'intento di fare una visita. Il capitano si era mostrato ben lieto di quel gesto di cortesia, pregando il suo ospite di restare a fare compagnia alla propria consorte, prima di essere richiamato da Richardson in coperta per via di un problema al paterazzo volante di rinforzo. Il dottore aveva accettato volentieri, nonostante l'imbarazzo di dover rimanere da solo con l'unica donna presente a bordo. Ci aveva pensato proprio Mrs. Briggs a metterlo a suo agio, a tratti impegnata in varie faccende, tra qualche rammendo e il lavaggio degli indumenti sporchi, intrattenendolo in spicce conversazioni e affidandogli la sua creatura per qualche ora.

Il dottore, sorpreso ma al tempo stesso felice dell'incarico, aveva provato l'ebbrezza di essere genitore. Aveva preso la bambina in braccio e l'aveva stretta al petto, coinvolgendola in numerosi giochi improvvisati. Poi, insieme, avevano colorato dei disegni con i pastelli e, su suggerimento di Mrs. Briggs, si erano messi a sfogliare l'album di famiglia. Sophia Matilda si era divertita a indicare le foto del fratello Arthur e della nonna. A metà mattina, Gagliardo l'aveva persino imboccata con delle fette di pane di segale, su cui la madre aveva spalmato uno strano formaggio cremoso mai visto prima di allora. In cambio aveva ricevuto tanti sorrisi innocenti e nessun pianto, a dimostrazione della crescente confidenza della bambina verso di lui. L'unico momento in cui aveva avuto necessità di ricorrere a Mrs. Briggs era stato quando Sophia Matilda aveva manifestato l'esigenza di fare pipì. Così aveva scoperto l'esistenza di una latrina privata nella cabina del comandante. La madre aveva provveduto a estrarre il bugliolo da un mobile e a porvi sopra la bambina. Gagliardo era rimasto a osservare le operazioni con occhi pieni di rimpianto. Chissà come sarebbe andata tra lui e Clara se solo fossero riusciti ad avere un marmocchio tra i piedi...

«Dai, Sophy, metti a nanna Daisy e Sarah Jane» disse alla fine Mrs. Briggs, zittendo la macchina per cucire.

«Nanna» ripeté la piccola, lasciando cadere le due bambole nel lettino.

«Vedete, dottore, mia figlia è già una brava mamma. Sapete cosa mi chiede a volte?»

Gagliardo scosse la testa.

«Di far suonare l'armonium a Daisy o Sarah Jane. Sono i nomi che abbiamo scelto per le bambole. Allora io prendo una di loro e avvicino le sue manine di pezza ai tasti dello strumento.»

«E suonate davvero?»

«No, ma glielo faccio credere canticchiando qualcosa. Non vorrei che Benjamin sentisse l'armonium e si arrabbiasse con me. Comunque, devo dire che già soltanto il gesto di farlo è una cosa che fa divertire tantissimo la mia bimba.»

«Certo che già a questa età ha una bella immaginazione.»

«Sì, è così.» Mrs. Briggs si fece seria. «Come proseguono le vostre indagini, dottore? Benjamin mi ha detto che state interrogando gli uomini.»

Gagliardo trasalì. L'ultima cosa che si sarebbe aspettato era che Mrs. Briggs chiedesse quel tipo di informazioni. «Sto cercando ancora di mettere insieme i pezzi» tagliò corto stringendosi nelle spalle.

«Io sono convinta che l'assassino sia quel cuoco» ribatté Mrs. Briggs. «Non mi ha mai ispirato fiducia. E non negate che anche voi state pensando a lui.»

«Ne ho già parlato con vostro marito. Lo terremo d'occhio, senz'altro.»

«Grazie, dottore. Ho così tanta paura per Sophy! Soprattutto quando dobbiamo farla mangiare... E poi anche per Benjamin! La sera, prima di addormentarmi, non faccio altro che recitare preghiere e contare i giorni che mancano per attraccare a Genova.» Nel parlare, gli occhi preoccupati di Mrs. Briggs si erano spostati involontariamente sullo scrittoio.

Fu così che Gagliardo lo scorse, posto accanto alla penna e al calamaio e aperto in corrispondenza dell'ultima pagina scritta. Si chiese come avesse fatto, con tutto il tempo che era rimasto lì, a non accorgersi di quel documento di cui aveva sentito parlare spesso: il giornale di bordo.

Lo indicò. «Posso?»

Mrs. Briggs annuì. «Credo non ci sia nulla di male.»

Gagliardo si avvicinò e lesse:

Lunedì, 18 novembre 1872. Vento SO, O. Rotta correttamente mantenuta. Posizione: 38° 40' latitudine nord, 40° 81' longitudine ovest. Tempesta cessata, cielo sereno. Mattina, vento in lieve rinforzo, aumentata velatura. Randa e controranda sistemate. Nessun altro problema da segnalare.

Gagliardo avrebbe voluto sfogliare le pagine precedenti per scoprire se il capitano Briggs avesse riportato in quel documento i terribili fatti avvenuti a bordo, ma non voleva mostrarsi incuriosito oltremodo, visto che Sarah Elizabeth lo stava osservando. Era sicuro che prima o poi gli sarebbe capitato di dover badare ancora a Sophia Matilda e allora magari avrebbe approfondito la faccenda.

Improvvisamente si udì un vociare concitato provenire dal piano superiore. Non sembravano urla di livore, ma nemmeno i classici ordini impartiti a voce alta.

Lo sguardo di Mrs. Briggs e quello di Gagliardo conversero istintivamente verso il medesimo punto della cabina per poi tornare a incrociarsi. «Con permesso, se non avete più bisogno di me, vado a vedere che cosa sta accadendo sul ponte di coperta.»

«Prego, andate pure. Non so come ringraziarvi.»

Gagliardo accennò un inchino. «È stato un piacere.» Dopo aver accarezzato la testa di Sophia Matilda, imboccò la porta e salì di corsa le scale.

Non appena ebbe oltrepassato il boccaporto, i suoi occhi vennero attratti dalla scena che si stava consumando a poppavia, sul lato di dritta del brigantino. C'erano tutti, disposti in tondo. In mezzo a loro, Goodschaad stava profondendo un grande sforzo fisico mentre, con le mani protette da un paio di guanti, cercava di attorcigliare una fune intorno a una caviglia di legno, a propria volta infilata nella murata.

«Che cosa sta succedendo?» chiese il dottore a Richardson e Briggs, leggermente più arretrati rispetto agli altri che si trovavano a ridosso del parapetto e a tratti incitavano Goodschaad nei suoi tentativi.

«Sembra che Gottlieb abbia ingaggiato una lotta serrata contro un mostro marino» rispose Richardson. «Guardate con i vostri occhi.»

Il dottore si portò vicino agli altri uomini e si sporse oltre la murata. La fune era ben tesa e finiva sott'acqua, dove si intuiva si stesse agitando un pesce tutt'altro che arrendevole.

Gagliardo vide Boz Lorenzen in procinto di impugnare anch'egli la fune, ma fu subito redarguito da Goodschaad, che mugugnò qualcosa.

«Dice che devi metterti i guanti, se non vuoi che ti vengano scorticate le mani» intervenne Head. Dopo la morte di Gilling, era diventato l'interprete più solerte del marinaio muto.

Boz Lorenzen si allontanò giusto il tempo per andare a prendere i guanti nel gavone. Li indossò e poi ne lanciò un paio verso Head, il quale li afferrò al volo.

«Mettili anche tu» disse il tedesco. Poi si avvicinò a Goodschaad per dargli manforte. «E adesso vediamo chi la vince.»

Fu in quel momento che qualcosa di molto simile a una spada bucò la superficie dell'acqua. Poi si intravide una sagoma scura. Goodschaad e Lorenzen cominciarono a manovrare quella lenza improvvisata con una certa perizia, ora lasciandola scorrere, ora raccogliendola bruscamente. Anche Head, in breve, si unì a loro.

«Non mollate, ragazzi!» gridò loro Richardson, vedendo lo sforzo che stavano sostenendo. Goodschaad aveva il volto paonazzo, i muscoli tesi allo spasimo. Anche Head e Lorenzen parevano provati dalla fatica, adesso che erano entrati in sintonia con i gesti febbrili ma calcolati del loro compagno.

La spada sparì nuovamente tra i flutti per ricomparire subito dopo.

«Che diamine!» esclamò Briggs. «Forza, ci siete quasi!»

Gagliardo cercava di osservare tutti gli interpreti di quella scena incredibile. A giudicare dalle espressioni di entusiasmo, sembravano amici coinvolti in una divertente battuta di pesca, come se la macchia dei delitti accaduti a bordo fosse stata cancellata con un colpo di spugna.

Poi, mentre i tre uomini continuavano ad avvolgere la fune intorno alla caviglia, il pesce compì un balzo improvviso, rimanendo sospeso in aria per qualche istante ed esibendo una grande e variopinta pinna dorsale.

Esclamazioni di stupore si levarono all'unisono.

«Incredibile!» fece Briggs. «È un marlin.» Si voltò verso Richardson. «Avevate ragione, Albert. Non è propriamente un mostro marino, ma poco ci manca...»

«Peserà duecento libbre, quel diavolo» ribatté il primo ufficiale torturandosi i baffi per l'eccitazione.

«Ma... ma come ha fatto Goodschaad a prenderlo?» volle sapere Gagliardo rivolgendosi ai due ufficiali.

«Quel ragazzo sa il fatto suo» rispose Richardson. «Abbiamo sostituito un paterazzo che si stava sfilacciando e lui ha usato quello vecchio a mo' di lenza. Come canna ha sfruttato una caviglia, visto che può contare sulla tenuta della murata.»

«Ma avrà pure usato un'esca, qualcosa...»

«Oh sì! Ma anche un amo se è per questo. Il ragazzo si è ricordato che c'era un moschettone d'acciaio nel gavone. Ne ha ricavato un gancio, ci ha infilzato sopra delle aringhe affumicate e il marlin ha abboccato.»

«Oh! Issa! Oh! Issa! Oh! Issa!» Head e Lorenzen avevano preso a incitarsi l'uno con l'altro, intanto che tiravano il paterazzo all'indietro con maggiore convinzione.

Goodschaad, dal canto suo, aveva la faccia segnata dalla stanchezza e i muscoli del collo contratti per lo sforzo. Manifestava anche una certa sofferenza agli arti, al punto che in un paio di occasioni era stato costretto a mollare la presa e a massaggiarli.

Più lo guardava, più Gagliardo si rendeva conto di come il marinaio muto, nonostante la sua invalidità, facesse di tutto per non sentirsi da meno degli altri. Provò compassione per lui, tanto che avrebbe voluto abbracciarlo come un fratello maggiore. Subito dopo si affacciò e vide che il marlin era esausto, fiaccato dal lungo tira e molla.

I marinai concentrarono le ultime energie eseguendo movimenti in simultanea, i piedi puntati sulle assi del ponte come in una gara di tiro alla fune. Il corpo del marlin venne issato lungo la murata. Anche Richardson e Briggs si erano avvicinati per dare una mano, ora che l'obiettivo era stato quasi raggiunto. Nel momento in cui la spada arrivò all'altezza del parapetto, i due ufficiali la afferrarono e tirarono all'indietro anche loro, finché il marlin non cadde ai loro piedi dibattendosi selvaggiamente, soprattutto con la coda.

Nell'aria risuonarono urla gioiose, accompagnate subito dopo da un applauso generale a cui si aggregò anche Gagliardo.

Il dottore rimase a osservare Goodschaad chinarsi sul marlin, ormai vinto, per ammirare il frutto del suo duro lavoro. Mentre gli altri commentavano euforici l'impresa, il marinaio muto prese ad accarezzare il pesce fino a toccarne incautamente la branchia. Quest'ultima, si aprì e si richiuse, quasi in un ultimo, disperato tremito, provocandogli una ferita. Gagliardo se ne accorse dai mugugni che il marinaio tedesco si era lasciato sfuggire mentre ritraeva la mano di scatto e dal sangue che vide subito dopo, una volta tolto il guanto.

A rubare la scena, però, ci pensò Edward William Head che, coltelli alla mano, tornò in tutta fretta dalla sua sortita in cambusa. Dopo essere scivolato maldestramente sul ponte bagnato, suscitando l'ilarità dei presenti, si rialzò e affondò le lame nelle branchie e nello stomaco del marlin. Una volta che lo ebbe salassato, il cambusiere prese a eviscerarlo, eliminando le interiora, poi iniziò a sfilettarlo.

Gagliardo se ne stette tutto il tempo a osservare le complesse operazioni che seguirono. Vide Goodschaad restituire al mare le parti non commestibili del marlin, Head portare una parte delle carni in cambusa per il pranzo imminente, Lorenzen recarsi con Briggs nella stiva per stipare il resto nella cella delle provviste. E poi i marinai, che alla fine presero a spazzare e a lavare il ponte, mentre Briggs parlottava sul giardinetto con Richardson, quest'ultimo impegnato alla ruota del timone.

Sebbene la visione del sangue annacquato sulle assi di legno lo riportasse con la mente all'immagine di Gilling trafitto dalla daga, il dottore si sentì in dovere di dare il proprio contributo. Fu così che si aggregò agli altri per ripulire il ponte di coperta.

«E quella?» chiese Gagliardo a un certo punto, indicando la spada del marlin che, in precedenza, era stata staccata con un colpo netto di mannaia e messa da parte sopra un barile.

«Per il momento la tengo» rispose Head. «Anzi, la esporrò fuori dalla cambusa a ricordo di questo giorno memorabile.» Si avvicinò compiaciuto a Goodschaad e gli passò un braccio intorno al collo. «Il giorno in cui Gottlieb si improvvisò pescatore di marlin in mezzo all'oceano.»

Goodschaad abbozzò un sorriso.

Gagliardo non disse una parola, ma dentro di sé approvò le parole del cambusiere che allontanavano temporaneamente le ombre dei giorni passati. Quella appena iniziata sembrava davvero una giornata memorabile in cui i peccati venivano lavati tramite il sangue di un animale, in una sorta di sacrificio biblico.

Pervaso da un ottimismo irrazionale, il dottore rimase sul ponte a scrutare il mare, a sentire il vento sulla faccia, ad ammirare i gesti esperti dei marinai che avevano ripreso a manovrare vele e pennoni. E, infine, a immortalare con lo sguardo quella spada di marlin che ora era stata esposta sulla paratia della tuga, sul lato di dritta. Un innocuo cimelio, ma che sapeva tanto di monito.

* * *

Gli assoluti protagonisti di quella giornata erano stati Gottlieb Goodschaad ed Edward William Head.

Se il primo aveva avuto il merito di strappare un enorme marlin dalle acque dell'oceano, il secondo non era stato da meno, deliziando le papille gustative degli occupanti della *Mary Celeste*. A pranzo, Gagliardo aveva mangiato ben quattro fette arrosto di quel succulento pesce preparato con inarrivabile maestria dal cuoco, il quale aveva voluto cogliere l'occasione per ingraziarsi le attenzioni dei compagni, ma soprattutto quelle degli ufficiali. Ma Head era andato ben oltre, proponendo a cena una superba zuppa di cipolle, accompagnata da pezzi di carne salata e pane di segale tostato. Il dottore, pur rimpinzato dal pasto principale, non aveva saputo resistere alla tentazione. Verso sera, però, il conto si era presentato piuttosto caro, con fitte dolorose all'addome, che tuttavia non destavano preoccupazioni legate a un possibile avvelenamento. Nessuno a bordo, infatti, né tantomeno Head, sempre alle prese con il compito di assaggiatore, aveva manifestato alcun sintomo. Si trattava certamente di un'indigestione. Nient'altro.

Chiuso nella propria cabina, con la lampada accesa, il dottore cercava di non pensare alla sua imbarazzante indisposizione. Anzi, sperava che quella notte potesse trascorrere il più in fretta possibile. In mano reggeva il libro che gli aveva prestato Richardson, la cui lettura era ormai agli sgoccioli. Il protagonista Redburn, che qualche tempo dopo l'avvistamento delle balene era approdato a Liverpool, aveva nel frattempo avuto modo di ammirare molte altre imbarcazioni, imparato a reagire agli atteggiamenti arroganti di alcuni marinai, visitato i bassifondi della città inglese, stretto amicizia con un dandy di nome Harry Bolton, insieme al quale si era spinto fino a Londra. Infine, il giovane avventuriero si era nuovamente imbarcato sull'*Highlander* per fare ritorno in America, portandosi dietro proprio il suo nuovo amico. E, prima di partire, la ciurma era stata costretta ad assistere a uno spettacolo orribile: un marinaio che aveva preso fuoco nella propria branda sistemata all'interno della tuga. Una torcia umana poi gettata in acqua senza la minima pietà.

La mente di Gagliardo, quando non era distratta, continuava a fare parallelismi tra la realtà che stava vivendo e l'inquietante fantasia che straripava dalle pagine scritte da Herman Melville.

Una fitta improvvisa costrinse il dottore a chiudere il libro con un gesto secco.

Non appena il dolore si fu placato, lo riaprì, ma si accorse di aver sbagliato. Lo aveva fatto con il libro alla rovescia.

Fu così che si accorse della poesia.

Era stata scritta sull'ultima pagina, dove i volumi recavano solitamente fogli completamente bianchi. Gagliardo capovolse il libro e studiò la grafia. Non c'era dubbio che appartenesse ad Albert Richardson.

Il vecchio Capitano
pregava sopra il tetto
del cassero e poi piano
il Canto Benedetto
al cielo rivolgeva
e una gran croce sopra sé teneva!

Anche il tema era tanto caro al primo ufficiale di bordo. Quando aveva scritto quei versi? E perché proprio su quel libro?

L'ennesima fitta lo buttò giù dalla branda. Forse era il caso di recarsi alla latrina. Dopo aver riposto il libro, afferrò la lampada e uscì dall'alloggio, la mano destra premuta contro il fianco dolorante.

Mentre avanzava, Gagliardo si guardava attorno con circospezione. La latrina era uno di quei posti isolati del brigantino verso il quale continuava a nutrire un certo timore. Non tanto per il disagio o perché il suo utilizzo non fosse dei più nobili, quanto per il comprensibile senso di pericolo che suscitava durante la notte, soprattutto dopo la serie dei terribili eventi.

Ma in quella circostanza non poteva farne a meno.

Quando poco dopo ne fu uscito, si ritrovò entrambe le mani occupate da lampada e bugliolo. Sarebbe stato impossibile salire dalla scala a pioli, per cui compì il percorso a ritroso, servendosi della scala del cassero.

Una volta in coperta, si affrettò a vuotare il bugliolo oltre il parapetto. Non voleva che il capitano Briggs, quella notte ai comandi della *Mary Celeste*, lo vedesse. Non appena si fu voltato verso il giardinetto, con la lampada sempre in mano a fendere il muro di oscurità, si rese però conto che sarebbe stato inevitabile sfuggire ai suoi occhi. Ma, avanzando di qualche passo, rimase sorpreso del fatto che non vi fosse nessuno.

Dove si era cacciato Briggs?

Gagliardo appoggiò il bugliolo a terra ed estrasse l'orologio dal taschino. Le lancette segnavano le undici passate da poco. Prese a perlustrare il giardinetto, aggirando il gavone e tornando indietro a proravia. Uno strano presentimento cominciò a impossessarsi di lui. A centro ponte si bloccò. Che cos'erano quelle macchie sulle assi? Si chinò, sempre più preoccupato e allungò le dita davanti a sé. Quando le ebbe ritratte e portate alla luce della lampada, rabbrividì dalla testa ai piedi. I suoi polpastrelli erano insanguinati. Mosse ancora dei passi in avanti, dove le macchie rossastre si allargavano ulteriormente.

Poi vide il corpo. Dapprima le suole degli stivali, subito dopo il mantello e infine la testa priva di copricapo. In corrispondenza della nuca spuntava un oggetto lungo, come se fosse stato conficcato con forza da dietro, quasi allo stesso modo con cui era stato colpito Gilling.

Gagliardo si sentì mancare quando capì che quell'oggetto altro non era che la spada del marlin che Head aveva esposto fuori dalla cambusa. Un innocuo cimelio, l'aveva definito, ma che qualcuno non aveva esitato a utilizzare per commettere l'ennesimo delitto.

Il dottore adagiò la lampada sulle assi di legno e, con le mani tremanti, girò il corpo che giaceva sul fianco, attento a non muovere l'arma improvvisata dalle carni dello sventurato.

Nessuna sorpresa. Si trattava proprio di Benjamin Briggs.

Dopo un gemito strozzato, lui aprì gli occhi. Nonostante l'evidente ferita, era ancora vivo, ma in volto recava i segni di una indicibile sofferenza.

«Capitano!» mormorò Gagliardo aprendogli la camicia per farlo respirare meglio. Sul petto spuntò un crocefisso, attaccato a una catenella.

Le labbra di Briggs si mossero per lo sforzo di voler comunicare a tutti i costi.

Non uscì alcuna parola, solo un fiotto di sangue che colò da un angolo della bocca.

«Non affaticatevi, capitano. Vado a chiedere aiuto.» Gagliardo fece per rialzarsi, ma Briggs, con una forza impensabile, gli bloccò il polso.

Le labbra dell'ufficiale si mossero nuovamente.

«*Pro-met-te-te...*»

Nell'udire quelle sillabe sussurrate, Gagliardo lo fissò con rispetto e annuì, mentre il proprio polso tornava libero di muoversi. In preda al terrore si rialzò, ma non ebbe neppure il tempo di articolare un passo perché il corpo di Briggs fu scosso da un tremito violento, prima di abbandonarsi su se stesso.

Gagliardo sentì gli occhi bagnarsi di lacrime.

Il capitano Benjamin Spooner Briggs era morto.

14

Oceano Atlantico, 19 novembre 1872
(15 giorni prima del ritrovamento)

Gli uomini erano disposti in cerchio, tutti intorno al cadavere.

Nel silenzio più assoluto, affinché Mrs. Briggs non sapesse. Non in quel momento. Gagliardo aveva fatto il giro degli alloggi per avvertire gli uomini. Prima Richardson, poi Goodschaad e, infine, Head e Lorenzen, tutti e quattro stravolti dal brusco risveglio, come se fossero passati improvvisamente dal mondo dei sogni al più terribile degli incubi. Lo dicevano le loro facce, i loro sguardi, le loro espressioni. Eppure, escludendo proprio Sarah Elizabeth, uno di loro era l'assassino.

Già, l'assassino.

Lo sconosciuto che aveva ammazzato quattro uomini, compreso colui che fin da subito era sembrato il suo vero obiettivo: Benjamin Briggs.

Il comandante della *Mary Celeste* se n'era andato di notte, dunque. Una notte silenziosa e dilaniante. Una notte in cui, probabilmente, era stata scritta la pagina più dolorosa di quella traversata.

Gagliardo staccò lo sguardo dal corpo privo di vita di Briggs, cercando di allontanare invano l'immagine dello scempio dalla sua mente. Nell'oscurità circostante, il brigantino dondolava in una strana e surreale calma di vento, trasportato dalla sola corrente, come a inseguire pigramente quella luna sbilenca che galleggiava anch'essa in una distesa nera come la pece. Il rumore scricchiolante del fasciame ricordava a tutti che non c'era nulla di perfettamente solido lì in mezzo al mare. Non vi erano più certezze.

Fu di Richardson la prima vera reazione. E fu una sorpresa per tutti.

Il primo ufficiale si scagliò contro Head e lo afferrò per il collo. «Siete stato voi?»

Head annaspò con le mani nell'aria prima di riuscire ad aggrapparsi al braccio di Richardson, il quale mollò subito la presa e passò ad accusare Goodschaad.

«O forse voi? Eh, Gottlieb?»

Il marinaio muto rimase impassibile. Le pupille erano fisse sul suo superiore, in un'attesa destinata a protrarsi nel tempo. Ma Richardson aveva già cambiato obiettivo e la sua espressione furente si era bloccata davanti a Lorenzen. «Siete voi, forse, il vigliacco?»

Il primo ufficiale passava in rassegna i volti dell'equipaggio con gli occhi sbalzati dalle orbite. Avanti e indietro, senza sosta. «Chi è stato? Chi? Chi?» Si fermò di fronte a Gagliardo. «Magari voi... dottore» disse con un ghigno. Mosse un passo di sfida in avanti. «Che ci facevate solo qui sul ponte?»

«Ve l'ho già detto, sono andato alla latrina perché non mi sentivo bene.» Gagliardo indicò il bugliolo, ancora abbandonato sulle assi. «Le prove erano lì, ma per la fortuna dei vostri occhi e del vostro naso non posso mostrarvele.»

«Già, voi avete sempre una risposta pronta a qualsiasi evenienza» replicò Richardson in tono insolente. «Fate domande a tutti e su tutto. Ma chi ce lo dice che non ci sia la vostra mano dietro questi omicidi? Voi siete un medico, conoscete i veleni. Eravate solo in cabina, senza un alibi, quando morì Gilling. E oggi vi permettete di buttarmi giù dalla branda con le mani sporche del sangue del mio amico Benjamin.»

Gagliardo sapeva che prima o poi sarebbe accaduto. I sospetti si stavano riversando su di lui. Come avrebbe potuto difendersi ora che Briggs era morto? Il capitano era chiaramente l'unico a riporre fiducia nel suo operato, l'unico in grado di tenere coeso un equipaggio sempre più decimato. La sua autorità, seppur minata dal pericolo incombente, non era mai stata messa in discussione. Adesso tutto rischiava di sfaldarsi. Nel bel mezzo dell'Atlantico, con quattro marinai ammazzati, una moglie senza più una guida e una figlia orfana di padre. Già, quali parole scegliere con la vedova? Chi ci avrebbe pensato?

Gagliardo si chiese anche se quella di Richardson non fosse in realtà una recita ben studiata e interpretata. Fino a quel momento non si era mai lasciato andare a moti di rabbia. Aveva oltrepassato il limite di sopportazione o c'era dell'altro? L'ultima poesia che il dottore aveva scovato nel libro di Melville sembrava l'ennesima provocazione del primo ufficiale: un capitano che pregava sopra il cassero, tenendo una croce sopra di sé. Troppo ambigui i riferimenti per non pensare a un'incredibile coincidenza che rimandava a Briggs e, dunque, all'assassinio appena avvenuto.

Gagliardo guardò di sottecchi i marinai, senza che loro se ne accorgessero. Sembravano tutti pietrificati, con lo sguardo ancora rivolto al cadavere. Poi il dottore concentrò la propria attenzione sull'arma del delitto, abbandonata pochi passi più in là. E più la osservava, più non riusciva a darsi pace. Se fosse stato più accorto, avrebbe potuto fiutare il pericolo e mettere in guardia Briggs consigliandogli di sbarazzarsene. Ormai, però, era inutile tormentarsi per capire se il capitano gli avrebbe dato retta o meno. Il clima gioviale seguente alla cattura del marlin aveva funto da diversivo. Goodschaad era stato l'artefice della cattura, Lorenzen il caparbio aiutante, Head colui che aveva voluto tenere il trofeo in bella mostra, Richardson lo spettatore più infervorato. Ma a chi di loro apparteneva la mente malata che aveva partorito l'idea di usare quella spada con tanta ferocia? Difficile dirlo, chiunque tra i presenti in coperta in quel momento poteva essere il colpevole.

Seppur confusamente, il dottore si rendeva conto di essere arrivato a un punto di non ritorno. La fine violenta del capitano Briggs, più delle altre morti che l'avevano preceduta, rievocava fantasmi passati, avvalorando ciò che agli occhi dei creduloni era la "maledizione della *Mary Celeste*". O dell'*Amazon*, per i nostalgici e per tutti coloro che l'avrebbero sicuramente paragonata alla tragica sorte dell'ex comandante Robert McLellan.

E man mano che la notte trascorreva, nella sua esasperante lentezza, riaffiorava il dilemma sulla più gravosa delle incombenze.

«Bisogna informare Mrs. Briggs» disse Gagliardo, distogliendosi da quei pensieri.

«Sì, è inevitabile» rispose Richardson con voce più riflessiva.

«Volete che me ne occupi di persona?» chiese il dottore, buttando giù saliva amara.

Richardson si accarezzò i baffi con aria pensosa. La sua collera aveva lasciato posto a un'immensa tristezza. Spostò lo sguardo afflitto sul cadavere di Briggs e rimase immobile per diversi istanti, come se aspettasse un ultimo cenno dal suo comandante.

«Lo farò io» disse alla fine.

* * *

Sarah Elizabeth Briggs piangeva sommessamente.

Alle prime luci dell'alba gli uomini avevano svolto le mansioni necessarie per recuperare le due quarte di scarroccio laterale che il brigantino, abbandonato alle onde, aveva accumulato per diverse ore. Era bastato agire sulle scotte per regolare la velatura e riportare, quindi, la rotta nella giusta direzione. Poi

Richardson si era adoperato in prima persona affinché la salma venisse sistemata a centro ponte sopra una sorta di catafalco circondato da lampade accese. Il primo ufficiale, teso come non mai, era sceso nel cassero di poppa per dare il triste annuncio e badare alla piccola Sophia Matilda nell'ipotesi che Mrs. Briggs avesse voluto salire in coperta, dove era rimasto il solo Gagliardo, pronto a offrire il proprio sostegno, dato anche il precario stato di salute della vedova. Lei era spuntata dal boccaporto una ventina di minuti più tardi, con uno scialle avvolto attorno alla testa. Il dottore non aveva avuto il coraggio di dirle nulla. Era stata lei, a un certo punto, che gli si era avvicinata. Ne era venuto fuori un abbraccio disperato. Gagliardo aveva assistito impotente al suo pianto e, nonostante non vi fosse nessuno lì intorno, gli era sembrato di avere mille sguardi addosso, come se i marinai si fossero nascosti da qualche parte per sbirciare la scena. La donna aveva il viso pallido su cui spiccava il rossore degli occhi, il corpo scosso da continui singulti.

«Mrs. Briggs, venite con me, un bicchiere d'acqua vi farà bene...»

Sarah Elizabeth scosse la testa, allontanandogli la mano.

«Ve ne prego» insistette Gagliardo, pur sentendo un nodo alla gola.

Alla fine lei acconsentì, non prima di aver lanciato l'ennesima, straziante occhiata al corpo del marito, che era stato reso più decoroso rispetto al momento in cui era stato ritrovato. Anche l'espressione era cambiata: la morte sembrava avergli restituito i tratti originari del volto, ora distesi e sereni. Aveva le mani incrociate sul petto e una sciarpa intorno al collo a nascondere la terribile ferita mortale.

Quando Mrs. Briggs distolse lo sguardo, Gagliardo scattò al suo fianco, la prese per un braccio e la sorresse fino in cambusa. Dopo aver tirato il tavolo da una parte, la fece accomodare su una panca, poi sedette a sua volta di fronte a lei.

Mrs. Briggs sbatté le palpebre, ancora intrise di lacrime. «Vi ringrazio, dottore» mormorò con un filo di voce.

Gagliardo si sentì leggermente più sollevato nel sentirla parlare.

Lei si asciugò gli occhi con un fazzoletto.

«Mi sembra tutto così assurdo! Non riesco a pensare di dover vivere senza di lui» disse a un certo punto.

Gagliardo le prese le mani tra le sue e le strinse forte, guardandola con compassione.

Gli occhi della donna si diressero verso la porta, come trascinati da una forza incontrollabile. Poi quegli stessi occhi tormentati tornarono lentamente sul suo interlocutore.

«Sapevo in cuor mio che sarebbe successo. Lo avevo messo in guardia più volte, ma lui ha cercato sempre di minimizzare. Anzi, mi assicurava che non sarebbe accaduto nient'altro di spiacevole e che saremmo giunti a Genova sani e salvi.»

«Immagino il dolore che vi pervade, Mrs. Briggs. Se vostro marito l'ha fatto, è stato soltanto per non angustiarvi.»

Sarah Elizabeth si contrasse. «Non lo metto in dubbio, ma Benjamin sapeva, eccome, di essere in pericolo. Voi non lo conoscevate. Io, invece, standogli accanto, ho imparato a cogliere i suoi stati d'animo, i sentimenti, le emozioni. Era un libro aperto per me e posso giurarvi che era molto turbato.» Fece una pausa durante la quale sulla sua fronte si disegnarono delle rughe. «Ma quando abbiamo discusso di questi fatti gravi, dopo la morte del povero Andrew Gilling, Benjamin mi è sembrato stranamente un po' meno preoccupato. Continuava a predicare calma, a mostrarsi ottimista. Era convinto, così mi diceva, che la nostra famiglia non ne sarebbe rimasta coinvolta nel modo più assoluto. Questa cosa mi metteva ansia. Ricorderete, dalla nostra ultima chiacchierata, che non facevo altro che pregare per lui...» La voce affranta di Mrs. Briggs fu rotta di nuovo dai singhiozzi. «Ora... ora è tutto finito.»

«Non dite così. C'è Sophia Matilda e poi il vostro Arthur che vi attende a casa.»

A quelle parole Sarah Elizabeth si portò una mano al petto e impallidì improvvisamente.

«Mrs. Briggs...»

Lei lo rassicurò con un lieve cenno della testa, ma Gagliardo prese un bicchiere, lo riempì d'acqua e glielo porse. Mentre la donna lo portava alle labbra, il dottore si accorse che la mano le tremava così tanto da non riuscire quasi a bere. Lo fece a piccoli sorsi. Sebbene i singulti si fossero affievoliti, gli occhi erano ancora bagnati di lacrime.

«Chi è stato? Chi ha spezzato la vita del mio Benjamin? Ditemelo, dottore!»

Anche Gagliardo buttò giù un bicchiere d'acqua. Sentiva di avere la gola secca, e quel lungo sorso gli procurò un enorme sollievo. «Non so rispondervi» disse subito dopo. «Anzi, vi chiedo perdono perché non ho saputo proteggere vostro marito.» Gagliardo scivolò dalla panca e si chinò sulle ginocchia, ponendosi di fronte al suo grembo. «Ascoltate, Mrs. Briggs. Poco fa qualcuno si è permesso di additarmi come sospetto. È una cosa che mi addolora profondamente, che infanga il mio nome, ma che in qualche modo capisco. L'equipaggio si è dimezzato e nessuno sa come andrà a finire. Ci troviamo in mezzo al nulla, senza alcuna possibilità di poter denunciare questi delitti.»

Mrs. Briggs sollevò le sopracciglia. «Che cosa volete dirmi?»

«Io posso giurarvi su nostro Signore che sono completamente estraneo a quanto di terribile sta avvenendo. Nutrivo molta stima nei confronti di vostro marito e ne nutro molta anche per voi. Ora, però, temo che alle vostre orecchie possano giungere cose disdicevoli sul mio conto.»

Mrs. Briggs chiuse gli occhi per qualche istante, come se stesse lottando disperatamente contro la cedevole tentazione di versare nuove lacrime. «Sapete cosa mi ha detto Benjamin qualche sera fa?»

Gagliardo scosse la testa.

«"Il dottore è una persona perbene, una persona su cui poter contare in ogni circostanza." Se mio marito pensava questo di voi, allora anche io la penso allo stesso modo.»

Malgrado il momento, le labbra di Sarah Elizabeth si piegarono in un sorriso bonario. «Quindi non dovete temere alcunché, né tantomeno chiedere perdono. So quanto nobile sia il vostro animo.»

Gagliardo annuì con una certa commozione. Era sorpreso dalla fiducia che quella donna, fino a pochi giorni prima sconosciuta, riponeva in lui.

«Anch'io ho una cosa da confessarvi» disse il dottore, dopo una profonda riflessione.

«Che cosa?»

«Vostro marito mi ha pregato, se gli fosse accaduto qualcosa, di prendermi cura di voi e di vostra figlia. Quindi, sappiate che fino alla fine del viaggio vi sarò sempre accanto. Una volta messo piede sulla terraferma, mi premurerò con tutte le mie forze di farvi tornare dalla vostra famiglia.»

«Vi ringrazio, dottore.»

Gagliardo si rimise a sedere. Aveva lasciato appositamente per ultimo un argomento che, immaginava, avrebbe urtato la sensibilità di Sarah Elizabeth. Si schiarì la voce. «Ho bisogno di sapere se avete delle richieste particolari riguardo al rito funebre. Non possiamo tenere la salma a bordo fino a destinazione.»

La donna si asciugò le lacrime con i polpastrelli delle dita. Il pensiero che il corpo dell'unico amore della sua vita sarebbe stato inghiottito dalle acque dell'oceano doveva procurarle una sofferenza atroce.

«Voglio semplicemente che sia vestito con la sua uniforme» disse tuttavia in tono solenne, dopo essersi riscossa. «E anche un'altra cosa...»

«Quale, Mrs. Briggs?»

«Che voi vi occupiate di Sophy durante la cerimonia. Non voglio privarmi della possibilità di dare l'ultimo saluto a Benjamin.» Sarah Elizabeth si alzò con le proprie forze e si portò sull'uscio della cambusa. Si bloccò e si voltò a fissare Gagliardo. «Per nessuna ragione al mondo.»

* * *

«Heisy, Harah-Hein.»

Sophia Matilda correva allegramente per la cabina, grazie soprattutto alla benevolenza dell'oceano di quei giorni così miti.

«Daisy e Sarah Jane» ripeté Gagliardo sorridendo. «Dai, piccola, è ora di svegliarle.»

Sophia Matilda si bloccò per un istante e mosse la testa in un cenno d'assenso, quindi sgambettò verso la branda della madre, dove le bambole di pezza giacevano appoggiate al cuscino. Le afferrò e le portò con sé, osservando il dottore con gli occhi sgranati, la bocca che si apriva e richiudeva nell'atto di mormorare parole mangiucchiate.

Gagliardo ormai adorava quella bambina. Più la guardava, più notava l'impressionante somiglianza con il padre, da cui aveva ereditato gran parte dei tratti somatici del viso, soprattutto il particolare taglio degli occhi, che le conferiva un'espressione sveglia e curiosa, tipica delle persone intelligenti.

Il dottore, tuttavia, cominciava a essere stanco. Nemmeno un'ora prima era entrato nella cabina dei Briggs, mentre la piccola dormiva ancora. Nonostante il momento tragico, Sarah Elizabeth aveva faticato per tutta la mattina, trovando le forze per lavarla, farle indossare un vestito pulito e sfamarla. E Sophia Matilda, alla fine, era crollata per il sonno. Mentre

Sarah Elizabeth si apprestava a salire in coperta per rendere l'estremo saluto a suo marito, però, lei aveva aperto i suoi graziosi occhi scuri.

"Il dottore resterà un po' con te" le aveva detto la madre, baciandola sulla fronte.

"Dotto-he, dotto-he."

Così, per Gagliardo, si era ripresentata l'occasione di sperimentare l'impagabile sensazione di sentirsi padre. Aveva preso Sophia Matilda in braccio più volte. Ne aveva saggiato la morbida consistenza del corpo, l'aveva stretta a sé, aveva sentito il calore che risaliva dall'incavo del suo collo. Poi aveva socchiuso gli occhi, inebriandosi di quell'odore inconfondibile, simile allo zucchero e alla vaniglia.

Era bastato poco al dottore per adocchiare il diversivo giusto in grado di stimolare l'attenzione di Sophia Matilda, che si era mostrata entusiasta nel far rotolare un gomitolo di lana sul pavimento di legno verso il suo compagno di giochi. Poi erano subentrate Daisy e Sarah Jane.

Mentre Sophia Matilda sembrava essersi quietata, alle prese con le due bambole, Gagliardo si rese conto che non c'era circostanza migliore per fugare i dubbi rimasti in sospeso. Cominciò, quindi, a curiosare nella cabina.

Il giornale di bordo, eccolo...

Prese a sfogliare il documento, andando indietro nel tempo. Il capitano Briggs aveva registrato giornalmente le condizioni meteorologiche, le varie posizioni, le operazioni e le manovre di rilievo effettuate durante il viaggio. Nessun riferimento, però, alle morti avvenute sulla *Mary Celeste*. Perché? Era forse un modo per nascondere la realtà dei fatti?

Gagliardo trovò tra le pagine anche la lista dell'equipaggio. Dopo una rapida occhiata, richiuse il registro, pensieroso. Briggs aveva dunque omesso di riportare informazioni sui delitti, ma poteva magari averlo fatto altrove. Preso da una smania improvvisa, cominciò a rovistare in ogni angolo dell'alloggio, cassetti, cassapanca, bauli, persino negli armadi, un occhio sempre vigile alla porta, nel timore del rientro anticipato di Sarah Elizabeth. Non senza un certo imbarazzo, si ritrovò al cospetto di indumenti appartenenti alla famiglia Briggs, strumentazioni varie, tipo bussole e sestanti, e poi ancora libri, fotografie, oggetti e unguenti per la cura del corpo.

Sophia Matilda sembrava essersi isolata in un mondo tutto suo, impegnata com'era a giocare con la sua fervida fantasia e con i suoi balocchi.

Dopo che ebbe guardato sotto il materasso della branda di Briggs, Gagliardo si bloccò. Proprio lì, nascoste sul fondo, a ridosso della paratia adiacente alla cabina di Richardson, c'erano l'ascia di bordo e la daga con cui era stato assassinato Gilling, riposta nel proprio fodero. Il dottore scosse la testa pensando a com'era stato beffardo il destino: nonostante il capitano avesse tenuto fede ai suoi propositi di tenere sotto la propria custodia quegli oggetti in grado di uccidere, non aveva fatto i conti, per sua sfortuna, con la spada del marlin pescato il giorno precedente. Prima di distogliere lo sguardo, Gagliardo si avvide anche della presenza di un altro oggetto. Si trattava di un cofanetto di legno scuro, sistemato proprio nell'angolo. Quando l'aprì, rimase sorpreso del suo contenuto: un revolver, delle pallottole, una fiaschetta di polvere da sparo e delle capsule metalliche, tutti riposti nei rispettivi scomparti. Era proprio l'arma di cui gli aveva parlato Briggs a inizio viaggio. Perché il comandante usava la sua branda come nascondiglio? Gagliardo afferrò la pistola e se la passò tra le mani. Non appena le sue dita percepirono il freddo contatto con il metallo, sentì un brivido percorrergli le vertebre. Richiuse il cofanetto e rimase a fissare la scritta incisa sul coperchio: COLT NAVY 1851. Lo ripose al suo posto, lasciò ricadere il materasso e tornò a fissare il viso gioioso della bambina. Ancora non sapeva che il suo papà non sarebbe più tornato da lei, e sicuramente sarebbe trascorso molto tempo prima che potesse elaborare quella mancanza.

Sophia Matilda lo avrebbe capito una volta adulta.

Gagliardo si accovacciò sulle ginocchia per tornare a giocare con lei, ma proprio in quel momento si udì un rumore, come un tonfo sordo sul lato a babordo. Allora lui si rialzò, fece il segno della croce e mormorò una preghiera sotto gli occhi attenti di Sophia Matilda che lo imitò, nella sua totale inconsapevolezza, con gesti impacciati. Non avrebbe mai potuto immaginare che suo padre, il capitano Benjamin Spooner Briggs, era stato affidato, come i suoi marinai, ai fondali dell'Oceano Atlantico.

Il silenzio che seguì fu rotto improvvisamente da una serie di passi concitati che dal piano superiore si approssimarono al ponte di corridoio fino alla porta della cabina. Un attimo dopo essa si spalancò e sulla soglia comparve Albert Richardson.

«Presto, dottore, correte di sopra. Baderò io alla bambina.»

Gagliardo lo guardò spaventato. «Che succede?»

«La signora...»

Il dottore capì al volo. Si fiondò fuori dall'alloggio e imboccò le scale del cassero di poppa.

Una volta in coperta, si trovò davanti la drammatica scena che non avrebbe mai voluto vedere: Head, Goodschaad e Lorenzen intorno al corpo di Mrs. Briggs, disteso inerme su un fianco.

«Dottore!» gridò Head con voce sgomenta. «La signora si è sentita male.»

Gagliardo raggiunse la donna, che sembrava aver perso conoscenza. Dopo essersi inginocchiato accanto a lei, le slacciò il cappello, glielo tolse e lo gettò sulle assi, poi spostò il corpo e lo mise in posizione supina.

«Quando la salma del capitano è scivolata in mare, Mrs. Briggs ha portato la mano al petto e si è accasciata sul ponte» disse Lorenzen.

«Appena mi sono girato, l'ho vista già in quella posizione, scomparsa quasi sotto lo scialle» aggiunse Head.

Ma erano informazioni inutili per Gagliardo, concentrato com'era a soccorrere la donna, immobile e pallida in viso come la cera.

Sarah Elizabeth era in arresto cardiaco.

Il dottore sentì la speranza morire dentro di sé. Non poteva accadere. Non sarebbe stato giusto. Il destino non doveva infierire oltremodo su quella famiglia. Su Sophia Matilda. Questo si disse, mentre posizionava il palmo della mano sinistra sopra quella destra al centro del petto della donna. Subito dopo cominciò a esercitare delle pressioni decise e regolari.

«Forza, Mrs. Briggs, respirate! Respirate!» ripeté imperterrito Gagliardo, prodigandosi in un massaggio disperato.

Nessun guizzo da parte di lei. Nessun movimento.

«No! No! Mrs. Briggs!» Gagliardo si fermò e applicò la propria bocca su quella della donna, chiudendole con una mano le narici. Poi soffiò aria con quanta più forza possibile.

Il torace di Sarah Elizabeth si sollevò appena e subito dopo si riabbassò.

Il dottore riprovò con maggiore energia nella speranza di farla tornare a respirare autonomamente, ma non colse un benché minimo cenno di reazione. Allora tornò ad avventarsi come un ossesso sullo sterno di lei.

Fu Lorenzen a interrompere a un certo punto le manovre febbrili del dottore, afferrandolo per una spalla. Con quel gesto, il marinaio tedesco gli stava sbattendo in faccia una dura realtà: il dolore della vedova era stato più forte di ogni tentativo di rianimarla.

Gagliardo trasalì. Afferrò il polso della donna nella speranza di sentire ancora un battito, un barlume di vita. Frustrazione che si aggiungeva a frustrazione.

Il cuore di Sarah Elizabeth Briggs si era fermato per sempre.

15

Oceano Atlantico, 20 novembre 1872
(14 giorni prima del ritrovamento)

Antonio Gagliardo ebbe un sussulto, come scosso da un rumore improvviso, l'ennesimo che percepiva in quel dormiveglia sottile pieno di tormenti. Sophia Matilda, invece, dormiva profondamente. Dopo aver reclamato a lungo i suoi genitori, alla fine era crollata dalla stanchezza e dalla fatica del pianto. Era trascorso soltanto un giorno dalla morte dei coniugi Briggs, ma il tempo sembrava essersi dilatato a dismisura, soprattutto da quando il dottore era stato costretto a trasferirsi nella cabina del comandante per accudire la piccola.

Ancora un rumore sul legno.

No, non era frutto della sua mente. Qualcuno aveva bussato davvero.

Gagliardo aprì la porta immaginando già di chi si trattasse.

«Come va, dottore?»

Lui scosse la testa, in attesa che la figura longilinea di Albert Richardson varcasse la soglia.

«Come volete che vada?» rispose quando l'ebbe di fronte, la voce volutamente bassa, un cenno della testa a indicare Sophia Matilda. «Questa situazione mi ha annichilito. Guardatemi in faccia. Sono stanco, confuso, divorato dal dubbio costante. Ormai non so di chi fidarmi.»

«Nemmeno di me?» chiese Richardson, mantenendo anche lui basso il tono della voce.

Gagliardo esitò, ma lo sguardo tagliente del primo ufficiale esigeva una risposta pronta. Richiuse la porta accompagnandola con un gesto delicato. «Mi sembra che anche voi abbiate messo in discussione la mia reputazione...»

«Perdonatemi se l'altra notte ho osato dubitare pubblicamente di voi, ma ero troppo scosso per la morte del mio comandante. Non ho mai pensato che foste un assassino, altrimenti non avrei mai permesso che vi occupaste della bambina.»

Gagliardo annuì senza replicare, ritenendo inutile alimentare una discussione scomoda.

«E poi, se il mio caro amico Benjamin ha deciso così, è probabile che abbia visto in voi la persona giusta.»

«Dite?» replicò Gagliardo. Era ancora perplesso se avesse fatto bene il pomeriggio del giorno prima, quando la salma di Sarah Elizabeth era stata affidata agli abissi dell'oceano, a svelare al primo ufficiale quell'ultimo desiderio del capitano Briggs.

«Anch'io non ho figli. Mia moglie Fannie è convinta che prima o poi avremo la benedizione di nostro Signore.» Richardson si lasciò sfuggire un sorriso. «Sono sicuro che voi saprete fare meglio di quanto possa fare io con la bambina.»

«Vi ringrazio per la fiducia» replicò Gagliardo, conscio della pesante responsabilità che si assumeva.

Richardson annuì con quel suo lieve cenno del capo, accompagnato stavolta da un'ombra dolorosa nello sguardo, che sembrò spingerlo ad avvicinarsi al lettino. Rimase a fissare Sophia Matilda per qualche istante, poi mosse alcuni timidi passi, soffermandosi dapprima sui libri riposti sullo scrittoio, poi sulla macchina da cucire e infine sull'armonium, le dita a sfiorare i tasti dello strumento, quasi in un religioso rispetto.

Fu in quel momento che Gagliardo si accorse degli occhi lucidi di Richardson. «Accomodatevi pure, Albert» disse mettendogli la sedia accanto.

L'ufficiale accettò l'invito e, una volta seduto, si guardò attorno con aria attonita. «Fino a pochi giorni fa qui dentro c'era la musica, regnava l'amore. Stento ancora a credere che Benjamin e Sarah siano morti. Lei... lei... era così felice di questo viaggio.»

«Sapevate della malattia?»

Richardson sollevò lo sguardo. «Benjamin me lo confessò qualche anno dopo la nascita di Arthur. Mi disse che il suo amore per lei sarebbe stato più forte di qualunque avversità.» Scosse la testa come per destarsi da un incubo. «Povera donna...»

Gagliardo si chiese se quelle parole, ma soprattutto l'espressione affranta dell'uomo che le aveva pronunciate, potessero appartenere all'essere subdolo che stava seminando morte lì a bordo, sebbene la scomparsa di Sarah Elizabeth non fosse imputabile direttamente a un'azione criminosa. Si poteva fingere a tal punto?

«Albert, voi volevate bene al capitano Briggs. Che ricordi avete di lui?»

Richardson si raddrizzò sulla sedia e fissò il dottore negli occhi. «Altroché. Benjamin è stato come un fratello maggiore per me. Ero un marinaio semplice quando iniziai a lavorare con lui. Allora aveva i gradi di primo ufficiale, mentre suo padre Nathan era il comandante.»

Gagliardo rimase ad ascoltare con aria impassibile. Erano le stesse parole che aveva pronunciato Sarah Elizabeth sul ponte di corridoio.

«Benjamin era un predestinato» riprese Richardson. «Aveva già il piglio del comando e difatti la sua brillante carriera lo dimostra.» Sospirò. «Sono molto grato a entrambi i Briggs. Da loro ho appreso l'arte della navigazione. Da Nathan ho anche ereditato la passione per la poesia.»

«Mr. Nathan poeta?»

«Sì. Leggendo i suoi versi, ho trovato la mia ispirazione...»

«A proposito di scrittura» replicò Gagliardo prendendo il giornale di bordo. «Devo consegnarvi questo.» Glielo porse.

«Sì, ci penserò io ad aggiornarlo.»

«Siete al corrente che il capitano non ha posto alcuna annotazione riguardante i fatti accaduti?»

«Sì, mi aveva informato che avrebbe omesso di farlo. Si è limitato a riportare le informazioni del viaggio.»

«E non vi sembra strano?»

Richardson si stirò i baffi. «In parte sì» disse dopo un po'. «Ma, pensandoci bene, mi sembra la soluzione migliore.»

«Ne siete convinto?»

«Vedete, quando ci si trova al cospetto delle autorità, certe cose è meglio spiegarle a voce che per iscritto. Se Benjamin non ha ritenuto opportuno trascriverle, significa che aveva le sue buone ragioni. Anch'io farò lo stesso. Seguiremo la sua condotta iniziale.» Lo sguardo di Richardson si fece duro. «Mi chiedo come abbiamo fatto a ridurci così... e, soprattutto, perché?»

Gagliardo non rispose subito. In quel momento gli tornò alla mente la discussione di qualche giorno prima con il capitano Briggs, quando, di fronte alla domanda riguardo al presunto assassino, lui aveva suggerito di spostare l'attenzione proprio sul movente.

«Non so cosa dire, Albert, ma sappiate che non mi arrenderò fino a quando non ne sarò venuto a capo. Questa è una promessa.»

Richardson fece per replicare, ma venne colto da un improvviso attacco di tosse.

Il dottore si chinò su di lui. «Albert!»

«Sto bene, sto bene» lo tranquillizzò l'ufficiale, gesticolando con una mano.

Gagliardo si accorse che gli occhi di Richardson, segnati da profonde occhiaie, erano diventati rossi.

«Sicuro? Mi sembrate stravolto.»

Richardson si pulì la bocca con un fazzoletto. «Mentirei se vi dicessi che non lo sono. Dopo la morte di Gilling e del capitano Briggs, il peso del brigantino è tutto sulle mie spalle.»

«Capisco. Purtroppo non saprei come esservi d'aiuto.»

«Non preoccupatevi, c'è Goodschaad ai comandi, adesso. Ci sa fare, il ragazzo! Il padre era marinaio e spesso uscivano assieme. È lui che gli ha insegnato il mestiere, almeno da quello che abbiamo capito.»

«C'è da fidarsi?»

«Stare al timone non richiede grandi abilità, dottore. Anche un mozzo, all'occorrenza, è in grado di impugnare le caviglie e provare l'ebbrezza della guida. Il governo delle imbarcazioni è più una questione di prestigio che altro. Diciamo che la perizia è invece richiesta in casi di particolari condizioni avverse.»

«Capisco, Albert, mi avete tranquillizzato.»

«Sicuramente Gottlieb non avrà portato a spasso un mercantile grande quanto la *Mary Celeste*» replicò Richardson allargando le braccia, «ma non ci sono alternative.»

«Goodschaad, Head e Lorenzen sono gente senza passato. O meglio, lo sono per noi. Possono raccontarci tutto quello che vogliono, ma non possiamo essere certi che corrisponda a verità. Tra loro, quasi certamente, si nasconde una serpe.»

«Mi escludete dalla lista, dunque...»

«I vostri occhi poco fa mi hanno detto molto, Albert» replicò Gagliardo, più per non deluderlo che per reale convinzione.

Richardson si alzò appoggiandosi con le mani sulle ginocchia. «Allora bisogna smascherare il colpevole.» Lo fissò con occhi vacui. «E voi avete promesso...»

«Lo farò» rispose Gagliardo in tono perentorio. Indicò Sophia Matilda. «Lo farò per lei.»

16

Oceano Atlantico, 21 novembre 1872
(13 giorni prima del ritrovamento)

Gagliardo aveva trascorso un'altra notte difficile.

Si era rigirato continuamente nella branda, la mente sopraffatta da pensieri lugubri e il corpo madido di sudore. Poi aveva acceso la lampada e si era guardato allo specchio. Si era ritrovato di fronte la figura di uno sconosciuto con la faccia stanca, gli occhi incavati e segnati da vistose occhiaie. Sicuramente non l'aspetto di uno della sua età, non ancora trentacinquenne. Ma la tensione fisica e psichica del viaggio, evidentemente, lo aveva portato allo stremo. Passandosi le mani sul volto, aveva sentito i peli della barba incolta grattare contro i palmi. Aveva anche cercato di immaginare la fine di quella storia, ma il suo cervello non era riuscito a elaborare il futuro. E poi ancora era stato richiamato dai pianti ostinati di Sophia Matilda. Poco prima dell'alba, ormai prostrato dal continuo andirivieni da un letto all'altro, era stato costretto a portare con sé la piccola in quel giaciglio che tante volte l'aveva accolta come un grembo materno. Quando aveva aperto i suoi occhi scuri, lei aveva mormorato la parola "mamma" prima di lasciarsi sopraffare di nuovo da un pianto straziante, tanto che il dottore, a un certo punto, era stato tentato di bussare alla porta di Richardson. Ma alla fine l'orgoglio l'aveva dissuaso. Quale aiuto reale avrebbe potuto fornire il primo ufficiale? E così l'aveva cullata tra le braccia cantandole delle filastrocche che ricordava ancora dalla propria infanzia, fino a farla riaddormentare.

Gagliardo vedeva nel viso della creatura quasi l'immagine di un piccolo miracolo, l'unica traccia di una famiglia praticamente annientata dal Male. Lui non avrebbe mai saputo darle ciò che i suoi genitori avevano in serbo per lei, non avrebbe mai potuto prendere il posto di chi l'aveva messa al mondo. Ma di una cosa era certo, così come aveva promesso ai Briggs: si sarebbe occupato di lei finché avrebbe potuto.

Quando Sophia Matilda si era svegliata del tutto, il primo pensiero di Gagliardo era stato di nutrirla. Con Richardson avevano convenuto che, non potendo contare ormai sul latte, bisognava puntare su quel formaggio cremoso che la piccola sembrava gradire. Era stato il primo ufficiale a dirgli, probabilmente dai discorsi con il suo comandante, che Mrs. Briggs ne aveva fatto mettere una scorta nella cella. E poi c'erano le gallette dolci. Sia Sophia Matilda sia lui ne avevano apprezzato la bontà, attingendo da una delle scatole di latta riposte nella cassapanca. Niente a che vedere con quelle messe a disposizione della ciurma, molte delle quali stantie e tutt'altro che invitanti al palato. Ma formaggio e gallette non erano un pasto sufficiente, ragion per cui Gagliardo aveva portato Sophia Matilda in cambusa per farsi preparare da Head tutto ciò di cui entrambi avevano bisogno, primo fra tutti del tè caldo. La bambina sembrava attratta da quel posto che per lei rappresentava una novità: dai calderoni ai bollitori, dalle pietanze ai gesti premurosi di Head nell'affaccendarsi alla stufa. A pranzo, poi, il cuoco si era presentato in cabina con una zuppa di verdure. Gagliardo, scrupoloso e insistente, aveva imboccato pazientemente Sophia Matilda, trascorrendo il tempo residuo senza mai smettere di starle accanto, tra una pagina del romanzo, un gioco inventato e un qualsiasi stratagemma per intrattenerla.

Prima che il sole calasse sull'orizzonte, l'aveva nuovamente portata in coperta, dove la piccola era rimasta per diversi istanti con il naso all'insù, quasi incredula, a scrutare le vele gonfie degli alberi. Lei si era messa a giocare con tutto ciò che le capitava a tiro, emettendo dei versi striduli e socchiudendo gli occhi ogni volta che una raffica di vento le schiaffeggiava il viso.

Gagliardo aveva capito che Sophia Matilda era certamente vulnerabile alla mancanza, ma allo stesso tempo anche propensa a distrarsi davanti alle cose nuove.

Nel frattempo gli uomini seguitavano a occuparsi delle loro attività in un imperscrutabile silenzio. Il clima a bordo era ormai compromesso e nessuno si permetteva di lasciarsi andare a comportamenti conviviali o scherzosi. Il filo di un'intesa comune, semmai ci fosse stato realmente, si era spezzato.

Richardson se ne stava al timone, a tirare boccate alla pipa e scrutare le acque come per cercare l'ispirazione giusta per nuove poesie. Goodschaad e Lorenzen a terzarolare e spiegare le vele a seconda dei capricci del vento. Head, infine, si divideva tra la preparazione dei pasti e il dare una mano dove meglio serviva.

La sola cosa che poteva fare il dottore, invece, era di spingere mentalmente quell'imbarcazione, confidando nella clemenza del tempo.

La *Mary Celeste*, dunque, proseguiva spedita il suo viaggio verso l'Europa. Come se nulla fosse. Approfittando di un "benedetto" vento da ovest, come amava definirlo il primo ufficiale, i nodi di velocità si impennavano e si recuperava il tempo perso durante i giorni passati.

Gagliardo osservava Sophia Matilda e pensava. Tutto sembrava essere mutato. Niente più trambusto su quel ponte, nessuna traccia del calpestio violento e selvaggio accompagnato da comandi scanditi con voce stentorea. Nel vedere la bambina del tutto ignara di quanto stesse avvenendo, provava nostalgia, quasi un rimpianto dell'innocenza perduta. Ma Gagliardo non poteva sottrarsi al pensiero dominante di dover scoprire il colpevole. Escludendo l'afflitto Richardson, conoscente fidato dei Briggs, escludendo Boz Lorenzen, affettuoso fratello del compianto Volkert, ed escludendo Goodschaad, amico fraterno di Gilling, rimaneva soltanto una persona: Edward William Head. Eppure, nonostante tutto indicasse lui quale principale indiziato dei delitti, c'era la sua espressione da bonaccione che sembrava dire il contrario. Ma chi era il mostro, allora? Per scoprirlo serviva qualcosa di più concreto. Una prova. Un movente. Ma dove cercare? Perquisire il brigantino alla cieca non aveva senso. Meglio concentrarsi su un posto in particolare, un posto che alla luce dei nuovi fatti aveva facilmente a portata di mano: la cabina di Benjamin Spooner Briggs.

Fu così che prese in braccio la bambina e decise di tornare nell'alloggio.

Una volta dentro, si guardò attorno. In quei giorni aveva curiosato tra le cose dei Briggs, ma lo aveva fatto in maniera non troppo minuziosa. Mentre Sophia Matilda riprendeva i suoi giochi con le bambole, lui tornò a setacciare la cabina palmo a palmo. La cassapanca, i bauli, gli effetti personali, gli armadi, i materassi. In una manciata di minuti finì per rovistare dappertutto. Sotto il materasso della branda di Briggs c'erano sempre l'ascia di bordo, la daga e il cofanetto contenente il revolver. Restavano da controllare soltanto i libri. Erano una ventina e, a uno a uno, prese a sfogliarli tutti. La maggior parte erano testi religiosi.

Al termine della ricerca, Gagliardo si rese conto che non aveva trovato niente di importante. Mentre finiva di riporre i libri nello scaffale situato sopra allo scrittoio, si sentì tirare per i pantaloni. Abbassando gli occhi, vide Sophia Matilda che richiamava la sua attenzione.

Si chinò. «Che c'è, piccola?»

«Da-da-da.» Lei indicò l'armonium con la mano destra, mentre nella sinistra teneva stretta una delle due bambole.

Già, l'armonium. Lo strumento che era rimasto in silenzio dalla morte di Arian Martens e Volkert Lorenzen.

«Da-da-da» insistette Sophia Matilda.

Benjamin Briggs aveva proibito l'utilizzo dello strumento. Ma in fondo che male c'era a rendere felice una bambina che chiedeva soltanto un po' di distrazioni?

Gagliardo non era particolarmente abile nell'uso di strumenti musicali, ma gli era capitato da giovane di cimentarsi qualche volta con l'organo in una chiesa sulla Broadway. Sedette davanti alla tastiera e appoggiò i piedi sui pedali. Provò la scala delle note musicali, da sinistra verso destra, fino a quando non si accorse che lo strumento aveva emesso un suono sordo, per poi non effondere più nulla.

Riprovò, ma ottenne lo stesso risultato. Nella parte destra della tastiera c'era qualcosa che non andava. Si alzò e, dopo una breve ispezione della cassa di legno, provvide a rimuovere il blocco dei pomelli, quindi sollevò la parte superiore, scoprendo le leve e il somiere. Con suo grande stupore, vide un libro dal dorso piuttosto spesso appoggiato sopra la parte destra del blocco meccanico.

Gagliardo lo prese tra le mani.

«Dotto-he!» Sophia Matilda abbozzò un applauso. Era divertita da quella che doveva sembrarle una scena un po' bizzarra.

Ma Gagliardo le lanciò soltanto un'occhiata distratta perché la sua attenzione era tutta per quel libro estratto dal cuore dell'armonium.

Trattato sui veleni, di Mathieu Orfila.

Sotto era riportato il sottotitolo: *Dai regni minerale, vegetale e animale, o tossicologia generale*.

Che ci faceva quel libro così particolare nella cabina dei Briggs? E perché era nascosto all'interno dell'armonium?

Il dottore sfogliò la prima pagina, ma subito si bloccò. Sulla parte sinistra spiccava una dedica in corsivo.

Per Andrew.

17

Oceano Atlantico, 22 novembre 1872
(12 giorni prima del ritrovamento)

Gagliardo richiuse *Redburn* con un gesto deciso.

Finalmente aveva finito di leggerlo.

Al termine di quel lungo viaggio transoceanico, Wellingborough Redburn, ormai divenuto marinaio, era riuscito a tornare a New York insieme a Harry. Ma una volta in città le loro strade si erano divise per sempre. Redburn non aveva più avuto alcuna notizia del suo amico, fino a quando, anni dopo, non aveva incontrato in mezzo al Pacifico un marinaio inglese di un'altra imbarcazione. Questi, tra i suoi vari racconti, gli aveva confidato di aver assistito tempo addietro alla morte di un suo connazionale arruolatosi a bordo di una baleniera, la cui descrizione coincideva con Harry Bolton.

Gagliardo non poteva immaginare che quel romanzo lo avrebbe affascinato così tanto, un mirabile intreccio tra le descrizioni della natura e le vicende umane del giovane protagonista, malgrado il finale gli avesse lasciato un po' di malinconia. Una lettura arricchente, dunque, quella proposta dal primo ufficiale Richardson, ma non proprio rassicurante. Così come per nulla rassicurante era ormai quel viaggio interminabile.

Il dottore si ripromise di restituire *Redburn* a Richardson alla prima occasione. Doveva trovare anche le parole giuste per dargli un proprio parere riguardo a quella storia. Ci avrebbe pensato con calma.

Si alzò dalla branda e posizionò il tomo sullo scrittoio con il dorso al rovescio. Gli piaceva sistemare gli oggetti in modo imperfetto, una sorta di abitudine, quasi un rito. Cosa che invece non era mai piaciuta a Clara e che aveva rappresentato anche motivo di litigio.

Gagliardo si voltò a guardare Sophia Matilda.

La piccola, evidentemente sentendosi trascurata, aveva abbandonato i suoi giochi per concentrare il proprio interesse sul libro che il dottore aveva rinvenuto il giorno prima nell'armonium e che per tenerlo lontano da occhi indiscreti aveva poi custodito sotto il cuscino della branda appartenuta a Mrs. Briggs.

«No! Mettilo giù!» disse in tono severo, avvicinandosi a lei.

Sophia Matilda sobbalzò e lo fissò con occhi spaventati.

Gagliardo si pentì di averla sgridata in quel modo, per giunta senza alcuna ragione valida. Forse, pensò, un padre coscienzioso non lo avrebbe mai fatto.

Sophia Matilda ritrasse le mani dal tomo e inarcò la piccola bocca in un tremito convulso, poi scoppiò a piangere. Un pianto che sapeva di disperazione.

Gagliardo la prese in braccio e provò a consolarla. Poi le asciugò le lacrime dal viso con la manica della camicia. «Perdonami, piccola...» La strinse a sé e la tenne così per diverso tempo, fino a quando i singulti non cessarono e le palpebre non si abbassarono.

Quando si fu addormentata, la adagiò nel lettino e rimase a guardarla per un po'. Nelle prime ore del mattino, dopo colazione, aveva assistito a una scena che gli aveva spezzato il cuore: Sophia Matilda aveva vagato per la cabina tirandosi dietro il filo del gomitolo di lana e pronunciando ripetutamente il nome di Pupu. Una sorta di richiamo per far uscire l'animale allo scoperto.

Il dottore le rimboccò le coperte e tornò verso la branda di Sarah Elizabeth. Prese il libro in mano, gli occhi fissi sulla copertina. Si rimproverò di averlo lasciato sotto il cuscino piuttosto che nasconderlo in un posto meno in vista. I pensieri tornarono a rincorrersi veloci. Quel trattato sui veleni di Orfila non poteva essere un caso, viste le morti dei due marinai dovute proprio ad avvelenamento. Si trattava di un testo universitario di Harvard, primo volume di una serie, tradotto dalla lingua francese a quella inglese da un certo John Augustine Waller. Gagliardo, durate il suo percorso universitario, aveva studiato Mathieu Orfila, un medico di nazionalità spagnola, poi trasferitosi in Francia, luminare nel campo della tossicologia.

E così lo aveva esaminato per tutta la notte, soffermandosi sugli scritti che potevano aver ispirato la mente del presunto assassino. Era il caso di parlarne con i marinai? O magari soltanto con Richardson? Dopo tormentate riflessioni, si impose di tacere. L'istinto gli suggeriva di fidarsi soltanto di se stesso.

Si distese sulla branda e aprì di nuovo il libro alle pagine di suo interesse, ma soltanto allora si accorse che alcune di esse, nell'angolo basso a sinistra, recavano una piega piuttosto evidente, segno che chi l'aveva usato era tornato più volte sullo stesso argomento: l'arsenico. Il veleno inodore e insapore usato per uccidere senza il rischio di essere scoperti, ma anche quella sostanza utilizzata per secoli in medicina per curare malattie terribili come la sifilide.

Sfogliando scrupolosamente le pagine, Gagliardo era alla spasmodica ricerca di ulteriori particolari che, oltre a rafforzare le sue ipotesi, potessero svelare indizi nascosti. Non era da escludere che l'assassino avesse potuto far ricorso ad altre sostanze, oltre l'arsenico, per ottenere un composto ancora più potente. Ma al di là di tutto, chiunque fosse costui, doveva trattarsi di una persona dalla mente acuta. Una persona scaltra, colta, a proprio agio con i libri.

Fu dopo aver chiuso l'ultima pagina che rinvenne qualcosa di inaspettato, qualcosa di cui la sera precedente non si era accorto. Il rivestimento interno della copertina, decorata con una trama floreale, risultava scollato nella parte alta. In mezzo, a tatto, si percepiva una sottile protuberanza.

Gagliardo tentò di infilare due dita per estrarre il contenuto, ma non vi riuscì. Per non lacerare la fodera, si sedette allo scrittoio, prese le pinzette dalla propria borsa e riprovò. Un attimo dopo si ritrovò con una piccola busta avorio tra le mani. L'aprì con impazienza e rovesciò il contenuto al centro del piano.

Una fotografia e due ritagli di giornale.

Prese l'immagine e se la portò sotto gli occhi: essa ritraeva il viso di una donna, racchiusa in un ovale. La fissò a lungo cercando di capire. Ma non gli sovvenne nulla.

Passò ai ritagli. Si trattava di articoli relativi all'incidente occorso tra la nave *Hope* e il peschereccio *Ada Godosch* di un certo Peter Holm, fatto che Mrs. Briggs aveva raccontato per filo e per segno tra vergogna e orgoglio. Perché erano stati occultati in quel libro? Era stato Briggs a nascondere quella busta oppure qualcun altro? E chi aveva scritto "Per Andrew" sulla prima pagina dopo la copertina? Aveva a che fare con Andrew Gilling?

Sebbene non fosse possibile stabilire a quale quotidiano appartenessero gli articoli, il contenuto era pressoché identico. Entrambi descrivevano la tragica collisione tra le due imbarcazioni al largo del porto di Boston avvenuta nell'ottobre del 1860. A ricordo, la dinamica riportata coincideva con le confessioni di Sarah Elizabeth, riguardo alle dichiarazioni divergenti da parte dell'equipaggio della *Hope* e del ragazzo sopravvissuto a bordo del peschereccio, tutte da valutare nell'ambito dell'inchiesta ufficiale che sarebbe seguita.

Gagliardo tornò a concentrarsi sulla foto. Non sembrava esserci alcuna correlazione con il libro sui veleni né tantomeno con gli articoli in questione. Dopo averla girata, scoprì l'esistenza di una scritta: *Ada, estate 1857.*

Ada, come parte del nome del peschereccio.

Che senso aveva tutto ciò?

Gagliardo cercò ancora tra le pagine del libro, tornando a ritroso, fino al rivestimento della parte anteriore, ma non trovò null'altro.

Riposizionata la busta nell'incavo, chiuse il tomo e si distese nuovamente, le mani intrecciate dietro la nuca e lo sguardo in direzione dell'oblò. Fin dal pomeriggio precedente la *Mary Celeste* era sferzata da raffiche di vento piuttosto notevoli. Richardson aveva predetto l'arrivo di un fronte perturbato da nord-ovest per il giorno successivo, ma niente a che vedere, a suo dire, con la furiosa tempesta che si era abbattuta qualche notte prima.

All'improvviso Sophia Matilda emise dei gemiti che richiamarono la sua attenzione.

Il dottore pensò che probabilmente si trattava soltanto di un brutto sogno. E, mentre i suoi occhi rimanevano vigili sul lettino, in attesa che il silenzio tornasse a regnare nella cabina, non gli sfuggì il particolare del gomitolo rimasto sulle coperte, che si intravedeva tra le assi delle sponde. L'esca di Sophia Matilda per Pupu.

Ben presto un'idea balenò nella sua mente: non più gomitolo e gatta, bensì...

Spostò lo sguardo sullo scrittoio. L'esca sarebbe stata proprio il libro di Orfila, un oggetto in grado di saggiare i nervi dell'assassino.

Antonio Gagliardo, ora, sapeva che cosa fare.

Sapeva di doverlo utilizzare per tendere la sua trappola.

* * *

Il dottore attendeva fiducioso.

Dopo che Sophia Matilda si era svegliata, lui l'aveva portata sul ponte, ben protetta dagli indumenti, ma ad accoglierli avevano trovato uno spettacolo tutt'altro che invitante. Il mare era grigio e rifletteva il colore del cielo coperto da grosse nubi che scorrevano veloci sospinte da un veemente maestrale, tanto che il dottore si era chiesto se fosse opportuno far scattare il suo piano proprio in quella circostanza. Mentre la bambina trotterellava liberamente con l'ormai inseparabile gomitolo di lana, lui aveva estratto il libro di Orfila e si era appoggiato alla lancia, fingendo di essere assorto nella lettura, con una mano a copertura di un titolo che poteva risultare scomodo. Non a caso aveva scelto quel posto per adescare i marinai, un punto di passaggio obbligato tra poppa e prua. Ben presto, però, si era accorto di quanto difficile fosse ostentare una calma che non possedeva affatto, soprattutto per lo sforzo di dover tenere gli occhi a metà tra le pagine sottostanti e gli uomini che gli passavano davanti, senza perdere di vista Sophia Matilda.

A poco a poco, tutti i marinai avevano incrociato il suo sguardo e, probabilmente, anche la copertina del libro, ma nessuno di loro aveva mostrato particolare interesse né si era lasciato sfuggire alcunché. Nessuna parola, nessuna espressione strana dipinta sui volti, come se fossero indifferenti o, peggio, completamente ignari di tutto ciò che li circondava. Gagliardo cominciava a mostrare una certa impazienza esacerbata dall'assenza prolungata di Richardson. Dietro la ruota del timone, infatti, continuava a stagliarsi la figura impassibile di Goodschaad che, solo per pochi istanti, aveva lasciato il governo del brigantino per infilarsi nel boccaporto, probabilmente per far uso della latrina. Anche lui, agli occhi del dottore, era sembrato un fantasma. Poi, a un certo punto, il primo ufficiale era comparso dal cassero di poppa e, dopo aver gesticolato brevemente con il marinaio muto, aveva spostato lo sguardo su di lui.

E fu così che Gagliardo lo vide avanzare.

«Sembra che si stia divertendo» disse Richardson, accennando a Sophia Matilda, sempre intenta a far rotolare il gomitolo sul ponte e poi a recuperarlo tra mille schiamazzi.

«A questa età fanno in fretta a stancarsi di un passatempo e a cercarne un altro.»

«Poo-uh Poo! Poo-uh Poo!» Il nome della gatta, pronunciato a intervalli dalla bambina, cercava di sovrastare invano il vento che strideva fra il sartiame.

«Povera creatura...» disse Richardson, scuotendo la testa.

Gagliardo sospirò, gli occhi vigili su Sophia Matilda. «I bambini non dimenticano.» Poi quello stesso sguardo vagò lontano, come per saggiare l'aria. «Sta arrivando...»

Richardson sorrise. «State tranquillo. Se il barometro non mente, già domani ritroveremo il cielo tinto d'azzurro.»

Gagliardo capì che era giunto il momento di osare. Strinse il libro tra le mani, avendo sempre l'accortezza di occultarne il titolo.

Richardson abbassò lo sguardo. «Che leggete di bello?»

«Niente di speciale. Un libro di medicina che mi sono portato dietro» mentì il dottore. La sua grande preoccupazione era che il primo ufficiale gli chiedesse di poter dare un'occhiata.

«Avete scelto il giorno sbagliato per farvi prendere dalla nostalgia. Piuttosto, che mi dite di *Redburn*? Vi sta piacendo?»

Gagliardo esitò prima di rispondere, diviso tra la soddisfazione per lo scampato pericolo e la delusione nel non aver potuto testare una qualche reazione da parte del suo interlocutore. «Oh, l'ho finito. Volevo giusto dirvi che l'ho trovato molto interessante. Vi ringrazio per avermelo consigliato.»

«Ne sono felice. Sappiate che è una sorta di romanzo autobiografico, vista l'esperienza dell'autore a bordo di due baleniere e l'arruolamento sulla fregata *United States*.»

«L'avevo intuito per la dovizia di particolari con cui sono stati dipinti il protagonista e il suo mondo. Grazie ancora, ve lo restituirò al più presto.»

Richardson gli diede una pacca sulle spalle. «Tenetelo pure.

Ve lo regalo. E ora, se permettete...» Girò sui tacchi e si portò verso prua.

Gagliardo non colse un benché minimo accenno di stupore nell'espressione dell'ufficiale, così come era avvenuto con i restanti marinai presenti sul ponte. Niente di niente, per cui decise di anticipare il rientro in cabina, allarmato anche da qualche starnuto di troppo della bambina.

Fu Head a bussare alla porta qualche minuto dopo per avvisare che il pranzo era pronto.

Gagliardo rivestì Sophia Matilda e la condusse in cambusa, dove trovò delle scodelle con baccalà, cavolo stufato e pane di segale. Al dottore sarebbe piaciuto deliziarsi ancora con le carni prelibate del marlin, ma, dopo la morte di Briggs, Richardson aveva dato espresso ordine di sbarazzarsi delle scorte del pesce, come se lo ritenesse responsabile dello sciagurato evento.

Il cuoco di bordo li lasciò mangiare in tutta tranquillità, sebbene dai suoi modi servili trasparisse il forte desiderio di rendersi utile, di comunicare. Gagliardo lo aveva capito, ma si era imposto di non cadere nell'errore di farsi influenzare da impressioni emotive e parziali. Non poteva permetterselo. I momenti di aggregazione sulla *Mary Celeste* erano ormai finiti. Soltanto saluti fugaci e sbrigativi. E poi, tutte le attenzioni erano solo per quella piccola orfana.

Rimpinzati dal pasto, Gagliardo e Sophia Matilda si intrattennero nuovamente sul ponte di coperta. Lui la teneva per mano, con il pensiero sempre rivolto alla sua esca, che custodiva sotto il cappotto, a sua volta protetto dalla mantella di tela incerata. Trattandosi di un tomo voluminoso, il dottore si era dovuto ingegnare per portarselo appresso, assicurandolo in vita per mezzo di un paio di bretelle rinvenute tra le cose di Briggs e usate a mo' di cintura. Un'esca che, tuttavia, sembrava non aver attirato le mire di nessuno. Ma era davvero così? Era il caso di recitare di nuovo la parte del lettore assorto? Magari, mostrando apertamente il titolo, chissà se qualcuno avrebbe abboccato...

Gagliardo vagava nell'incertezza, adesso. Intorno a lui, tutto era in movimento. La *Mary Celeste*, le vele, gli uomini.

Richardson fumava pensoso sul giardinetto. Goodschaad si arrampicava sulle griselle dell'albero di trinchetto. Lorenzen regolava la randa dell'albero di maestra. Head puliva il ponte di coperta, intingendo la spazzola nel secchio. A pensarci bene, era una scena di un disgusto paralizzante, una farsa avente come protagonista un assassino che fingeva in maniera magistrale.

Il brigantino prese a beccheggiare in balia del vento e della corrente, con la chiglia che, nel tagliare le onde screziate di schiuma, sollevava autentici muri d'acqua. L'oceano aveva assunto lo stesso colore del cobalto, agitato come un cane rabbioso, pronto a spalancare le sue fauci. Da qualche parte, lì attorno, il rombo di un tuono echeggiò lungamente nell'aria, tanto che il fasciame sembrò gemere di dolore.

A un certo punto Gagliardo ebbe l'impressione di essere osservato. In fin dei conti, agli occhi dell'assassino, lui era il ficcanaso, l'ospite indesiderato in grado di sparigliare le carte. Fino ad allora non aveva pensato di poter temere per la propria incolumità, ma dopo il ritrovamento di quel libro tutto veniva messo in discussione. Ed ecco che la trappola gli si poteva ritorcere contro in maniera letale. Il cuore prese a martellare nel petto.

Un altro boato, il vento sempre più forte, il fischio lacerante del sartiame. Tutti rumori che ora giungevano alle orecchie in modo distinto. Il dottore sollevò lo sguardo. Una nuvola dalla forma bizzarra, simile a un oggetto appuntito, si librava sotto la cupola del cielo con inquietante e spettrale immobilità. Sembrava un monito nei suoi confronti, quasi un richiamo divino che si celava in quello spazio traboccante di luce rifratta, mentre l'aria fredda e carica di sale gli schiaffeggiava il volto. Sentì qualcosa smuoversi dentro di sé. La voce enigmatica della sua coscienza lo spronava a trovare la via maestra. A sbarazzarsi delle sue ansie, delle sue paure.

Gagliardo si rese conto di non poter rimanere sul ponte un minuto di più, soprattutto per il bene di Sophia Matilda. Entrambi avevano bisogno di ritrovare il tepore della cabina. La prese per la mano e, insieme, raggiunsero il boccaporto. Mentre scendevano le scale, furono scossi dall'ennesimo tuono, inghiottito sommessamente dalle paratie della *Mary Celeste*.

La bambina gli strattonò la mantella e protese le mani in avanti.

Lui la fissò e capì che voleva essere presa in braccio. Allora la sollevò e la strinse al petto, quindi avanzò verso l'alloggio.

Non appena furono entrati, richiuse la porta e la adagiò sulle assi di legno, lasciandola libera di muoversi nello spazio amico.

Gagliardo si svestì della mantella e del cappotto, che gettò frettolosamente su una sedia. Guardandosi attorno, si rimproverò di come fosse stato capace in pochi giorni, da quando aveva occupato quella cabina, di creare un così tale disordine. Lo stesso disordine che in quel momento metteva a nudo un particolare agghiacciante: *Redburn* era posizionato con la scritta correttamente riportata sul dorso e non come lo aveva lasciato lui, con la scritta capovolta, cosa che non lasciava spazio a molte interpretazioni.

Qualcuno si era introdotto nella cabina.

* * *

Il piano aveva funzionato.

Anzi, il piano era andato oltre le aspettative.

Uno fra i restanti quattro uomini a bordo, approfittando dei momenti in cui lui e Sophia Matilda erano rimasti in cambusa, era penetrato all'interno della cabina e aveva frugato in giro.

Ma gli era andata male.

Dopo essersi spogliato, Gagliardo posò il libro di Orfila

sullo scrittoio. L'esca dunque aveva attirato il pesce, sebbene questo fosse rimasto a bocca asciutta. Si guardò intorno per sincerarsi che non mancasse niente. Non era facile, però, ricordare come aveva lasciato l'alloggio. Oltre l'oblò a babordo, si intravide il bagliore di un lampo e subito dopo arrivò il fragore del tuono, mentre il vento sbatacchiava costantemente la *Mary Celeste*, ormai attanagliata dai marosi.

Sophia Matilda subì un contraccolpo improvviso e cadde sul pavimento.

Il dottore scattò e la prese in braccio prima che lei scoppiasse a piangere, poi, nonostante le sue resistenze, la mise al sicuro dentro il lettino.

Spruzzi d'acqua si abbatterono contro i vetri degli oblò. Il brigantino beccheggiò con una violenza tale che Gagliardo pensò al peggio. E meno male che a detta di Richardson non c'era da preoccuparsi. Altro che fronte passeggero! Quella in corso gli pareva una vera e propria burrasca.

Vedendo la cinghia di cuoio che penzolava dal bordo della branda, il dottore fu tentato di legarsi così come aveva fatto la notte in cui aveva creduto di morire. Ma non lo fece. Sedette sulla cuccetta desolata di Mrs. Briggs e attese qualche secondo per cercare di scacciare quella sgradevole sensazione di malessere che si era impadronita di lui e che ormai conosceva bene. Dopo aver tratto dei profondi respiri, prese a scandagliare di nuovo l'alloggio con lo sguardo. Per il resto sembrava tutto a posto. Non avrebbe saputo dire se qualche altra cosa, oltre *Redburn*, avesse cambiato posizione lì dentro.

Ma c'era una certezza: il trattato sui veleni era un oggetto di cui il legittimo proprietario voleva riappropriarsi a tutti i costi, probabilmente per la foto della donna, una donna di nome Ada.

O forse perché riportava quella dedica scritta con l'inchiostro.

Per Andrew.

Che nesso c'era tra questo nome e i quattro superstiti della *Mary Celeste*? E gli articoli di giornale sull'incidente in cui aveva perso la vita Peter Holm?

L'istinto lo guidò verso il libro di Orfila. Lo afferrò ed estrasse nuovamente la busta del mistero. Stavolta ci riuscì semplicemente infilando l'indice. Spiegò i ritagli di giornale e lesse per la seconda volta i trafiletti che parlavano della collisione tra la nave *Hope* e il peschereccio *Ada Godosch*. Per ultimo si concentrò sul viso della donna in foto, studiandone i lineamenti, gli occhi. Gli sembrò di cogliere persino una somiglianza, anche se non sapeva dire con chi.

Era tutto così ingarbugliato che non era possibile giungere a conclusioni fondate. Tranne che a una: a inizio viaggio, quel libro non si trovava nella cabina del comandante. Qualcuno ce lo aveva portato di proposito, occultandolo nell'armonium. Probabilmente proprio Briggs, che poi aveva fatto divieto alla moglie di suonare lo strumento.

Era davvero una forma di rispetto nei confronti dei marinai uccisi, la motivazione che si celava dietro quell'ordine perentorio, oppure la precisa volontà di nascondere quel tomo dal contenuto inquietante?

Gagliardo, seppur disturbato dal crescente moto dell'imbarcazione, articolava ragionamenti, ventilava ipotesi. La sua mente fece un balzo indietro nel tempo, ai momenti trascorsi proprio insieme al capitano. Ce n'era stato uno in particolare in cui Briggs aveva cambiato espressione e tono della voce.

Chiuse gli occhi e cercò di concentrarsi, chiedendo ai suoi sensi di azzerare i pensieri. Tutto ciò che desiderava era rivivere un passato non troppo lontano. Sentiva di potercela fare, doveva soltanto ripescare quell'immagine cristallizzata nello scrigno dei ricordi.

Quando gli occhi si riaprirono, puntarono decisi sempre nello stesso punto, alla ricerca del libro di Orfila. Dove si trovava, quel volume, prima di essere infilato nell'armonium?

Gagliardo iniziò a sentire l'adrenalina scorrergli nelle vene perché ora affiorava un'idea nuova, una pista da seguire, un posto preciso dove controllare. Si accorse che il suo malessere era stato soppiantato da una strana euforia che gli percorreva le membra.

Si alzò barcollando, come colto da vertigini. Gettò uno sguardo a Sophia Matilda, che nel frattempo si era assopita, abbracciata alle sue bambole. Avanzò di qualche passo fino a distendersi sulla branda del capitano Briggs, che ormai a tutti gli effetti era diventata la sua.

Mentre era di nuovo in balia dei più disparati pensieri, il dottore si sentì preda di un'altra strana sensazione dovuta alla postura sul materasso. Mosse gli arti. No, non era immaginaria. Quella percezione era fisica, concreta, reale.

Si alzò con uno scatto ed esaminò la branda facendo scorrere lo sguardo dal bordo superiore a quello inferiore, i piedi piantati sulle assi di legno a contrastare gli scossoni del brigantino. Poi, con un gesto deciso, afferrò il materasso e lo sollevò.

Rimase immobile a fissare per diversi istanti ciò che si era materializzato davanti ai suoi occhi.

Anzi, che non si era affatto materializzato.

La daga, l'ascia e il cofanetto contenente il revolver, infatti, erano spariti.

18

Oceano Atlantico, 23 novembre 1872
(11 giorni prima del ritrovamento)

«Potete tenere la bambina per un po'?»

Richardson si era affacciato sulla soglia della propria cabina, la faccia ancora assonnata, le braghe tenute su precariamente con le bretelle.

«Certo, lasciatela pure a me» rispose in maniera poco convinta.

Gagliardo aveva aspettato che il primo ufficiale, ritiratosi nel suo alloggio alle prime luci dell'alba dopo essere stato ai comandi tutta la notte, avesse riposato a sufficienza. Aveva anche udito Head bussare alla sua porta e un vociare da cui aveva capito che gli era stato portato il pranzo. Evidentemente la stanchezza era stata così forte da indurre l'unico timoniere di ruolo a restare in branda, salvo il tempo necessario per mangiare. Al dottore rincresceva arrecare disturbo, ma non poteva fare altrimenti. La sua indagine era ormai entrata nel vivo e doveva portarla avanti a tutti i costi.

Sophia Matilda protese le braccia in avanti, le lacrime che le rigavano il viso. «Dotto-he! Dotto-he!»

Nel momento in cui la porta si richiuse, Gagliardo sentì un nodo allo stomaco. Dopo la morte di Mrs. Briggs, il suo legame con quella creatura era diventato così viscerale che non avrebbe potuto fare a meno di lei. Ma calarsi totalmente nelle vesti di padre premuroso e preoccupato non avrebbe finito per far soffrire entrambi? Probabilmente sì, perché una volta giunti a Genova, se mai ciò fosse avvenuto, le loro strade si sarebbero divise per sempre, un po' come aveva fatto Redburn con il suo amico Harry. La sola cosa che voleva era la felicità di Sophia Matilda e per questo si sarebbe prodigato con ogni mezzo affinché lei potesse riabbracciare gli unici affetti rimasti nel lontano Massachusetts, la nonna e il fratello maggiore Arthur. E per i superstiti sarebbe iniziato l'incubo dell'inquisizione.

Gagliardo si diresse verso la scala del cassero di poppa, bardato con il solito cappotto e la mantella a cui non rinunciava più. Stretto in vita, aveva sempre il libro di Orfila, il tassello mancante in grado di completare il mosaico e svelare finalmente chi si celava dietro ai delitti.

Una volta in coperta, guardò lontano per dissimulare la tensione. Il barometro di Richardson non aveva mentito. Così come era giunto, il cattivo tempo si era dileguato in fretta, lasciando il posto a un cielo azzurro, ma l'orizzonte non prometteva nulla di buono perché numerose nubi grigiastre andavano ammassandosi come un gregge di montoni.

Fingendo disinteresse, guardò di sottecchi i movimenti degli altri tre marinai a bordo. Goodschaad al timone, Lorenzen intento a regolare le scotte dell'albero di maestra, Head a spazzare il ponte. Solo quest'ultimo sembrò accorgersi di lui con un fugace quanto timido sguardo. Gagliardo non se ne preoccupò più di tanto, il massimo sospetto che poteva suscitare era di essere salito sul ponte senza Sophia Matilda. Chi avrebbe pensato a intenzioni ambigue? Nessuno, sperava dentro di sé.

Il dottore impresse ogni cosa nella mente, ogni particolare possibile. Affinché il piano funzionasse, era indispensabile che egli usasse la massima prudenza e attenzione perché, come aveva minacciato Briggs, era sempre vivo il pericolo di incontrare il diavolo. D'altronde, il furto delle armi era un chiaro segnale.

Se non proprio un atto ostile nei suoi confronti, quanto meno un guanto di sfida e una dimostrazione di assoluta freddezza. Fino a quel momento aveva tenuto Richardson all'oscuro di tutto. Era il caso di parlargliene? Da un lato forse sarebbe stato meglio metterlo in guardia, dall'altro, nell'incertezza generale, le informazioni sul libro di Orfila e sulla sottrazione delle armi potevano nuocere addirittura alla sua incolumità.

No, adesso la partita si giocava a due. Come negli scacchi. E, dopo la notte trascorsa in posizione di stallo, Gagliardo era pronto a rompere gli indugi e sferrare lo scacco matto. Ed ecco, quindi, che riaffioravano le strategie di quei giochi che gli avevano forgiato la mente.

Muovendo pochi passi alla volta, Gagliardo si portò fino al centro della *Mary Celeste*. Goodschaad continuava a starsene tranquillo al timone, mentre Head e Lorenzen erano passati a sistemare le cime nel gavone di poppa. Il dottore sapeva che non sarebbe stato facile introdursi nel luogo dove egli credeva si celasse la chiave dell'enigma. Ma lui era fiducioso. L'occasione di entrare in azione senza essere visto da quegli uomini si sarebbe presentata soltanto se avesse aspettato il momento giusto.

Si tastò il ventre per ottenere l'ennesima rassicurazione sulla presenza del libro, quindi si deterse la fronte imperlata di sudore. Il sole cominciava a scaldare, ma lui sudava anche per l'agitazione. Respirò a fondo per cercare di rallentare i battiti del cuore e si sporse oltre il parapetto. A un certo punto sentì il brigantino perdere l'abbrivio e andare quasi a una leggera deriva. Il suo sguardo si spostò rapidamente da prua a poppa. Lorenzen e Goodschaad si erano infilati nel gavone a cercare qualcosa. Lo si capiva dal tono di voce attutito di Boz, che giungeva da poppa. Nello stesso istante, con una sporta in mano, Head imboccò il portello che conduceva alla stiva. Richardson, non potendo ormai essere onnipresente, era stato costretto a riconsegnare al cambusiere le chiavi del lucchetto. Un atto di fiducia necessario.

La *Mary Celeste*, dunque, era in quel momento abbandonata a se stessa, con il ponte deserto.

Quale occasione migliore per agire? Probabilmente non ce ne sarebbero state altre nei prossimi minuti.

Con passi rapidi, Gagliardo puntò deciso verso la tuga. Prima di penetrare all'interno, si voltò per sincerarsi di non avere occhi addosso.

Entrò con il cuore in gola, quindi si richiuse la porta alle spalle a vi si appoggiò contro. Guardò il pavimento memore dell'ispezione fatta insieme a Briggs. Ricordava perfettamente il frangente in cui il capitano, prima di abbandonare quel posto, aveva abbassato lo sguardo, palesando poi un'espressione turbata. Prese quindi a calpestare le assi di legno in un punto preciso, finché una di esse non emise uno strano scricchiolio.

Si inginocchiò e vi passò una mano sopra. Quando premette su un'estremità dell'asse, questa si sollevò, uscendo dal proprio incastro. Gagliardo sentì un nodo stringergli la gola. Sotto, c'era un incavo rettangolare.

In preda alla smania, Gagliardo recuperò il tomo di Orfila nascosto sotto il cappotto e, con mani incerte, lo introdusse nell'incavo, scoprendo che esso si incastrava alla perfezione. Ne ebbe ulteriore conferma quando, sistemata l'asse nella posizione originaria, essa tornava a formare un pavimento regolare.

Il mosaico aveva trovato l'ultima tessera.

Gagliardo si riappropriò del libro e fece per risistemare l'asse, quando si accorse che essa recava una piccola macchia rossastra lungo il bordo.

Riposizionò il tutto e, dopo aver sbirciato fuori dalla porta, si allontanò dalla tuga. Non c'era tempo per cercare le armi sottratte, sempre ammesso che si trovassero là dentro. L'operazione si era svolta in pochi minuti senza alcun problema. La soddisfazione fu ancora più grande quando, poco dopo, il dottore vide Head emergere dal boccaporto, nel momento in cui lui era già affacciato al parapetto a scrutare il mare.

"Appena in tempo", si disse in un sospiro di sollievo, pensando all'oggetto che gli aderiva al corpo come una seconda pelle, un oggetto in grado di inchiodare finalmente l'assassino della *Mary Celeste*.

Bisognava soltanto capire come farlo.

E, mentre studiava le mosse successive, strinse le mani a pugno e si diresse verso il cassero di poppa.

* * *

Gagliardo rientrò in cabina con Sophia Matilda stretta tra le braccia. Gli si era avvinghiata al corpo con entrambe le mani, la testa infilata nell'incavo del suo collo.

«Pappa!» esclamò lei una volta che fu libera di sgambettare.

Gagliardo sapeva che, a metà pomeriggio, Sophia Matilda reclamava sempre qualcosa da mangiare. Per quel motivo si era munito di pane di segale e del solito formaggio cremoso. E così ne spalmò in abbondanza sopra un paio di fette.

Dopo che ebbe sfamato la bambina, il dottore si distese sulla branda cercando di elaborare la seconda parte del piano. Con l'oceano tornato calmo, non più motivo di disturbo per i suoi ragionamenti, era il momento di sferrare l'attacco decisivo. Sentiva di dover partire proprio dal mare, lo specchio dei pensieri più intimi. Il giorno in cui era salito a bordo della *Mary Celeste*, si era reso conto che quella superficie liquida e mutevole acquistava una visione diversa se osservata dall'alto. Fin dai primi istanti, in essa aveva visto riflettersi tutto ciò che soggiaceva nelle profondità dell'animo, dalle paure più recondite ai sogni impossibili. Forse, adesso, se avesse sfruttato quella contemplazione fatta di silenzio e totale abbandono, avrebbe potuto esaltare il suo acume investigativo.

Già, ma chi era veramente l'assassino?

La logica gli suggeriva una persona ben precisa. C'era però un problema insormontabile: quella persona era morta.

E allora, com'erano andati realmente i fatti?

Notando che Sophia Matilda si era estraniata con le bambole, chiuse gli occhi e cercò di ripercorrere tutto il viaggio, fin da quando si era imbarcato. Gli procurò una strana emozione pescare nei cassetti della memoria, rivedere persone non più in vita, interrogare i loro sguardi, sentire le loro voci.

Rivisse varie scene: il caloroso benvenuto sulla *Mary Celeste*, i pranzi e le cene in cambusa, la difficoltà nel cercare di imprimere nella mente i nomi degli uomini dell'equipaggio. E poi ancora di quando quegli stessi marinai gli avevano illustrato le principali operazioni di bordo, le vele, gli alberi, il sartiame. E, infine, con raccapriccio, l'avvelenamento dei primi sventurati, l'assassinio di Gilling e Briggs, intervallata da quella surreale battuta di pesca al marlin, la scoperta del libro e degli articoli di giornale in esso nascosti, la lettura del giornale di bordo e della lista dell'equipaggio.

Gagliardo ebbe un sussulto.

Certo! La lista dell'equipaggio!

Si alzò dalla branda e uscì dalla cabina, poi bussò a quella di Richardson.

La porta si aprì qualche secondo dopo.

«Che cosa posso fare stavolta per voi, dottore?» chiese l'ufficiale facendo capolino. La voce tradiva, per la prima volta, una certa insofferenza.

«Mi spiace disturbarvi ancora, Albert. Ho bisogno di consultare il giornale di bordo.»

Richardson aprì la porta in maniera più decisa e accennò all'interno. «Entrate pure. È sullo scrittoio.»

Senza farselo ripetere due volte, Gagliardo puntò dritto verso il documento, l'afferrò e iniziò a far scorrere le pagine, fino a fermarsi sulla lista dell'equipaggio, ripiegata in mezzo ai primi fogli del registro. Prese a esaminarla con estrema attenzione.

In alto, essa recava l'intestazione con in mezzo il simbolo di un'aquila. Poco sotto erano riportati i nomi dell'imbarcazione e del comandante Briggs. Quindi l'elenco del resto dell'equipaggio: Richardson, Gilling, Head, Volkert Lorenzen, Martens, Boz Lorenzen e Goodschaad. Di fianco a ognuno di loro erano indicati i luoghi di nascita e lo Stato di residenza, per tutti gli Stati Uniti d'America, e poi l'età e le caratteristiche fisiche come statura, carnagione e colore dei capelli. Infine, in basso, le indicazioni del viaggio, dal luogo di partenza a quello di destinazione, il tutto firmato dal comandante e dai funzionari portuali.

A ben guardare, non vi era alcun riferimento a Sarah Elizabeth e Sophia Matilda, cosa che lo fece interrogare su come facile fosse prendere a bordo dei clandestini, a dispetto di quanto Briggs gli avesse fatto credere.

Ma poco importava, perché in quel momento c'era un'informazione in particolare che gli interessava. Un semplice numero, che si impresse nella sua testa.

«Trovato qualcosa?» chiese Richardson, fermo sulla soglia.

«Era solo uno scrupolo» rispose Gagliardo in tono vago chiudendo il registro. «Perdonate ancora la mia irruenza. Torno dalla bambina.»

Salutò con un leggero cenno del capo e uscì, sotto lo sguardo smarrito del primo ufficiale.

Serrata la porta della cabina, il dottore si fiondò sul libro di Orfila, sui ritagli di giornale e sulla foto di quella donna.

Lesse ancora ciò che conosceva a memoria. Fece diversi calcoli mentali, rifletté sul senso delle parole e, quando giunse a comprenderle, sentì il cuore accelerare.

A quel punto tutto fu chiaro.

La tessera mancante del mosaico non era il libro di Orfila.

Erano tante, differenti, alcune di esse perfino immateriali. Piano piano, erano state estratte dalla sua mente e ora si erano incastrate tutte al loro posto, una dopo l'altra, fino a rivelare il quadro finale.

Antonio Gagliardo poteva finalmente dire che la turpe catena di delitti aveva una spiegazione razionale.

Spaventosa, assurda, scioccante, ben oltre la normale immaginazione.

Ma c'erano delle prove? No, non ce n'era nessuna, purtroppo. Questo, però, l'assassino non poteva saperlo. Non poteva sapere quali carte avesse in mano il suo sfidante.

Ed ecco che la soluzione, l'unica, sorgeva naturale nella sua strategia: metterlo alle strette e costringerlo a confessare.

Certo, avrebbe fatto proprio così. L'indomani, al cospetto dei superstiti di quel viaggio sciagurato.

Li avrebbe convocati sul ponte di coperta, li avrebbe guardati a lungo negli occhi e, di fronte alle sue articolate riflessioni, avrebbe saggiato poi le reazioni a caldo dell'accusato, cosa indispensabile per poter trasformare gli indizi in prove schiaccianti.

Sarebbe stata la resa dei conti che avrebbe portato a galla un'amara verità, destinata a rimanere impressa dentro di loro come una cicatrice indelebile.

19

Oceano Atlantico, 24 novembre 1872
(10 giorni prima del ritrovamento)

Il momento cruciale era arrivato.

Dopo una sera trascorsa ad arginare i capricci di Sophia Matilda, Gagliardo era scivolato in un sonno turbolento, interrotto definitivamente poco prima dell'alba, quando il chiarore del giorno nascente aveva cominciato a traboccare oltre gli oblò.

Mentre la cabina riacquistava pian piano le sue forme, il dottore si era vestito in tutta fretta per scacciare un freddo innaturale che gli era entrato nel corpo, gli occhi sempre vigili sulla bambina. Mai come in quel momento si era reso conto di come la sua vita, ormai, dipendesse totalmente da lei. Non l'avrebbe mai immaginato, per questo molto spesso si ritrovava a dover lottare contro lo sconforto della solitudine.

Ma ancora una volta era riuscito a non farsi sopraffare dai sentimenti negativi. Guardare avanti era l'unica cosa necessaria.

Poi Sophia Matilda si era svegliata. Aveva domandato della mamma e del papà, lasciandosi travolgere da un pianto quasi isterico. Gagliardo aveva avuto il suo bel da fare per tenerla buona e, per gran parte della mattinata, si era prestato a giocare con lei, persino a scorrazzare da una parte all'altra della cabina con bambole e gomitolo di lana. Poi era stato il turno dei disegni da colorare e, infine, dell'armonium. Ma già alle prime note il dottore si era accorto che l'incanto della musica era ormai finito, come se la bambina avesse percepito il maldestro tentativo di sostituire Sarah Elizabeth.

"I bambini non dimenticano" aveva detto a Richardson.

Come avrebbe potuto anche lui ignorare ogni passaggio del confronto finale che di lì a poco si sarebbe consumato fuori da quelle pareti di legno?

Per questo aveva voluto aspettare prima di chiedere a Richardson di far radunare tutti in coperta subito dopo pranzo, anche se mangiare era l'ultima cosa che lui aveva intenzione di fare. Al solo pensiero del cibo, sentiva lo stomaco rivoltarsi, l'ansia crescere a dismisura, tanto che aveva dovuto ricorrere nuovamente al laudano.

Quando emerse dal boccaporto del cassero di poppa, tenendo per mano Sophia Matilda, trovò gli uomini ad attenderlo, così come concordato. Lì, disposti in una sorta di semicerchio sotto l'albero di maestra, stretti nelle loro giubbe blu e i calzoni bianchi. Il vento era moderato, il cielo terso. Le vele ben spiegate proiettavano le loro ombre allungate sul ponte.

Non appena li ebbe raggiunti, Gagliardo si chinò sulle ginocchia e, dopo aver baciato Sophia Matilda sulla fronte, si rialzò, sincerandosi che lei rimanesse nel suo campo visivo, ma libera di giocare con le bambole. Poi, come si era ripromesso, fissò intensamente Richardson, Head, Boz Lorenzen e Goodschaad.

«So chi è l'assassino» esordì a bruciapelo.

Nessuno si mosse. Nessuno batté ciglio.

«Anzi» riprese il dottore, «gli assassini.» Fece sparire le mani nelle tasche del cappotto per non mostrare la propria inquietudine e, durante il movimento, sentì la protuberanza del libro di Orfila sotto il tessuto. «Gli assassini sono due, o forse tre, ma soltanto uno di loro è rimasto in vita ed è qui presente.»

A quelle parole gli sguardi degli uomini si incrociarono come spade taglienti.

«Poca accademia, dottore» lo redarguì Richardson con voce seccata. «Venite subito al sodo.»

«Dotto-he!» fece eco Sophia Matilda con tutta la sua innocenza.

Gagliardo estrasse le mani dal cappotto e, con la sinistra, accarezzò la testa della bambina. «Forse voi tutti ricorderete quando il capitano Briggs e io procedemmo a ispezionare la nave.»

Soltanto Richardson annuì con un leggero cenno del capo, mentre gli altri continuavano a mostrare un'aria impassibile.

«Ebbene» riprese il dottore, «non saltò fuori nulla, ma io ebbi l'impressione che il capitano, invece, avesse fatto una scoperta. Con la scusa del rum trovato in cambusa, egli tornò in un posto preciso per recuperare qualcosa, che poi occultò nell'armonium di Mrs. Briggs.» Con gesti calcolati, slacciò i bottoni del cappotto quel tanto che serviva per estrarre il libro di Orfila, quindi lo sollevò nell'aria tenendolo in bella mostra. «*Trattato sui veleni*, come potete leggere. Qui sono elencati tutti i veleni conosciuti, origini, il grado di pericolosità, effetti più comuni in caso di ingestione, sintomi e quant'altro.» Fece una pausa studiata per catturare la piena attenzione dei presenti. «Compreso anche l'arsenico, naturalmente.»

«È il libro che stavate leggendo l'altro giorno» intervenne Richardson. «Mi avete detto che era un testo medico di vostra proprietà.»

Gagliardo scosse la testa. «Vi ho mentito. Questo volume, in realtà, era inizialmente nascosto nella cabina occupata da Gilling e Goodschaad, sotto un'asse appositamente resa rimovibile vicino al letto del secondo ufficiale. Un'operazione frettolosa con la quale proprio Gilling si procurò incautamente una ferita. Provvidi a estrarre personalmente una scheggia di legno conficcata nel palmo della mano e forse ricorderete la sua fasciatura. Tra l'altro, proprio ieri, ho potuto riscontrare una macchia di sangue rappreso lungo il bordo dell'asse di cui vi parlavo.» Fece una pausa. «I due amici, visto i numerosi libri presenti, condividevano la passione per la lettura...»

«Quindi chi è stato ad avvelenare il latte?» lo interruppe Head, confuso. «Gilling?»

«Potrebbe essere stato lui, cosa che invece il capitano Briggs diede per certa quando lesse una dedica riportata sulla prima pagina del libro. Il capitano associò fin da subito quel nome al legittimo possessore.»

«Spiegatevi meglio. A chi vi riferite e, soprattutto, quale sarebbe la ragione?» lo incalzò Richardson.

«C'è voluto un po' di tempo per mettere insieme i pezzi, ma alla fine sono arrivato anche al movente.» Gagliardo fece sparire il libro all'interno del cappotto. «Si è trattato di una vendetta.»

«Vendetta?» ripeté Richardson sempre più smarrito.

«Proprio così. Dopo aver trovato il volume di Mathieu Orfila che vi ho mostrato, Briggs pensò di essersi imbattuto in una verità inaspettata, ovvero che Gilling non fosse, in realtà, quello che diceva di essere. Sicuramente di origini danesi, con padre e nonno marinai, ma con un cognome falso. A rafforzare i suoi sospetti, con ogni probabilità, ci pensarono dei ritagli di giornale custoditi all'interno del libro assieme alla foto di una donna di nome Ada. Erano tutti conservati dentro una busta a propria volta occultata tra fodera interna e copertina, ragion per cui non posso dire con certezza che il capitano li abbia trovati. Mi sento invece di affermare che quel giorno Andrew Gilling, agli occhi di Briggs, divenne Andrew Holm.»

A quelle parole, la faccia allarmata di Richardson mutò in una maschera di sgomento.

«Andrew Holm era il figlio di Peter Holm» proseguì Gagliardo, «pescatore e marinaio morto annegato in un incidente al largo di Boston, a causa di una collisione tra il suo peschereccio, l'*Ada Godosch*, e il mercantile *Hope*, quando Andrew era ancora un ragazzo, un ambizioso ragazzo del Massachusetts che si trovava a bordo e che aveva già deciso di entrare nel mondo della marina.» Fece scorrere gli occhi sugli uomini che per la prima volta cominciavano a mostrare segni di inquietudine: Head tossì in una mano, mentre Lorenzen e Goodschaad si scambiavano sguardi furtivi. Poi il dottore si rivolse nuovamente all'indirizzo di Richardson. «Albert, volete continuare voi?»

Il primo ufficiale fece un cenno d'assenso. «C'ero anch'io a bordo della *Hope*, all'epoca avevo sedici anni. Posso assicurarvi che si trattò di un impatto di poco conto, una strisciata. Quel peschereccio comparve all'improvviso in mezzo alla nebbia. Se lo avessimo centrato come qualcuno sosteneva, sarebbe colato a picco. Ci fu un processo e Briggs fu etichettato dalla gente come il principale responsabile della disgrazia, ma alla fine fu scagionato dalle accuse.» Richardson restituì lo sguardo al dottore. «Quindi Gilling ha aspettato tutti questi anni prima di farsi assoldare sotto falso nome e regolare i conti...»

Gagliardo fece una smorfia. «Logica deduzione a cui anche Briggs era giunto. Il libro nascosto vicino al letto e soprattutto il nome e la nazionalità dell'ufficiale in seconda erano elementi inconfutabili che richiedevano l'adozione di una risposta tanto immediata quanto drastica, specie se a essi si aggiungevano gli articoli di giornale occultati all'interno del tomo. L'assassino che ha commesso il secondo omicidio è dunque Briggs. Ha elaborato il piano per crearsi un alibi e poi colpire alle spalle colui che rappresentava il pericolo numero uno per la propria incolumità e per quella dei suoi familiari. Gli è andata anche bene perché la moglie quella sera, avendo assunto del laudano, non si è accorta della sua sortita sul ponte di coperta. Quindi lei è stata sincera nel confermare che il marito non si era mosso dalla cabina. Dopo il delitto, per confondere le acque, Briggs ha continuato a farci credere che il dispensatore di morte fosse ancora presente in mezzo a noi, alimentando sospetti e tensioni, nonché facendomi promettere di prendermi cura della sua famiglia in caso gli fosse capitato qualcosa. Inoltre, per non far allarmare Sarah Elizabeth, le ha proibito di suonare l'armonium con il falso pretesto di dover portare rispetto ai marinai morti. Ricorderete anche il passo della *Bibbia* letto durante il rito funebre di Gilling. Sì, Briggs aveva ritenuto necessario compiere un sacrificio e pensava naturalmente di averla scampata. Invece si era sbagliato di grosso nel sentirsi al sicuro.»

Richardson trasalì. «Benjamin assassino. No, non posso crederci.» Scosse la testa. «Rimangiatevi ciò che avete detto!»

«Non posso, Albert» ribatté Gagliardo, «perché ho la convinzione che questo corrisponda alla realtà.»

L'espressione del primo ufficiale passò dallo sconcerto al disappunto di chi non è abituato a essere contrariato. Nel tentativo di recuperare un briciolo di autorità, voltò la testa alla ricerca dei tre marinai, ma nel farlo non si rese probabilmente conto di essere indietreggiato di un passo, come se soltanto allora avesse preso coscienza che in mezzo a quegli uomini si nascondeva un altro colpevole. Ritornato in sé, si rivolse di nuovo a Gagliardo. «Non avete ancora detto chi ha avvelenato il latte e chi ha ucciso Briggs.»

«Domanda consequenziale e legittima, che ci conduce al primo e al terzo delitto.» Il dottore lanciò un'occhiata fugace verso Sophia Matilda, la quale gli restituì l'immagine malinconica di una bambina in disparte intenta a consolarsi con i suoi giochi. Poi si guardò attorno. «Una cosa importante a cui Briggs non seppe dare una spiegazione, ammesso che l'abbia rinvenuta, fu proprio quella foto conservata insieme agli articoli. Già, forse non la vide mai o forse pensò potesse trattarsi della madre di Gilling. In ogni caso non era così.» Trasse un profondo respiro. «All'inizio di questo viaggio mi capitò di udire proprio voi, Albert, chiamare Gilling con il suo nome di battesimo. "Andrew" pronunciato ad alta voce, lo ricordo perfettamente. Così come ricordo perfettamente che nell'occasione furono in due a voltarsi: Gilling e Goodschaad. Quante volte succede di girarsi senza essere chiamati? Succede, sì, ma lo sguardo di Gottlieb era genuino, spontaneo, come un attore sovrappensiero che esce improvvisamente dalla parte che sta recitando.» Si interruppe. «Vedete» riprese con voce più riflessiva, «ci sono tante stranezze che ruotano attorno alla figura di questo marinaio sfortunato, stranezze che a un certo punto hanno cominciato ad assillarmi, una dopo l'altra.» Gagliardo ammiccò verso Goodschaad. «Come quel giorno della pesca al marlin, quando nel ritrarre la mano, dopo essere stato ferito dalla preda percorsa da un ultimo spasmo, si lasciò sfuggire un mugugno, ma che in realtà era molto di più, quasi una parola. In quel momento di euforia non gli diedi il giusto peso, ma ieri la scena è tornata a svolgersi davanti ai miei occhi, recuperata dai miei ricordi. Un'imprecazione strozzata a metà che chiunque privo di corde vocali sarebbe incapace di emettere. E che dire della cicatrice sulla fronte? Frutto dell'incidente tra il peschereccio dello sfortunato Peter Holm e il mercantile *Hope*?» Spoglio di ogni timore, Gagliardo mosse un passo verso il suo obiettivo. «Che ne dite, Gottlieb? È una coincidenza che l'anagramma del peschereccio *Ada Godosch* sia proprio "Goodschaad"? Preferite che vi chiami con il vostro nome reale? Ditemi pure, Andrew Holm, raccontate la verità a tutti noi. La donna in foto è vostra madre, stesso nome dato al peschereccio. E poi voi non siete tedesco. E non siete nemmeno muto, vero? Vi siete fatto meschinamente scudo di questa menomazione per suscitare compassione e rimanere nell'ombra mentre avvelenavate il latte per tentare di uccidere Benjamin Briggs. Non è forse così?»

Richardson, Head e Boz Lorenzen si allontanarono subito da Goodschaad. Sembravano impauriti, spaventati, come se avessero visto un morto svegliarsi di colpo.

«Non esiste alcuna maledizione sulla *Mary Celeste*» continuò Gagliardo con una lucidità che sorprese se stesso. «I fatti accaduti qui a bordo hanno una spiegazione terrena e logica.» Sollevò l'indice davanti a sé. «I due Andrew, amici per la pelle, quasi fratelli, entrambi danesi. Talmente amici che Andrew Gilling si offre di aiutare l'altro a compiere la vendetta. Sfrutta la sua posizione di ufficiale per tirare a bordo l'orfano in cerca della propria nemesi.»

Head bofonchiò qualcosa, ma Gagliardo si affrettò a zittirlo con un cenno della mano.

«Ditelo ai vostri compagni, Gottlieb!» Il dottore li indicò. «Dite che siete stato voi, forse con l'aiuto di Gilling, ad avvelenare due marinai innocenti. Dite anche il vero motivo per cui avete inspiegabilmente votato a favore della prosecuzione del viaggio. Vi serviva più tempo, o sbaglio? Dopo il fallimento iniziale non sapevate quando e come colpire. E infine dite a tutti noi che, uccidendo Benjamin Briggs, avete portato a termine la vendetta per la morte di vostro padre e del vostro migliore amico! Non guardatemi soltanto! Parlate, perdio!»

Incalzato dalle accuse, Gottlieb Goodschaad cambiò espressione, i lineamenti del volto si contrassero, tanto che la cicatrice sembrò animarsi sotto il berretto. La sua mano sparì dentro la giubba per ricomparire subito dopo stretta intorno a una pistola dalla lunga canna. Il revolver di Briggs. Indietreggiò di qualche passo, come per prendere una posizione di dominio, gli occhi malevoli, la bocca ora deformata in un sorriso perfido. «Devo riconoscere che siete più scaltro di quanto pensassi, dottore.» Poi sollevò l'arma e gliela puntò contro. «Peccato, però, che il vostro teatrino non servirà a nulla.»

* * *

Antonio Gagliardo teneva lo sguardo costantemente a metà tra l'arma e gli occhi azzurri di Goodschaad. Poi lo rivolse all'indirizzo di Sophia Matilda. Si rimproverò di averla portata sul ponte. Consapevole di dover stanare l'assassino, non aveva considerato che questi potesse essere armato, nonostante il pensiero sempre vivo del furto in cabina. Aveva voluto sfidare il diavolo senza immaginare quanto brutale sarebbe stata la risposta: la canna di una pistola puntata in faccia. Così facendo, però, aveva messo sotto scacco anche gli uomini della *Mary Celeste* e, soprattutto, una bambina di due anni. Non si sarebbe mai perdonato se le fosse accaduto qualcosa di spiacevole.

Non soltanto la paura a tormentarlo, dunque, ma anche i sensi di colpa. Tuttavia si riconobbe il merito di aver portato a termine il piano nel modo desiderato, inducendo l'assassino a confermare le sue congetture, il che equivaleva a rendere una piena confessione davanti a dei testimoni.

Andrew Holm, alias Gottlieb Goodschaad, era stato smascherato.

«Mettetela giù, Gottlieb, non fate stupidaggini» lo ammonì Richardson in tono persuasivo. «Voi non potete immaginare quanto sia pericolosa quell'arma anche per voi stesso.»

Goodschaad batté per un attimo le palpebre, distratto dall'improvviso cambio dell'interlocutore. Per il resto non si scompose, la mano sempre salda intorno al calcio del revolver. «Voi dovreste avere il buongusto di tacere» tuonò improvvisamente all'indirizzo del primo ufficiale. Sorrise, una risata appena accennata, nervosa. «Io ricordo bene quella sera. C'era una leggera foschia, la nebbia si alzò dopo, quando mio padre era già prigioniero delle acque. Non si trattò di una strisciata. Quel dannato mercantile ci venne addosso come un bisonte inferocito.»

«Non è come dite» rispose Richardson, attento a non irritarlo oltremodo. «La visibilità era pessima e non c'era lo straccio di una lampada a segnalare la vostra presenza.»

Goodschaad puntò minacciosamente l'indice verso il primo ufficiale. «Chiudete il becco! Se non vi ho tolto di mezzo, è solo perché quella sera maledetta non eravate gravato da responsabilità. Ma adesso sono cambiate un po' di cose...»

«Che volete fare? Ammazzarci tutti?» chiese Gagliardo. «E poi, come pensate di condurre da solo questa nave fino a Genova?»

Le labbra di Goodschaad si piegarono in un ghigno. «E chi vuole andare a Genova? Potrei decidere di sbarcare in Portogallo, o magari alle Azzorre, visto che ci troviamo a qualche centinaio di miglia di distanza.»

«Non riuscireste a farla franca. Ragionate, Gottlieb!» ribadì Gagliardo.

«Silenzio! Adesso fate come vi dico. Voi, dottore, non azzardatevi a muovere un passo.» Poi indicò Richardson. «Voi mettetevi accanto al dottore.» Quindi si rivolse a Head e Lorenzen, che si trovavano alla sua destra. «Voi due, invece, più in là, vicino alle gomene.»

Mentre tutti eseguivano gli ordini, Goodschaad inquadrò di nuovo Gagliardo. «Voglio che rimaniate bene in vista e... niente scherzi, altrimenti non ci penserò un secondo a fare fuoco.» La canna della pistola oscillò febbrilmente da una parta all'altra. «Nel tamburo c'è una pallottola per ognuno di voi.» Poi brandì l'arma all'indirizzo di Richardson. «Primo ufficiale, visti i vostri trascorsi di valoroso soldato, volete spiegare voi che mi basta sollevare il cane e premere il grilletto per mandarvi tutti quanti al Creatore?»

Richardson alzò le mani. «Gottlieb, vi prego, non perdete il senno, c'è una bambina tra di noi.»

«Non siate così stupido da volermi impietosire, Mr. Albert, parlandomi di senno. Io ho già perso tutto anni fa, quando Briggs ha ammazzato mio padre e rovinato la mia vita per sempre.» Goodschaad sembrava provato dal ricordo: gli occhi lucidi, la canna del revolver che fremeva incerta, puntata ora verso il primo ufficiale, ora verso Gagliardo, tale era il suo turbamento. «Fui costretto a disfarmi del peschereccio per pochi dollari» riprese subito dopo, «perché non ero in grado di sostenere le spese di mantenimento. I pochi spiccioli versati dall'assicurazione finirono in breve tempo. Una miseria, considerato che c'erano tre bocche da sfamare. Per me, mia madre e mia sorella fu l'inizio di un incubo. Ero ancora un ragazzo e dovetti accettare i lavori più umili e mal retribuiti per portare il pane a casa. E sapete come finì?» Si bloccò come se aspettasse una replica dal primo ufficiale, una replica che non arrivava. Si voltò verso Gagliardo. «Volete rispondere voi?»

Il dottore era impietrito. A paralizzare le sue facoltà mentali era soprattutto la voce di quell'uomo, più dell'arma che impugnava. Una voce a cui non era abituato. Una voce aspra, rabbiosa e per certi versi ammaliante nella sua sofferta durezza. Scosse la testa. «No, non posso saperlo...»

«Mia madre cadde in una profonda depressione schiacciata dal peso insostenibile di non aver ottenuto giustizia. E così un giorno, per la disperazione, si passò una corda attorno al collo e raggiunse mio padre all'altro mondo. Quindi sì, quella foto ritrae mia madre e, che lo vogliate o no, tornerà in mio possesso.»

«E vostra sorella?»

«Lei invece finì in orfanotrofio. In un miserevole e penoso orfanotrofio di Boston. Credete possa bastare, dottore, o devo proseguire?»

Gagliardo guardò istintivamente in direzione di Sophia Matilda, che si era allontanata di poco. Lei continuava a giocare come se nulla fosse, completamente ignara del fatto che a qualche passo di distanza c'era l'uomo che aveva trucidato suo padre.

«A che cosa sono serviti i vostri crimini? A farvi giustizia?» sbottò a un certo punto Richardson.

«Questo non è affare vostro» rispose a tono Goodschaad. «Per mio padre quel peschereccio significava tanto. Aveva dovuto indebitarsi fino al collo per acquistarlo, era stato sempre il suo sogno possederne uno tutto suo, dopo anni passati a lavorare per gli altri.» La sua voce si incrinò. «Lui era un uomo buono, un uomo giusto, generoso e anche un gran lavoratore.» Fece una pausa, mordendosi nervosamente il labbro.

Gagliardo percepì che l'uomo era alle prese con un conflitto interiore, talmente intenso da poter esacerbare la sua collera verso coloro che vedeva come acerrimi nemici.

«Mia madre si chiamava Ada Godosch.» Spostò la canna dell'arma su Gagliardo. «Per mio padre era l'amore della vita, tanto da volere il suo nome dipinto sulla prua della barca.» Goodschaad si interruppe per l'ennesima volta e la sua espressione mutò da nostalgica a pregna di odio. «Non ho mai dimenticato la deposizione di quel verme di Briggs davanti al Grand Jury, quando definì mio padre un pazzo incosciente che non sapeva fare il suo mestiere. Sono passati molti anni da allora, ma nella mia mente è rimasto impresso lo sguardo di quella povera donna di mia madre quando abbandonammo insieme l'aula al termine della sentenza. Ricordo il suo pianto silenzioso e composto. Probabilmente fu il giorno in cui decise di morire.» Sollevò gli occhi e guardò davanti a sé. «Mio padre non era un pazzo incosciente. Lui viveva per tutti noi. Una famiglia distrutta, annientata, da uno che si professava un messaggero di Dio, ma che invece ha dimostrato a tutti voi di sapersi macchiare le mani di sangue.» Il braccio teso si agitò nell'aria. «Non è così?»

Fu in quel momento che Gagliardo colse un movimento alla sua sinistra. No, non era Sophia Matilda, allontanatasi ulteriormente verso la lancia. Si trattava di Boz Lorenzen. Approfittando del fatto che Goodschaad era distratto nel suo sproloquio, il marinaio si era chinato e aveva afferrato la cima di una gomena con un gesto deciso. Il dottore capì che, qualunque cosa avesse in mente il tedesco, spettava a lui tenere impegnato Goodschaad, prima che questi spostasse lo sguardo alla propria destra.

«Anche voi vi siete servito del nome di vostra madre» replicò Gagliardo di rimando, la voce volutamente più alta. «Ma lo avete fatto in maniera subdola, per ingannarci tutti.»

Il tentativo sortì l'effetto sperato, tanto che Goodschaad si irrigidì, gli occhi sempre più spiritati. La canna del revolver, prima puntata al petto, si abbassò lentamente.

«Mi sono soltanto costruito una nuova identità» ribatté. «Non potevo imbarcarmi come "Andrew Holm". La pecora non doveva sapere che il lupo era nel suo ovile. Quel ragazzo ha solo aspettato che il pelo crescesse in fretta.» Con la mano sinistra si accarezzò baffi e barba. «Non potevo rischiare di essere riconosciuto. Se solo quel maledetto di Briggs avesse bevuto il suo tè, non ci sarebbero state altre vittime. Con Andrew Gilling avevamo pianificato l'avvelenamento nei minimi dettagli, doveva sembrare una morte naturale. Era stato lui a regalarmi quel libro, che si era procurato tramite un contatto negli ambienti universitari, lo stesso che gli aveva fornito l'arsenico. Poi vi ci siete messo di mezzo voi a complicare le cose, con le vostre indagini. E ora pagherete insieme a tutti gli altri...»

Con la coda dell'occhio, Gagliardo vide che la mano di Lorenzen, nel frattempo, era sparita dietro la schiena e Goodschaad sembrava non essersene accorto. Anzi, sembrava che non si fosse accorto nemmeno della parabola discendente della pistola che stringeva in pugno.

«Gottlieb» insistette Gagliardo, «perché non...»

«Basta adesso!» ringhiò Goodschaad rialzando l'arma. «Basta domande, perché l'unica risposta che otterrete uscirà da questa canna.» I muscoli della mascella si contrassero.

Un brivido di terrore parve serpeggiare fra tutti, tranne che su Lorenzen, concentrato evidentemente su ciò che il suo cervello stava elaborando.

«E adesso» disse Goodschaad, voltandosi verso Head e Lorenzen, «prendete...»

Non fece in tempo a completare la frase che la fune governata da Boz lo frustò in pieno volto.

Approfittando della situazione, Head si avventò su Goodschaad ed entrambi rovinarono giù, mentre il revolver, sfuggito dalle mani del marinaio impostore, carambolava nell'aria e ricadeva sul ponte. Ma non si udì alcun tonfo, perché esso venne coperto dallo sparo improvviso, dovuto all'impatto del cane sulle assi di legno. Uno sparo a vuoto, per fortuna, che colse tutti alla sprovvista, riecheggiando sinistramente nell'aria.

Fu Lorenzen il più lesto a mettere un piede sopra alla pistola e a bloccarla. L'azione era stata così fulminea da sorprendere non solo Richardson, ma anche Gagliardo che pur si aspettava una reazione da un momento all'altro.

Dopo essersi riscosso, il primo ufficiale fece per gettarsi nella mischia. Inutilmente, perché Goodschaad, una volta sbarazzatosi di Head con un poderoso manrovescio, seguito da un calcio allo stomaco, si era rialzato giusto in tempo per assestare un pugno proprio sullo zigomo di Richardson, che cadde pesantemente sul ponte.

Gagliardo sobbalzò nel sentire l'osso facciale cedere, come il rumore di legno spezzato, mentre il primo ufficiale urlava per il dolore tenendo entrambe le mani sul volto. Si chinò a soccorrerlo, senza perdere di vista Goodschaad.

Poi Lorenzen sollevò il revolver. «Non muoverti, maledetto bastardo!»

Goodschaad si bloccò. Head e Richardson erano fuori combattimento, ma per fortuna ci aveva pensato Boz a mantenere il sangue freddo di fronte alla furia indemoniata dell'assassino della *Mary Celeste*.

Solo allora Gagliardo si ricordò di Sophia Matilda. Frastornato com'era dai momenti concitati della colluttazione, non aveva nemmeno pensato a raggiungerla e prenderla in braccio per proteggerla. Si rialzò e si mosse alla sua sinistra, ma si accorse che tra lui e la bambina c'era una certa distanza.

Troppa distanza.

Lei aveva oltrepassato la lancia e si era fermata a guardarli dall'angolo della tuga.

Gagliardo diede tutto se stesso, ma fu anticipato proprio da Goodschaad, scattato nella medesima direzione.

«Fermo!» urlò Lorenzen spostando la canna della pistola sul fuggiasco.

Ma era troppo tardi, perché Goodschaad aveva già sollevato di peso la bambina, facendosi scudo con il suo corpo.

Gagliardo si bloccò a metà strada, esterrefatto. Il sangue prese a ribollirgli nelle vene.

Sophia Matilda era finita nelle mani di un folle.

* * *

«La bambina no!» urlò Gagliardo, stringendo i pugni, impotente.

Sophia Matilda aveva lo sguardo smarrito e, quando capì che non era un gioco quello di cui sembrava essere partecipe, cominciò a piangere e a dimenarsi. Ma le mani di Goodschaad erano come due morse d'acciaio, la tenevano a mezz'aria, appoggiata al petto. In alcuni frangenti lui le tappava la bocca, come infastidito dagli strilli.

«Non avevo scelta!» replicò Goodschaad con voce collerica. Ansimava per riprendere fiato, tale era stato lo sforzo sostenuto per anticipare tutti e agguantarla, la guancia destra visibilmente segnata dal colpo di gomena ricevuto. Poi indietreggiò senza voltarsi, finché le gambe non toccarono il cabestano. Si bloccò.

Gagliardo si avvicinò muovendo piccoli passi sul lato di dritta. «Liberatela, Gottlieb. Lei non ha colpe!»

Il marinaio non rispose, limitandosi a restituire un'occhiata sprezzante. Anche la bambina ricambiava lo sguardo, terrorizzata.

Gagliardo era infuriato con se stesso perché avrebbe potuto capire prima chi fosse il nemico, la mela marcia a bordo della *Mary Celeste*, una *Mary Celeste* che, ormai a briglie sciolte in un'andatura di bolina piena, sussultò sopra un'onda improvvisa.

Il dottore dovette fermarsi per mantenere l'equilibrio. Si guardò istintivamente alle spalle e si accorse che nel frattempo Richardson si era rialzato e fissava la scena, una mano sul volto tumefatto. Lorenzen, dal canto suo, aveva dovuto abbassare l'arma, visto che Goodschaad si proteggeva vigliaccamente con il corpo di una bimba innocente. Mentre Head...

Già, dov'era finito Head?

Gagliardo a un certo punto lo scorse. Il cambusiere stava strisciando sul ponte a babordo, come per aggirare la tuga e sorprendere Goodschaad dal lato opposto. Per non dare punti di riferimento, il dottore distolse lo sguardo.

Goodschaad accennò a Lorenzen con uno scatto del mento. «Adesso fa' in modo che quella pistola torni nelle mie mani, altrimenti non esiterò a gettare la bambina nell'oceano.»

Boz Lorenzen e Gagliardo si scambiarono uno sguardo angosciato senza proferire parola. Il dottore, nei momenti trascorsi in cabina a riflettere sulle sue indagini, aveva cercato di ipotizzare ogni variabile che potesse scaturire dal confronto con Goodschaad, quando la mente non era sotto pressione. Ma mai si sarebbe immaginato di trovarsi a gestire una situazione simile, in preda al panico più totale. Gottlieb Goodschaad si era dimostrato pronto a tutto pur di non soccombere e lui adesso doveva scegliere con cura le parole adatte, in attesa delle mosse del cambusiere.

In quel momento Edward Head, riparato dalla tuga, era infatti l'unico fuori dal campo visivo di Goodschaad. E Goodschaad stesso sembrava preda di uno stato di eretismo psichico che gli impediva di prestare attenzione alla sua assenza. Quanto sarebbe durato?

«Siate ragionevole, Gottlieb» disse Gagliardo nel tentativo di prendere tempo.

«Volete salvare la bambina?» chiese lui ad alta voce.

«Possiamo trovare un accordo» replicò il dottore, eludendo volutamente la risposta.

Goodschaad aggrottò la fronte, come se fosse indeciso se accettare di negoziare oppure cedere alla propria rabbia cieca e abietta.

«Fateci sbarcare alle Azzorre» propose Gagliardo. «Pensateci bene. Noi ci metteremmo in salvo, mentre voi avreste la possibilità di approdare dove vorrete. Ovviamente, nessuno saprà mai che cosa è accaduto a bordo della *Mary Celeste*...»

«Occorre ancora un giorno di navigazione prima di arrivare alle Azzorre» ribatté Goodschaad in tono ostile. «State cercando di prendervi gioco di me?»

«Non l'ho mai pensato» rispose Gagliardo, scuotendo la testa. «Dovete ascoltarmi, Gottlieb. Ascoltatemi, perdio! Siamo disposti ad aspettare i giorni che servono per toccare terra e accettare le vostre condizioni. Potete tenerci sotto chiave nella tuga, in cabina, persino nella stiva, ma dovete liberare Sophia Matilda. È la sola cosa che vi chiedo.»

Goodschaad si spostò a piccoli passi rimanendo sul lato di dritta fino a raggiungere pericolosamente il parapetto.

Gagliardo sentì rivoli di sudore scendere dall'attaccatura dei capelli, lungo il collo, e infilarsi sotto la camicia.

Perché il marinaio si era allontanato dal cabestano?

Il dottore sentiva che la tensione lo stava consumando. Non poteva accettare che Sophia Matilda continuasse a restare prigioniera tra le mani del suo aguzzino.

Lei intanto aveva smesso di piangere e teneva i suoi piccoli occhi fissi su di lui. Le sorrise per tranquillizzarla, come a dirle che a breve sarebbero tornati insieme.

In quegli attimi di assoluto silenzio, rotto a tratti dallo sciabordio delle onde contro lo scafo, Gagliardo trovò il coraggio di distogliere lo sguardo da quell'immagine. Richardson e Lorenzen, poco dietro di lui, avevano capito che sarebbe stato controproducente improvvisare qualcosa, lasciando che fosse soltanto una persona a negoziare, ragion per cui non avevano mosso un muscolo. Head, invece, sembrava essere svanito nel nulla.

Gagliardo se lo immaginò mentre se ne stava acquattato accanto alle paratie a babordo della tuga in attesa del momento propizio. Ce l'avrebbe fatta?

Goodschaad si mosse all'improvviso. Le sue mani, che reggevano Sophia Matilda da sotto le braccia, si protesero fuori bordo.

La bambina riprese a strillare, impaurita nel vedere le fauci dell'oceano spalancarsi sotto di sé.

«Non mi avete convinto!» gridò Goodschaad. «Adesso voglio la pistola. Subito!»

Alla vista di quella scena, Gagliardo sentì un dolore trafiggergli il petto, come una stilettata. Il respiro gli rimase in gola fino a quando non vide Lorenzen avanzare sotto gli occhi dei presenti. Il dottore era consapevole che, una volta riottenuta l'arma, Goodschaad avrebbe completato la sua carneficina. Trattenne il fiato.

Lorenzen si chinò e appoggiò il revolver sulle assi del ponte, quindi lo fece scivolare a proravia con un colpo deciso.

L'arma si fermò a tre o quattro piedi da Goodschaad, che subito ritrasse il corpo di Sophia Matilda e fece per riappropriarsene.

Fu in quel momento che Head sbucò da dietro la tuga come una furia, abile a sfruttare l'effetto sorpresa e ad avventarsi per la seconda volta su Goodschaad.

Mentre Lorenzen si affrettava a riprendere la pistola, Gagliardo si gettò a terra sulle ginocchia, poi i suoi occhi si portarono all'altezza di quelli di Sophia Matilda, che ora era libera, lì a pochi passi da Head e Goodschaad, impegnati in un corpo a corpo accanito.

La bambina capì e, appena lui allargò le braccia, non ci pensò due volte a corrergli incontro.

Ne venne fuori una stretta che il dottore avrebbe voluto non finisse mai, come un abbraccio tra padre e figlia. Una stretta che sanciva la fine di un incubo.

O forse no?

Gagliardo se ne rese conto l'istante successivo che non era affatto finita, nel momento in cui vide Goodschaad puntare i piedi sulle assi e, con una mossa di grande vigore, afferrare il braccio di Head. Il cambusiere gridò per il dolore, tale era forte la presa, e allora Goodschaad proseguì nel suo intento, aiutandosi con la spalla.

Fu un attimo quello in cui Edward William Head, duecento libbre di muscoli e carne, venne scaraventato fuoribordo.

Si udì un tonfo che lasciò tutti attoniti, un'esitazione fatale che permise a Goodschaad di aggirare la tuga e fuggire a poppavia.

Il dottore, con in braccio Sophia Matilda, si affrettò a sporgersi oltre il parapetto. Vide Head sbracciarsi disperato sul lato di dritta, ma già a una distanza notevole, giacché la *Mary Celeste* continuava a solcare imperterrita le acque dell'oceano.

«Edward!» urlò con quanto fiato aveva in gola. Poi prese a correre lungo la murata verso poppa, guardando intorno a sé per individuare qualcosa da potergli lanciare, qualcosa che potesse ancorare quell'uomo alla vita che stava sfuggendo. Valutò per un attimo se le gomene potessero rivelarsi utili a trarre in salvo il cambusiere, ma quando tornò a scrutare il mare di Head non c'era più traccia.

«Edward, no!» urlò con le lacrime agli occhi. Poi abbracciò Sophia Matilda, di nuovo soffocata dai singhiozzi.

Quando si riscosse, si rese conto che sul ponte non era rimasto più nessuno. Evidentemente Richardson e Lorenzen si erano precipitati sottocoperta, all'inseguimento di Goodschaad.

Mentre avanzava con la bambina in braccio verso il cassero di poppa, più smarrito che mai, delle urla strazianti e confuse, provenienti dal boccaporto, lo inchiodarono sul posto.

Poi giunse l'eco prorompente di uno sparo.

* * *

Chi aveva fatto fuoco?

Lorenzen, che era in possesso del revolver? Oppure Goodschaad, che invece era riuscito a impadronirsene nuovamente? E Richardson? Appartenevano a lui quelle urla disperate?

Gagliardo proseguì verso il cassero di poppa, quindi scese le scale con cautela, una mano a reggere Sophia Matilda, l'altra a tenerle premuto il viso contro il petto per nascondere ai suoi occhi eventuali cose che era meglio non vedere.

Nei pressi delle cabine non c'era nessuno. Il silenzio lo allarmò più di quanto non lo fosse già. Con passi misurati si portò a ridosso dell'alloggio del comandante, aprì la porta e adagiò la bambina sul letto con le sponde. Lei provò a ribellarsi, ma lui le disse di fare silenzio portando l'indice sulle labbra. Tutto inutile, perché Sophia Matilda si mise a strillare.

Gagliardo si impose di scacciare dalle orecchie quel pianto inconsolabile. Depositò il libro di Orfila sullo scrittoio, chiuse la porta e uscì dalla cabina. Subito dopo imboccò il passaggio che conduceva al centro del ponte di corridoio, mentre le grida di protesta della bambina andavano sfumando.

Oltrepassata la latrina, si ritrovò davanti a una scena agghiacciante.

Quasi sul fondo, vicino alle botti stipate sopra la stiva, c'era Boz Lorenzen in piedi con il revolver in mano ancora fumante. Sembrava estraniato da tutto ciò che lo circondava. L'odore acre di polvere da sparo impregnava l'aria. A pochi passi dal marinaio tedesco, due corpi inermi come fantocci, illuminati da una luce slavata, che filtrava dall'osteriggio di prua. Il primo era di Richardson, in posizione supina, con l'ascia conficcata nell'addome. L'altro, seduto con la schiena appoggiata ai barili, apparteneva a Goodschaad. La testa penzolava sul collo, le mani incrociate davanti a sé, macchiate di sangue. La pallottola lo aveva colpito poco sopra il cuore. Lo testimoniava il foro sugli indumenti in quel punto preciso, dove il marinaio era stato ferito mortalmente.

Gagliardo pensò che, una volta centrato dalla pallottola, Goodschaad si fosse appoggiato alle botti e, lentamente, il suo corpo fosse scivolato fino ad assumere quella posizione innaturale. I sensi di colpa bussarono alla sua coscienza. Era stato un errore non informare tutti che l'assassino era in possesso di armi pericolose, nascoste chissà dove sul brigantino.

La mano destra di Richardson si mosse all'improvviso.

Fu Boz Lorenzen il primo ad accorgersene, come se quel gesto lo avesse improvvisamente riscosso. Difatti appoggiò il revolver sul dorso di un barile e fece per estrarre l'ascia dalle carni del primo ufficiale.

«No, Boz!» gridò Gagliardo. «Non fareste altro che peggiorare la situazione.» Poi si precipitò sul moribondo, lasciandosi cadere sulle ginocchia. «Albert!»

Richardson, il volto cereo e tumefatto, provò ad articolare qualcosa che non riuscì a uscire dalla gola.

«Non muovetevi, Albert» disse Gagliardo.

La mano di Richardson, con l'indice puntato, si arrestò in corrispondenza del petto, sotto la giubba. Le labbra si schiusero in uno strenuo sforzo, poi il primo ufficiale rovesciò gli occhi all'indietro e la testa ricadde di lato.

«È morto» disse tra sé e sé Gagliardo, con la mano sul polso di Richardson. Poi alzò lo sguardo su Lorenzen.

«È stato colto di sorpresa.»

«Com'è accaduto?»

«Gli eravamo quasi addosso, ma Goodschaad ha frugato in mezzo alle botti, ha tirato fuori l'ascia e ha colpito Mr. Albert al ventre.» Lorenzen allargò le braccia. «Era una trappola. Non ho potuto fare altro che sparargli, altrimenti avrebbe ammazzato anche me.»

«Capisco perfettamente, Boz. Non avevate scelta.»

«Lo dovevo a mio fratello, ma anche a tutti gli altri che hanno perso la vita su questa nave maledetta.» Il marinaio tedesco fece una pausa. «Head?»

Gagliardo scosse la testa.

Lorenzen si accovacciò a sua volta sul corpo di Richardson. «Guardate» disse additando un punto della giubba.

Gagliardo sollevò il lembo e scoprì una piccola tasca. Quella che, con grande sofferenza, il primo ufficiale aveva cercato di indicare.

Il dottore infilò una mano ed estrasse una fotografia di piccolo formato. Ritraeva il volto di una giovane donna, con i capelli lunghi e scuri. La girò e vide che essa recava la scritta in corsivo: *Fannie N. Richardson, maggio 1869.*

Albert Richardson, in punto di morte, aveva avuto l'ultimo pensiero per la sua adorata moglie.

Un movimento inaspettato, alla loro destra, li fece sobbalzare per lo spavento.

Goodschaad aveva sollevato la testa e li fissava in silenzio, come se fosse privo di qualsiasi emozione. La mano destra non più abbandonata sugli arti inferiori, ma appoggiata al petto, in corrispondenza della ferita.

Gottlieb Goodschaad era ancora vivo.

Temendo il peggio, Gagliardo si ritrasse di qualche passo, mentre Lorenzen si riappropriava prontamente del revolver e lo puntava all'indirizzo di Goodschaad per infliggergli il colpo di grazia.

Davanti a quella scena, il dottore si protese in avanti per bloccare il gesto del marinaio. «No, Boz, voi non siete un assassino. Lasciate che quest'uomo paghi per i suoi crimini secondo la legge penale.»

Lorenzen esitò qualche secondo, poi abbassò la pistola, persuaso dalle parole di Gagliardo.

Nel momento in cui si voltò a cercare gli occhi di Goodschaad, però, il dottore fu colto da uno strano presentimento. Se in mezzo alle botti era stata occultata l'ascia, allora nello stesso punto poteva trovarsi anche la daga. Aveva appena finito di formulare quel pensiero quando la mano di Goodschaad, con una mossa impensabile, tirò fuori l'arma, nascosta da qualche parte dietro la schiena.

Rimanendo nella sua posizione, il marinaio ferito impugnò la daga e la puntò verso di loro. Una minaccia che risuonò poco credibile agli occhi dei due contendenti che si trovavano in uno stato di totale dominio.

«Gottlieb, mettetela giù» disse Gagliardo. «È finita.»

Goodschaad non rispose. Dopo un momento di esitazione, rivolse la daga verso di sé e appoggiò la punta della lama sulla giugulare.

«No!» esplose Gagliardo. «Non fatelo, Gottlieb!»

Goodschaad serrò le mascelle e una goccia di sangue fuoriuscì improvvisa, trasformandosi poi in un rivolo rossastro che colò lungo il collo.

«Gottlieb, vi supplico!»

La lama sembrò penetrare sempre più nella carne mentre gli occhi di Goodschaad si dilatavano per l'orrore di quel gesto autopunitivo.

«Andrew» disse allora Gagliardo quasi in un sussurro.

Goodschaad si bloccò e la sua espressione tornò normale, come sorpreso dalla pronuncia di quel nome.

Il suo nome.

Il nome con cui lo chiamavano i suoi genitori.

«Andrew» ripeté Gagliardo, muovendo un passo in avanti e tendendo la mano per farsi consegnare la daga. «Andrew, non è questa la soluzione. Datela a me!»

Il volto di Goodschaad si accartocciò in una smorfia infantile. Una lacrima scese sulla guancia.

Gagliardo avanzò ancora e allungò lentamente la mano verso l'impugnatura.

Ma Goodschaad, tornato preda della sua pazzia, spinse con forza e la lama gli trapassò il collo.

Gagliardo distolse lo sguardo per il raccapriccio. Sentì le gambe cedere di colpo tanto che dovette piegarsi sulle ginocchia. E così rimase per diversi secondi, tremante, prosciugato da ogni energia, mentre prendeva atto ancora una volta della sua frustrazione nel non essere riuscito a trarre in salvo una vita umana.

Era incredibile come Goodschaad, persona ritenuta da tutti mite e innocua, potesse arrivare a tanta brutalità. La perdita dei genitori, ma anche di Andrew Gilling, fari luminosi della sua complicata esistenza, lo avevano trasformato progressivamente in una belva colma di risentimento.

La mano di Lorenzen si posò sulla spalla di Gagliardo, che sollevò gli occhi. Il tedesco gli offrì l'altra mano per aiutarlo a rialzarsi e lui accettò l'invito e si rimise in piedi, mentre la *Mary Celeste* beccheggiava in balia della sorte.

«Me ne occupo io, dottore. Tornate dalla bambina.»

Gagliardo annuì. Lanciò un'ultima occhiata ai due cadaveri e, a capo chino, si lasciò ingoiare dalla penombra del ponte di corridoio.

Non appena fu entrato nella cabina, si sorprese nel trovare Sophia Matilda addormentata, ignara di ciò che si era consumato a bordo.

Ignara della follia umana a pochi passi da lei.

Gagliardo le rimboccò le coperte e sedette sulla propria branda. Poi si mise le mani sulla faccia e scoppiò a piangere.

20

Oceano Atlantico, 25 novembre 1872
(9 giorni prima del ritrovamento)

«Dovete andare all'orza!» urlò Lorenzen, arrampicato sull'albero di trinchetto. «Il vento spira da est, ci è contrario.»

Gagliardo serrò le mani intorno alle caviglie della ruota e diede un quarto di giro. Sentì il timone fremere, il brigantino rispondere alle sue manovre.

«Bene così, dottore, più teniamo stretta la bolina e meglio navigheremo.»

Sophia Matilda si avvicinò a Gagliardo, allungò il suo piccolo braccio e gli tirò la mantella per richiamare l'attenzione.

«Non ora, Sophia, gioca un altro po'. Dopo andiamo giù.»

La bambina mise il broncio e, per protesta, si sdraiò sulle assi del ponte.

A Gagliardo venne da sorridere. Un sorriso spontaneo che poche volte gli era apparso sul viso nell'ultimo periodo. Chissà se un giorno sarebbe riuscito ad allontanare i fantasmi della *Mary Celeste*! Per fortuna non aveva dovuto assistere ad altri spettacoli desolanti di cadaveri gettati in mare.

Come da accordi, era stato Lorenzen a sbarazzarsi dei corpi di Richardson e Goodschaad. Lui si era limitato soltanto a frugare nell'alloggio del primo ufficiale in cerca di un'uniforme, atto doveroso al fine di donargli decoro prima dell'estremo viaggio.

Dopo gli addii ai due marinai, Lorenzen si era adoperato per ripulire i ponti dalle macchie di sangue e, anche in quel caso, aveva dispensato il dottore dalla desolante mansione.

Poi era arrivata la notte.

Una lunga notte in cui lui e Lorenzen, approfittando del sonno di Sophia Matilda, avevano parlato del da farsi. Alla luce delle lampade, il tedesco gli aveva illustrato in maniera approfondita l'arte della navigazione a vela, a cominciare dalle manovre fondamentali come "orzare", "poggiare", cercare di contrastare gli scarrocci e limitare beccheggio e rollio, senza tralasciare una breve dissertazione sulle andature di bolina. Il dottore aveva ascoltato con interesse ogni parola del marinaio, consapevole del fatto che per portare in salvo la pelle sarebbe stato indispensabile anche il proprio contributo.

«Date un altro mezzo giro!» ordinò ancora Lorenzen, ormai a suo agio nelle vesti di comandante. «Forza con quelle caviglie!»

Gagliardo eseguì, ma stavolta esagerò nel gesto e il brigantino straorzò con violenza.

Lorenzen saltò giù dall'albero di trinchetto, si portò a poppa, corresse la manovra e tornò a prua per completare le operazioni sull'albero.

Qualche minuto dopo, le vele si gonfiarono e la *Mary Celeste* accelerò.

«Abbiate pazienza, Boz» disse Gagliardo alzando il tono della voce per farsi sentire. «Non è facile memorizzare le manovre che mi avete insegnato.»

Quando fu di nuovo a poppa, Boz Lorenzen aveva il sorriso stampato sulle labbra. «Non preoccupatevi, sono sicuro che in pochi giorni imparerete la differenza tra una bolina stretta e una bolina larga. Io, invece, non capirò mai un accidente della vostra professione.»

«Vi ringrazio della fiducia, Boz. Farò il possibile...»

Lorenzen allungò la mano verso la ruota del timone. «Lasciate che me ne occupi io adesso.»

Gagliardo mollò le caviglie.

«Sapete che cosa non riesco a spiegarmi, dottore?» riprese Lorenzen mettendosi ai comandi.

«Come facciamo a essere vivi?»

«Be', sì, in parte. Più che altro, se da un lato giustifico la follia di Goodschaad e l'insensatezza di Gilling come complice, non riesco a fare lo stesso con il comportamento del capitano Briggs. Lui era un uomo di fede. Perché ha deciso di uccidere anziché neutralizzare in altro modo il pericolo? Avrebbe potuto farlo con il nostro ausilio, usando le cabine come prigione.»

«Soltanto lui avrebbe potuto dircelo.» Gagliardo chiamò a sé Sophia Matilda, che ubbidì prontamente. «Boz, io credo che Briggs temesse per l'incolumità di questa creatura e della moglie. Ma la sorte gli ha giocato un brutto scherzo, facendogli sbagliare obiettivo.»

Lorenzen guardò la bambina. «Visto che la situazione si è normalizzata, approfittatene per portarla giù. Avrà fame. Datele ancora quel formaggio che le piace tanto.»

Gagliardo si avviò mano nella mano con Sophia Matilda.

«Ah, dottore...»

Gagliardo si voltò. «Sì?»

«Credo di dovervi delle scuse.»

«Per cosa?»

«Sono stato ingiusto con voi nell'avervi attaccato per la storia della votazione.»

Gagliardo gli strizzò l'occhio. «Non pensateci più, Boz.» Strinse la mano di Sophia Matilda e, insieme a lei, si diresse verso il cassero. Fece per entrare nella loro cabina quando si avvide che la porta di quella di Richardson era socchiusa. Eppure era sicuro di averla serrata bene nel momento in cui era uscito con l'uniforme del primo ufficiale stretta tra le mani. Che fosse stato Lorenzen era da escludere, impegnato com'era ad accollarsi il lavoro di quattro uomini. Forse era stato uno scossone improvviso dello scafo a farla aprire.

Varcò la soglia seguito da una timorosa Sophia Matilda. Si guardò intorno e non notò nulla di strano. Sembrava tutto come l'aveva lasciato. Poi gli occhi ricaddero sullo scrittoio.

Rabbrividì. Lì al centro, in bella mostra, c'era un foglio di carta con su scritto qualcosa.

Era stato il fantasma di Richardson a compiere un'ultima visita?

No, i fantasmi non esistevano, né esisteva la maledizione della *Mary Celeste*. La spiegazione più logica era che quel foglio si trovava lì anche prima e lui non se n'era accorto. Almeno questo ripeteva dentro di sé mentre si avvicinava allo scrittoio del primo ufficiale.

Rimase con quel foglio in mano per diversi istanti, leggendo più volte l'ultima poesia di un marinaio gentiluomo, ultimo dono di un poeta dall'animo sensibile ma irrequieto.

Oh, tetra ed atra, inestinguibil notte,
in cui bruciai di me la miglior parte
a ritrovar nel pelago le rotte,
ritorna all'Orco a renovar tua arte!

* * *

Gagliardo continuava a guardare come ipnotizzato la scia spumeggiante che lo scafo generava sulla superficie dell'acqua. Le mani erano ben salde sulla ruota del timone, il vento finalmente in poppa.

Nelle prime ore del meriggio era tornato a splendere il sole, dopo che, intorno a mezzogiorno, un cielo improvvisamente grigio aveva dispensato brevi scrosci di pioggia. Come era giunto, così altrettanto rapidamente il cattivo tempo si era dileguato senza compromettere le operazioni di bordo.

Ristabilita la quiete e la sicurezza dei giorni migliori, il dottore aveva recuperato anche un certo appetito. Lorenzen si era riscoperto un bravo cuoco, nonostante stesse facendo i salti mortali per far funzionare il brigantino a dovere.

Con l'equipaggio praticamente azzerato e le manovre ridotte al necessario, era il silenzio a regnare a bordo della *Mary Celeste*, un silenzio spezzato a tratti dalla voce di Sophia Matilda, in quel momento intenta a giocare dentro la lancia di salvataggio.

Gagliardo mise una mano a protezione degli occhi e guardò a proravia.

Lorenzen se ne stava aggrappato a una grisella in testa d'albero di trinchetto, il cannocchiale appoggiato sulle sartie ben tese. Stava cercando di mettere a fuoco qualcosa che il dottore non tardò a capire.

Un paio di minuti dopo il tedesco era già sul ponte.

«Credo di sapere dove ci troviamo» lo anticipò Gagliardo.

«Ebbene sì. La terraferma si vede anche a occhio nudo. Santa Maria delle Azzorre.»

«Siete sicuro di non voler sbarcare sull'isola?» chiese Gagliardo.

«Sì. La soluzione migliore è proseguire la navigazione. Le autorità non ci crederebbero mai. Se ci presentassimo con otto morti sulle spalle, non esiterebbero a sbatterci dietro le sbarre con due palle di cannone alle caviglie. La giustizia in Europa non scherza. Una falsa testimonianza potrebbe essere punita persino con l'impiccagione.» Chiuse il cannocchiale e lo infilò nella tasca della giubba. «Dobbiamo far perdere le nostre tracce.»

«E come?»

«Caleremo la scialuppa davanti alle coste del Portogallo cercando di raggiungerle a colpi di remi. Dopodiché voi e la bambina raggiungerete l'Italia. Io, invece, proverò a far ritorno in Germania, magari nella mia terra, l'isola di Föhr.»

«Non so se sia la scelta giusta, Boz. Mi ero ripromesso di riportare Sophia Matilda a casa sua.»

«È troppo pericoloso! Volete passare il resto dei vostri giorni in prigione? Riflettete, dottore. Noi non siamo in grado di esibire alcuna prova che ci scagioni, che dimostri la nostra totale estraneità ai fatti.»

«Avete ragione, ma voi sapete bene che lei ha un fratello che la aspetta.»

«Lei ha anche bisogno di un genitore che la accudisca, ha bisogno di voi. Vi ho visto insieme, potete darle tutto l'affetto necessario.»

«Sono molto belle le vostre parole, ma davvero non saprei...» Gagliardo era combattuto. Da un lato sentiva il dovere morale di far ricongiungere la bambina con i suoi cari, dall'altro era terrorizzato dall'idea di doversene separare per sempre, con il rischio peraltro di venire arrestato. Inoltre, il richiamo dell'Italia era più vivo che mai. Immaginava quell'insperato abbraccio con suo cugino Andrea e, chissà, con quei parenti che avrebbero stentato a riconoscerlo.

Si stropicciò gli occhi per scacciare tormenti e pensieri, anche perché qualsiasi progetto era vincolato alla buona riuscita dello sbarco sulla terraferma. Si riscosse e guardò Lorenzen negli occhi. «E che ne sarà della *Mary Celeste*?»

«Sganceremo le vele e la lasceremo alla deriva. So che in prossimità del Portogallo la corrente è sostenuta e spinge verso il largo. Nel caso dovesse essere ritrovata, faremo in modo che nessuno possa ricostruire con certezza ciò che è accaduto realmente.»

«Nella cabina di Richardson c'è il giornale di bordo. Sarà la prima cosa che esamineranno.»

«Giusto...» disse Lorenzen, pensoso. «E voi mi avete appena dato un'idea!»

«Quale?»

«Far credere che siamo fuggiti alle Azzorre.» Lorenzen fece un cenno con la mano. «Venite con me!»

Gagliardo abbandonò il timone, prese Sophia Matilda in braccio e, insieme, scesero nell'alloggio di Richardson.

Gagliardo mise giù la bambina e aprì il documento. «Eccolo. L'ultima annotazione risale a ieri, ventiquattro novembre.»

«Bisogna scrivere qualcosa sulla giornata odierna» replicò Lorenzen.

Gagliardo fece scivolare il documento sul piano dello scrittoio. «Prego.»

Il tedesco rispedì il foglio al mittente. «Oh, no, dottore. Non avete capito. Dovete farlo voi. Cercate di imitare la grafia di Briggs o di Richardson. Non me ne vogliate, ma io rischierei di combinare soltanto dei guai. Sono un vero disastro in queste cose.»

Gagliardo sedette, intinse la penna nel calamaio e si bloccò a mezz'aria. «E che cosa dovrei scrivere?»

Lorenzen rifletté per qualche istante, poi iniziò a parlare.

Gagliardo annotò informazioni sul tempo, sulla posizione geografica e sullo stato della nave, cercando anche di prendere spunto dai bollettini precedenti trascritti dagli ufficiali.

Dopo che ebbero finito, entrambi rimasero a fissare l'inchiostro che asciugava sull'ultima pagina.

Lunedì, 25 novembre 1872. Vento moderato da Ovest. Posizione: 36° 92' latitudine nord, 25° 14' longitudine ovest. Nave viaggia a 8 nodi. In vista di punta Eastern, isola di Santa Maria delle Azzorre. Dopo notte di tempesta, vento placato. Velatura ripristinata, condizioni di navigazione ottimali. Punta orientale isola a SSO, 6 miglia di distanza.

Richiusero il giornale di bordo e tornarono di sopra.

«Questa è l'ultima annotazione. D'ora in poi non scriveremo più nulla.» Lorenzen scandiva le parole con piena consapevolezza, come se il suo cervello vagliasse ogni epilogo possibile di quella storia.

Gagliardo corrugò la fronte. «Se tutto andrà come dite voi, che cosa dovrebbero capire le autorità da quest'ultima annotazione?»

«Che fino a quel giorno la *Mary Celeste* non si è imbattuta in alcun tipo di problema, proprio come aveva già tracciato la strada Briggs. Poi rovesceremo il contenuto di qualche botte in mare. Questo per far credere che una fuoriuscita improvvisa dei vapori ci ha fatto temere un'esplosione a bordo, tale da costringerci a scappare sull'isola. Per rendere tutto ciò più verosimile lasceremo la tavola della cambusa imbandita come se fossimo stati tutti sul punto di pranzare. Inoltre, non toccheremo nulla degli effetti personali dell'equipaggio. Porteremo con noi soltanto gli strumenti di navigazione e orientamento. Preleveremo anche la bussola dalla chiesuola e la sostituiremo con una guasta che ho nell'alloggio.»

«Le armi?»

«Lasceremo soltanto l'ascia, che è una dotazione di bordo, e la daga, pur sempre un cimelio della famiglia Briggs. Il revolver invece lo getteremo fuoribordo, puzza troppo di polvere da sparo per non destare sospetti. E sarà meglio sbarazzarsi anche di quel libro sui veleni e degli articoli di giornale.»

Gagliardo fece una smorfia di approvazione. «Devo ammettere che siete molto astuto, Boz. E se invece il brigantino dovesse affondare?»

«Be', tanto meglio. L'Atlantico saprà mantenere il segreto per sempre.»

«Quanto distano le coste del Portogallo?»

Lorenzen ci pensò su per un breve istante. «Settecento miglia, forse qualcosa in più. Se il vento ci è favorevole, le raggiungeremo in circa cinque giorni di navigazione. Il solcometro finora sta confermando ottimi dati di velocità.»

Gagliardo guardò Sophia Matilda e lei ricambiò silenziosa.

Chissà cosa ne sarebbe stato di loro...

Il dottore allungò la mano verso Lorenzen.

Lui gliela strinse con aria complice.

Un patto! Un patto tacito per dire che quanto accaduto a bordo moriva con loro.

«Ce la faremo?» chiese Gagliardo mollando la presa.

Lorenzen si strinse nelle spalle e fece migrare lo sguardo a nord-est, come a immaginare i contorni della terraferma. «Vorrei tanto rispondervi di sì, ma questo lo sa solo Iddio.»

21

Oceano Atlantico, 4 dicembre 1872
(Il giorno del ritrovamento)

La tempesta è cessata.

Del vento di levante che per due giorni ha spirato furiosamente sull'oceano non è rimasto che un timido sussurro. Già dall'alba la luce è risalita in direzione dello zenit, verso un cielo cristallino ormai sgombro di nubi: non più dense cortine di bruma, né nebbie fluttuanti. Nel fulgore del meriggio, i raggi del sole si riflettono sull'immensa distesa d'acqua, ora placida, come addomesticata da una mano invisibile.

Ma è una quiete che sa di morte.

L'ombra compare a est, sulla linea dell'orizzonte. Nessuno dei due marinai presenti sul ponte se ne accorge, entrambi troppo presi dalle loro mansioni.

I contorni dell'ombra diventano più nitidi, più definiti, ed è allora che John Johnson, il marinaio aggrappato alle griselle dell'albero di trinchetto, ha un sussulto. Molla il velaccino alla sua sorte e, con grande agilità, si fionda giù, quasi annaspando. Le sue parole sono febbrili mentre si rivolge a John Wright, secondo ufficiale di bordo, in quel momento al timone della *Dei Gratia*. Uno sguardo in lontananza, il tempo di capire, poi il timoniere infila il boccaporto e scompare sottocoperta.

Presagi sinistri si avvertono nell'aria e il marinaio ne è preda. Bloccato, impietrito. Non può fare a meno di tenere gli occhi incollati a quella specie di scheletro galleggiante in mezzo al mare.

John Wright si riporta sul cassero di poppa, seguito da Oliver Deveau, primo ufficiale di bordo, e da David Morehouse, il capitano, stretti nella loro giubba blu. In pochi attimi anche i restanti uomini della ciurma accorrono sul ponte.

«Là, a babordo» dice Deveau, l'indice sollevato a mezz'aria.

Nessun altro parla, nessun altro sa cosa dire, mentre Morehouse regola il cannocchiale per mettere a fuoco l'imbarcazione. Un'imbarcazione con le vele ridotte a brandelli, che lui e gli altri conoscono bene.

«Sant'Iddio!» esclama subito dopo, abbassando lo strumento. «Sembra abbandonata a se stessa e in coperta non c'è anima viva.»

«Quali sono gli ordini?» chiede Deveau.

Il capitano Morehouse ha la fronte solcata da cupi pensieri. Si accarezza la barba sotto il mento. «Modifichiamo la rotta di mezza quarta e avviciniamoci.» Quindi indica i due ufficiali e il marinaio che ha fatto l'avvistamento della *Mary Celeste*. «Preparate la lancia. Andrete voi tre.»

Gli uomini annuiscono con una punta di esitazione mista a orgoglio.

Sono pronti per la missione.

Morehouse richiude il cannocchiale e, con uno sguardo attento, segue le manovre di bordo.

Dopo diversi minuti vede calare la scialuppa in mare. Il tempo sembra fermarsi per poi ricominciare a scorrere velocemente quando Deveau, Wright e Johnson si allontanano sotto la spinta di vigorose remate, mentre sul ponte qualcuno trattiene il fiato.

Qualcun altro, invece, si fa il segno della croce.

22

Gibilterra, 14 dicembre 1872
(10 giorni dopo il ritrovamento)

ARTICOLO TRATTO DAL "THE GIBRALTAR CHRONICLE"
Il mistero della Mary Celeste
Sabato 14 dicembre 1872

Sono ore convulse quelle che si stanno vivendo al porto di Gibilterra. Nell'arco di tempo tra due sere fa e ieri mattina, infatti, hanno attraccato due imbarcazioni, su cui le Autorità hanno avviato delle indagini. A giungere per primo al porto è stato il brigantino *Dei Gratia*, battente bandiera britannica, seguito dalla *Mary Celeste*, un mercantile americano posto immediatamente in ordine di fermo da un funzionario della regina.

Da informazioni raccolte, sembrerebbe che il giorno 4 dicembre proprio la *Dei Gratia* abbia avvistato, nel tratto di mare fra le isole Azzorre e le coste del Portogallo, un altro brigantino alla deriva, con una sola vela spiegata sull'albero di trinchetto, unitamente ad altre vele sussidiarie. Il capitano della *Dei Gratia*, David Reed Morehouse, ha dato ordine ad alcuni membri dell'equipaggio di prestare soccorso, salvo poi scoprire che si trattava della *Mary Celeste*, un'imbarcazione continuamente preda della malasorte, balzata più volte alla cronaca sotto il nome di *Amazon*, fin dal giorno in cui è stata varata nell'isola di Spencer della Nuova Scozia.

Dalle carte di bordo risulta che, poco più di un mese fa, la *Mary Celeste* si trovava, proprio insieme alla *Dei Gratia*, al molo 50 dell'East River a New York, da dove ha prima raggiunto i pontili di carico di Staten Island per poi salpare alla volta di Genova nella tarda mattinata del 7 novembre.

I tre uomini incaricati dal capitano Morehouse di salire a bordo dell'imbarcazione hanno così potuto constatare la totale assenza dell'equipaggio unitamente alla lancia di salvataggio, chiaro segno che la nave è stata abbandonata.

A destare stupore, anche il fatto che nelle stive siano stati rinvenuti millesettecento barili di alcol denaturato, quasi tutti intatti, oltre a scorte abbondanti di acqua e cibo.

C'è un mistero, dunque, che aleggia sulla *Mary Celeste*: perché è stata abbandonata visto che non c'era alcun pericolo di affondamento né mancanza di viveri a bordo?

Si è trattato di un ammutinamento?

Oppure di un assalto da parte di pirati?

A rendere questo mistero ancora più fitto, le cassapanche dei marinai colme dei loro effetti personali. Sembra che dalla cabina del capitano, un americano di nome Benjamin Spooner Briggs, ben conosciuto nel mondo della marina mercantile internazionale, siano stati sottratti diversi documenti del carteggio di bordo, nonché gli strumenti e le attrezzature portatili di orientamento.

L'ultima annotazione sul giornale del brigantino è datata 25 novembre e riporta l'avvistamento dell'isola di Santa Maria delle Azzorre.

Possono, gli uomini, aver trovato riparo proprio laggiù?

Oltre al capitano Briggs e a un equipaggio composto da sette marinai, sulla *Mary Celeste* dovevano trovarsi anche Sarah Elizabeth, moglie del capitano, e Sophia Matilda, la loro figlia di due anni.

Ai marinai della *Dei Gratia* non è rimasto che condurre la *Mary Celeste* a Gibilterra, dove il procuratore generale, Frederick Solly Flood, cercherà di fare luce sull'oscura vicenda con un'inchiesta ufficiale.

O rimarrà l'enigmatica storia di una nave fantasma?

"*Giù scese la brezza, le vele calarono,*
era triste per quanto triste potesse essere.
E parlammo solo per rompere
il silenzio del mare!"
Samuel Taylor Coleridge, *La ballata del vecchio marinaio*

Nota storica degli autori

Dopo che furono saliti sulla *Mary Celeste*, alla deriva tra 38° 20' di latitudine nord e 17° 15' di longitudine ovest, Oliver Deveau, John Wright e John Johnson trovarono una nave completamente deserta. Oltre a non esserci anima viva a bordo, mancava anche la scialuppa di salvataggio, cosa che fin da subito li indusse a pensare che l'equipaggio aveva deciso di abbandonare il brigantino.

In quel pomeriggio del 4 dicembre 1872, i tre marinai della *Dei Gratia*, setacciando l'intera nave, fecero ulteriori scoperte: le vele degli alberi erano quasi tutte ammainate, a brandelli o penzolanti, eccetto i due fiocchi e il parrocchetto ben spiegati. La chiesuola aveva il coperchio di vetro rotto e la bussola mal ridotta, non più in grado di segnare il nord, due portelli dei boccaporti erano scardinati e nove barili del carico vuoti. Nella stiva c'erano tre piedi e mezzo d'acqua e il sartiame era in disordine, tutti problemi che comunque non compromettevano la navigazione. Le zone destinate alla conservazione del cibo erano piene di provviste e le cassapanche dei marinai stranamente intatte. Tutto ciò rafforzava l'ipotesi che gli occupanti, per qualche ragione oscura, fossero stati costretti ad abbandonare in tutta fretta la *Mary Celeste*.

Quando perquisirono la cabina del comandante, gli uomini rinvennero, sotto la sua branda, una piccola spada nel proprio fodero, la cui lama era segnata da macchie all'apparenza di sangue. Singolare era l'assenza di attrezzature e strumenti di orientamento, mentre l'ultima annotazione sul giornale di bordo risaliva al 25 novembre e non riportava alcun problema di sorta. Si narra anche che nel materasso bagnato di un letto fosse impressa la forma di una bambina addormentata.

In seguito alla vicenda vi fu un'inchiesta condotta dal procuratore generale di Gibilterra, Frederick Solly Flood, con la quale vennero prese in esame diverse ipotesi. Una di queste vedeva Briggs e Morehouse essersi accordati per perpetrare una truffa a danno dell'assicurazione, ma era un'accusa che non stava in piedi visto che Briggs era comproprietario e ci avrebbe soltanto rimesso del denaro. Scartati in seguito trombe marine e mostri degli abissi, assalto dei pirati e collisioni con barriere rocciose, l'ipotesi più accreditata divenne quella di una fuoriuscita improvvisa di vapori dovuta a una trasudazione dell'alcol, per via di una variazione di temperatura, a seguito della quale l'equipaggio si era allontanato dalla nave con la scialuppa non riuscendo più a farvi ritorno. Nell'ampio ventaglio di congetture ne spuntò una tanto singolare quanto inquietante: un viaggiatore clandestino che aveva sterminato l'intero equipaggio.

Della storia della *Mary Celeste* si interessò anche un giovane medico chirurgo ventitreenne, con studio professionale in un sobborgo di Portsmouth, in Inghilterra, che si ispirò alla vicenda per scrivere un racconto breve dal titolo *J. Habakuk Jephson's Statement*, pubblicato in forma anonima nel gennaio 1884 sulla rivista londinese "Cornhill Magazine". Grazie proprio a tale opera, ricalcante i reali accadimenti, costruì la sua carriera di grande scrittore. Quel medico era Arthur Conan Doyle. Egli non avrebbe mai potuto immaginare che, attraverso poche righe, avrebbe assicurato un'aura di immortalità alla *"Marie Celeste"*, come l'aveva chiamata lui. E da quel momento la storia reale e quella inventata da Doyle hanno viaggiato l'una accanto all'altra, confondendosi spesso, come il presunto ritrovamento della tavola imbandita con scodelle contenenti cibo da parte degli uomini di Morehouse, secondo alcuni corrispondente a realtà, secondo altri frutto di fantasia dello scrittore.

Negli anni successivi la *Mary Celeste* cambiò diversi proprietari, ma nessuno di loro ottenne profitto. Il brigantino, oltre a rappresentare l'archetipo della nave fantasma, si portò addosso il marchio dalla sfortuna, al punto che i marinai rifiutavano di imbarcarsi.

La *Mary Celeste* fu affondata intenzionalmente nel 1885 presso la scogliera Rochelois, ad Haiti, come tentativo di truffa poi scoperto e sventato. Dei tre uomini, artefici dell'inscenato naufragio, uno morì tre mesi dopo, uno finì in manicomio, l'altro si suicidò. Il relitto rimase abbandonato a lungo nello stesso punto di collisione con la scogliera e nel 2001 ne furono trovati i resti grazie a una spedizione guidata dallo scrittore Clive Cussler.

Arthur Stanley Briggs, unico superstite della famiglia Briggs, rimase dapprima con la nonna materna e successivamente con lo zio William H. Cobb, reverendo di Uxbridge, cittadina del Massachusetts dove crebbe insieme ai cugini. Si sposò con Margaret Hovey Holmes, da cui ebbe due figli. Malato di cuore, morì di infarto all'età di 66 anni, precisamente il 31 ottobre del 1931, giorno che per ironia della sorte sarebbe stato quello in cui la sorella Sophia Matilda avrebbe festeggiato il compleanno.

Il fratello marinaio di Benjamin, Oliver Everson Briggs, morì sulla propria imbarcazione, la *Julia A. Hallock*, a causa di un naufragio nel Golfo di Biscaglia, in una zona dell'Oceano Atlantico tra la Francia dell'ovest e la Spagna del nord, avvenuto nel gennaio del 1873, mentre la vicenda della *Mary Celeste* era in discussione a Gibilterra. Sopravvisse per quattro giorni sul relitto e morì due ore prima dell'arrivo dei soccorsi. I due fratelli, che per quell'inverno avevano progettato di ritrovarsi insieme al porto di Messina, non si incontrarono mai.

Un altro dei fratelli Briggs, James Cannon, vissuto fino al 1922, ebbe un figlio di nome James Franklin Briggs, il quale si adoperò per ricostruire la storia della *Mary Celeste*, avvalendosi dell'aiuto del cugino, Oliver W. Cobb, di Harry S. Morehouse, figlio del capitano della *Dei Gratia*, e di tante altre persone in qualche modo legate alla vicenda. Nel 1944 pubblicò un saggio dal titolo *In the wake of the Mary Celeste*, che rimane a oggi uno dei più autorevoli scritti sull'argomento. Morì nel settembre del 1952 a Boston.

Come accennato nel romanzo, il capitano Nathan Spooner Briggs, padre di Benjamin, nel 1870 venne mortalmente colpito da un fulmine sulla soglia di casa a Marion, conosciuta con il nome di Rose Cottage, uno dei luoghi di ispirazione per le poesie che amava scrivere. Le sue spoglie, così come quelle dei figli Oliver e James, del nipote Arthur, dei reverendi Leander Cobb e William Cobb, rispettivamente padre e fratello di Sarah Elizabeth, sono sepolte all'Evergreen Cemetery di Marion, nel Massachusetts. Nello stesso cimitero è stato eretto un cenotafio a commemorazione di Benjamin Briggs, Sarah Elizabeth e Sophia Matilda. L'iscrizione recita: CAPT. BENJ S. BRIGGS BORN APR 24 1835, SARAH E. COBB HIS WIFE BORN APR 20 1841, SOPHIA M., THEIR DAUGHTER, BORN OCT 31 1870. LOST IN BRIG MARY CELESTE NOV 1872.

Frances "Fannie" N. Richardson (nata Spates), vedova di Albert, non si risposò e visse fino all'età di 99 anni a New York, nel quartiere Brooklyn, dove morì il 29 aprile 1937.

Qualche tempo dopo i fatti, Emma J. Head, vedova di Edward William, scrisse al consolato statunitense di Gibilterra per riavere gli effetti personali del marito.

I beni appartenenti alla famiglia Briggs, trovati a bordo della *Mary Celeste*, furono fatti recapitare successivamente a uno dei fratelli di Benjamin dal console Horatio J. Sprague di Gibilterra. Manufatti, spada e armonium compresi, ma anche lettere manoscritte, fotografie e dipinti, sono esposti al Peabody Essex Museum di Salem, Massachusetts. Proprio lì è conservata una lettera pervenuta al Rose Cottage di Marion, proveniente da New York prima della partenza della *Mary Celeste*, in cui Mrs. Briggs racconta al figlio Arthur aneddoti sul conto di Sophia Matilda, menzionando tra l'altro le bambole Daisy e Sarah Jane e la gatta di bordo, dalla piccola chiamata davvero "Poo-uh Poo".

Il primo ufficiale della *Dei Gratia*, Oliver Deveau, sospettato anch'egli di crimini a bordo della *Mary Celeste*, venne poi riconosciuto come l'eroico salvatore del brigantino. Quando, tra tanti pericoli, riuscì a condurlo al porto di Gibilterra, scrisse una toccante lettera alla moglie, di cui è citato uno stralcio a inizio libro. Divenne successivamente capitano. Dopo un ultimo viaggio a Cuba, fu costretto ad abbandonare la propria imbarcazione per fare ritorno in Canada, poiché gravemente malato. Si spense nella sua casa di Brighton in Nuova Scozia il 10 settembre 1912, all'età di 76 anni.

Danny Lyons fu arrestato nel 1887 per l'omicidio di un altro gangster, un certo Joseph Quinn, anch'egli della banda dei Whyos. Gli sparò in strada tendendogli un'imboscata e Quinn morì poco dopo al Bellevue Hospital. Lyons venne giustiziato nella prigione di The Tombs, a New York, il 21 agosto 1888.

Le elezioni presidenziali degli Stati Uniti d'America del 1872 si conclusero con la vittoria del repubblicano Ulysses Grant, grazie soprattutto al fatto che il principale sfidante, il democratico Horace Greeley, fu colto da morte improvvisa il 29 novembre, mentre la *Mary Celeste* si trovava con ogni probabilità alla deriva tra le Azzorre e le coste del Portogallo. A oggi, risulta l'unica elezione presidenziale in cui uno dei due sfidanti sia morto durante il procedimento elettorale.

La Fraunces Tavern, locanda e birreria nata come luogo di ritrovo per molti dei padri fondatori degli Stati Uniti d'America, è oggi un importante museo e ristorante, vera attrazione turistica di New York. È l'unica struttura, ritenuta tra le più antiche della città, che consente ai visitatori, tra un aperitivo o una cena, di scoprire il passato rivoluzionario americano. Dal 1866 al 1881, il custode della taverna era realmente un certo William Stubner.

Il Bellevue Hospital è il più antico ospedale pubblico degli Stati Uniti d'America e ancora oggi uno dei più importanti. Fu fondato vicino all'East River poiché disponeva di ampi spazi in grado di accogliere i malati di febbre gialla in quarantena. Nel 1861, presso la struttura, nacque il primo college medico di New York collegato a un ospedale.

Il primo formaggio spalmabile americano di cui, nel romanzo, è ghiotta Sophia Matilda Briggs, fu prodotto proprio a New York nel 1872 dal casaro statunitense William Lawrence. Otto anni dopo fu adottato il nome "Philadelphia", poiché la qualità maggiore di questo tipo di formaggio veniva prodotta nella città della Pennsylvania.

Il *Trattato sui veleni* di Mathieu José Bonaventura Orfila Rotger, meglio conosciuto come Mathieu Orfila, figura medica di rilievo internazionale anche nella politica per la gestione del sistema sanitario francese, segnò l'emergere della moderna tossicologia clinica e forense. Suddiviso in due volumi, esplora vari argomenti, riguardanti esperimenti sugli animali, criminologia e chimica avanzata.

James Henry Winchester, armatore della *Mary Celeste*, fu interrogato durante il processo di Gibilterra dal procuratore Frederick Solly Flood. A proposito del ritrovamento della spada nella cabina di Briggs, egli affermò di non esserne a conoscenza, ritenendo molto più probabile che il capitano o il primo ufficiale possedessero un revolver o una pistola.

Il revolver Colt Navy 1851 era l'arma preferita da Samuel Colt, famoso inventore e imprenditore statunitense, che fece brevettare nuove tipologie di pistole con tamburo ad avancarica, sviluppando un'idea avuta da ragazzo mentre osservava il funzionamento della ruota del timone sul brigantino *Corvo*, dove si era imbarcato. Fu lui a chiamarla Navy indicandone così l'uso per la marina grazie al suo calibro contenuto, il .36. Venne però venduta in maggiore quantità all'esercito e divenne compagna inseparabile dei Nordisti durante la Guerra Civile.

In alcuni documenti riguardanti il ritrovamento della *Mary Celeste*, è riportata, quale data di avvistamento da parte della *Dei Gratia*, il 5 dicembre anziché il 4. Questa difformità è spiegata dal fatto che nel XIX secolo era in uso l'ora di mare, di dodici ore avanti rispetto all'ora di terra, che comunque rimaneva quella ufficiale per le registrazioni. Solo diversi anni dopo, nel 1884, sarebbe stato adottato come standard mondiale l'espressione di tempo in GMT (Greenwich Mean Time), meglio nota come fuso orario, sostituita nel 1972 dall'UTC (Coordinated Universal Time), che si basa su misurazioni condotte da orologi atomici anziché su fenomeni celesti.

Riguardo agli uomini dell'equipaggio, vi sono poche notizie in merito al loro passato, cosa che ha portato perfino a una storpiatura dei nomi. I fratelli Lorenzen, in alcuni testi, vengono chiamati Lorenson. Boz viene nominato come Boy, mentre Goodschaad come Goodschaal o Gondeschall.

Grazie a una lettera firmata T.A. Nickelsen, indirizzata al consolato statunitense di Gibilterra, è emerso che Boz e Volkert Lorenzen, originari di Utersum, località dell'isola di Föhr, facente parte delle Frisone Settentrionali, erano entrambi sposati. Inoltre, Volkert aveva una figlia di nome Ida.

Arian Martens ebbe due figlie, ma una di loro non la conobbe mai. Clara Martens nacque infatti qualche mese dopo gli accadimenti e visse presumibilmente in Germania fino al 1936.

Tutti, infine, sono concordi nel ritenere Gottlieb Goodschaad il marinaio più misterioso della *Mary Celeste*, l'unico sul cui conto non esiste la benché minima informazione.

La parte che precede è storia. La figura del dottor Antonio Gagliardo e la vicenda del peschereccio *Ada Godosch* sono invece frutto della fantasia degli autori, sebbene vi sia testimonianza dell'esistenza di un certo Andrea Gagliardo (nel romanzo il cugino del protagonista), contadino tredicenne della Val Fontanabuona, una valle del ponente genovese, che si imbarcò da Genova per New York nella primavera del 1847 a bordo del brigantino *Bettuglia*, per poi varcare ancora l'Atlantico altre quattordici volte nel giro di quarant'anni circa. Di alcuni suoi viaggi è rimasta traccia in un manoscritto autobiografico, di cui copia è conservata nell'*Archivio ligure della scrittura popolare*, Dipartimento di Storia moderna e contemporanea, Università di Genova.

La nostra, dunque, è una personale ricostruzione, in chiave di fiction, di ciò che è considerato il più grande mistero dei mari, che va ad aggiungersi alle tante teorie sull'oscura sparizione dell'equipaggio.

Milano, dicembre 2022
Salvatore Lecce e Cataldo Cazzato

Appendice

Personaggi

Antonio Gagliardo	medico del Bellevue Hospital di New York
Benjamin Spooner Briggs	capitano, comandante della *Mary Celeste*
Sarah Elizabeth Briggs	moglie del capitano Briggs
Sophia Matilda Briggs	figlia del capitano Briggs
Albert G. Richardson	primo ufficiale della *Mary Celeste*
Andrew Gilling	secondo ufficiale della *Mary Celeste*
Edward William Head	cuoco e cambusiere della *Mary Celeste*
Gottlieb Goodschaad	marinaio della *Mary Celeste*
Boz Lorenzen	marinaio della *Mary Celeste*, fratello di Volkert
Volkert Lorenzen	marinaio della *Mary Celeste*, fratello di Boz
Arian Martens	marinaio della *Mary Celeste*
David Reed Morehouse	capitano, comandante della *Dei Gratia*
Oliver Deveau	primo ufficiale della *Dei Gratia*
John Wright	secondo ufficiale della *Dei Gratia*
John Johnson	marinaio della *Dei Gratia*
Agnes Campbell	domestica del dottor Gagliardo

La famiglia Briggs

Nathan Spooner Briggs

Benjamin Spooner Briggs

Arthur Stanley Briggs

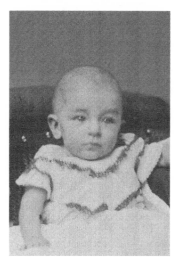

Sophia Matilda Briggs

La Mary Celeste

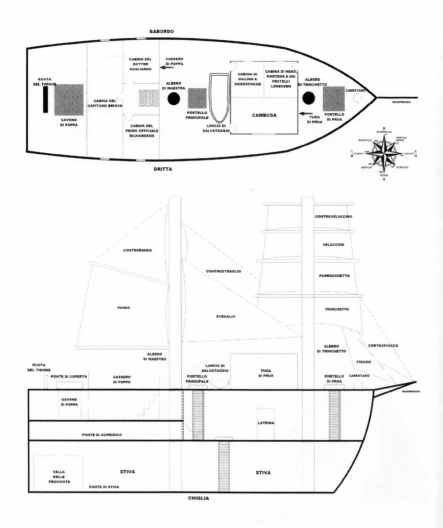

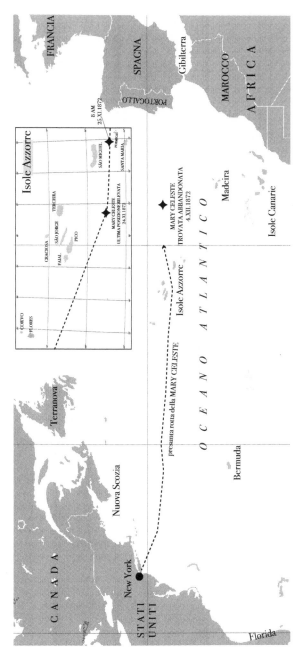

La presunta rotta della *Mary Celeste*

Dipinto del 1861 del brigantino *Amazon* (in seguito *Mary Celeste*)
a opera di un artista sconosciuto (forse Honoré Pellegrin)

Glossario

Abbrivio – È il modo di procedere per inerzia di un natante una volta cessata la spinta dei mezzi di propulsione.

Alberatura – Il complesso degli alberi di una nave con le loro strutture accessorie (come sartie, coffe, rigge ecc.) con tutte le relative manovre dormienti.

Albero – Costituisce la struttura destinata a sorreggere la velatura. Normalmente verticale o leggermente inclinato verso poppa, è individuato, in base alla posizione longitudinale da prua a poppa, come albero di trinchetto, albero di maestra e albero di mezzana. Gli alberi delle navi possono essere costituiti da un solo pezzo oppure da più pezzi collegati tra loro. Se composto di più parti, l'albero è costituito (iniziando dal basso) da tronco maggiore, albero di gabbia e alberetto; tali parti sono collegate tra loro mediante appositi elementi (coffe, crocette, teste di moro). Sono incastrati all'estremità inferiore (mediante miccia nella scassa del paramezzale e mastre nei ponti); sono sostenuti da cavi (manovre fisse o dormienti) disposti, rispetto alla nave, trasversalmente (sartie e paterazzi) e longitudinalmente (stragli). Per sostenere le vele, gli alberi sono muniti di bome, pennoni e picchi, che sono manovrate mediante bracci, drizze e amatigli (cordami) facenti parte delle manovre mobili o correnti.

Babordo – Termine mutuato dall'olandese per indicare il lato sinistro della nave.

Becheggio – Movimento oscillatorio di una nave rispetto all'asse trasversale per effetto del moto ondoso in modo che la prua e la poppa siano innalzate sulla cresta o sprofondate nel cavo delle onde.

Bolina – Manovra corrente che sulle navi a vele quadre serve a tendere il gratile (bordo verticale) sopravvento delle vele stesse. Siccome questa manovra viene messa in funzione quando la nave procede con andatura stretta, ossia in una direzione che ha un angolo piuttosto piccolo con la direttrice del vento, il suo nome è divenuto indicativo dell'andatura stessa e del relativo assetto delle vele. Nell'andatura di bolina, l'imbarcazione a vela riceve il vento a un angolo inferiore ai 90° rispetto alla rotta seguita (67° dalla prua per le vele quadre e 45° per le vele latine e le rande).

Bompresso – Albero molto inclinato od orizzontale che nella stessa direzione dell'asse longitudinale dello scafo fuoriesce dalla prua dei velieri e consente lo spiegamento di molti fiocchi.

Brigantino – Veliero con due alberi a vele quadre (di trinchetto verso prua e di maestra a poppa) e bompresso. Sull'albero di maestra era ordinariamente inferita anche una randa aurica. In origine era una variante minore della galea, con un solo ponte.

Bugliolo – Denominazione di vari tipi di secchio, tra cui i recipienti a doghe di legno con manico di corda e quelli utilizzati nelle latrine per espletare i bisogni corporali.

Bussola – È lo strumento fondamentale per la condotta della navigazione. È costituita da un elemento sensibile, posto su un piano orizzontale, mobile e con la possibilità di ruotare intorno a un asse verticale rispetto alla direzione della prua della nave, una rosa graduata vincolata all'elemento sensibile e una linea di fede allineata con la direzione prodiera dell'asse longitudinale della nave. Fino alla fine dell'Ottocento, la rosa era graduata in 32 quarte; solo successivamente venne adottata la divisione della rosa in 360°.

Cabestano – Argano ad asse verticale usato in passato sulle navi a vela, costituito da un tamburo a campana intorno al quale si avvolgeva il cavo. Veniva impiegato per l'ancoraggio e per altre manovre richiedenti grande forza, come mettere in trazione un cavo.

Cambusa – Locale della nave nel quale venivano riposti e conservati i viveri, all'occasione usata anche come cucina.

Cambusiere – Marinaio addetto alla cambusa, ossia alla custodia e alla distribuzione dei viveri sulle navi.

Canapa – Fibra tessile vegetale utilizzata un tempo in marina per costruire cavi e gomene.

Cassero – Parte generalmente rialzata del ponte di coperta degli antichi velieri compresa tra l'albero di maestra e il casseretto, nella quale erano in genere collocati gli alloggi degli ufficiali.

Caviglia – Nelle imbarcazioni a vela del tipo tradizionale, è un perno di legno o metallo utilizzato per fissare le manovre correnti. Le caviglie per le manovre di ogni albero sono raccolte in speciali rastrelliere dette cavigliere. Si dice altresì caviglia ciascuna delle maniglie o impugnature disposte radialmente attorno alla ruota del timone per manovrarla più saldamente.

Chiesuola – Custodia e colonna in materiale diamagnetico che protegge e sostiene la bussola magnetica navale.

Chiglia – Elemento strutturale fondamentale di ogni costruzione navale posto nel senso longitudinale dello scafo e appartenente alla struttura del fondo; è costituito da una trave, o da una serie di travi saldamente connesse, che sotto alla carena, si estende dalla ruota di prua al dritto di poppa e sostiene i madieri delle coste trasversali.

Cima – Denominazione marinaresca generica di ogni fune o corda di fibra vegetale che abbia un diametro di media dimensione. Per quelle più piccole si usa il termine sagola.

Controfiocco – La più avanzata, verso prua, delle vele prodiere (fiocchi). È la più alta e la più piccola di tali vele.

Controranda – La vela aurica (triangolare) issata al di sopra della randa. È detta anche freccia.

Coperta – Il ponte principale che, generalmente scoperto, si estende da prua a poppa e chiude superiormente lo scafo di ogni nave.

Dritta – Denominazione marinaresca della destra, detta anche, meno comunemente, tribordo.

Drizza – Genericamente s'intendono le manovre che servono per sollevare, per issare un oggetto e in modo particolare per issare le vele. Le drizze prendono poi il nome dalla vela, o in generale, dall'oggetto alla manovra del quale sono destinate; si hanno così la drizza del fiocco, la drizza della randa, e, nel caso di vele auriche, la drizza di penna e la drizza di gola.

Fasciame – Rivestimento strutturale esterno di ogni scafo. È collegato alle strutture di sostegno e reso a tenuta stagna mediante il calafataggio. Garantisce robustezza e impermeabilità allo scafo.

Filare – Nel linguaggio marinaresco significa lasciare scorrere una cima o una qualsiasi fune.

Fiocco – Vela triangolare di taglio collocata tra l'albero verticale prodiero e l'estremità della prua o del bompresso, inferita a uno strallo e manovrata da una scotta fissata all'angolo libero. I fiocchi facilitano la stabilità della rotta del veliero nella direzione voluta.

Fregata – Veliero da guerra con due ponti di batteria e armato con tre alberi a vele quadre.

Galletta – Termine che indica il pane di bordo, cotto due volte, di forma semicircolare, piatta e cosparso di buchi. Nei velieri rappresentava il pane del marinaio ed era in uso in tutta la marineria del mondo.

Gavone – Spazio a pozzo (con apertura dal lato superiore del vano), tipicamente ricavato sul ponte di coperta, per lo stivaggio di alcuni materiali di piccole dimensioni utili durante la navigazione o in manovra, oppure in emergenza.

Giardinetto – Ognuna delle due parti estreme dei fianchi poppieri di un'imbarcazione; il nome è derivato dagli antichi vascelli, un tempo muniti nella zona poppiera di una balconata adorna di piante.

Giornale di bordo (o di chiesuola) – Registro sul quale il comandante della nave annotava tutti gli elementi relativi alla navigazione (rotta, velocità, manovre, stato del tempo, avvistamenti) e all'andamento di bordo (incidenti, rimbarchi, sbarchi).

Goletta – Nave a vela con due alberi, di trinchetto il prodiero e di maestra il poppiero, a vele auriche (randa e controranda), con bompresso e fiocchi.

Gomena – Grossa fune usata per ormeggio, tonneggio o rimorchio.

Gratile – Cavo di rinforzo cucito internamente all'orlo lungo tutto il bordo della vela.

Grisella – Fune tesa orizzontalmente fra le sartie per costituire una scala per la salita dei marinai sugli alberi.

Intregnare – Inserire tra le caviglie (o legnoli) di una cima una sagola in modo da riempire i loro interstizi e da renderne liscia la superficie esterna.

Lancia – Leggera imbarcazione a remi (ma talvolta dotata anche di una vela, per lo più latina o a tarchia) e con la poppa a specchio (costituita, cioè, da una superficie piana ortogonale alla chiglia), usata sulle navi antiche per i servizi ausiliari.

Lasco – Indica l'andatura a vela che si ha quando il vento soffia da 100° a 160° rispetto alla prua. L'imbarcazione riceve il vento a poppavia del traverso, ossia da una parte posteriore alla sua linea trasversale mediana.

Maestra – La vela più bassa e più grande (detta anche trevo) spiegata sull'albero maggiore (maestro) di ogni nave.

Mascone – Parte dei fianchi di una nave, dove questa comincia a stringersi per formare la prua.

Miglio – È la lunghezza di 1' di meridiano terrestre; il miglio all'equatore è lungo 1842,92 m e in prossimità del polo geografico 1861,66 m dal momento che la Terra è molto prossima a un'ellisse. Il miglio marino internazionale stabilito dalla Conferenza Idrografica Internazionale del 1829, misura 1852 m e corrisponde alla lunghezza di 1' di meridiano ellissoidico alla latitudine di 44° 13'.

Murata – Ciascuna delle due parti laterali interne dello scafo di una nave al di sopra della linea di galleggiamento.

Nodo – Unità di misura della velocità di un'imbarcazione, corrispondente al tempo impiegato per percorrere un miglio marino (1852 m). La denominazione deriva dal funzionamento dell'antico solcometro a barchetta.

Ormeggiare – Uno o più mezzi di ritenuta di una nave affinché possa rimanere in una determinata posizione resistendo all'azione del vento e del mare.

Orzare – Modificare l'andatura di una nave portando la prua ad avvicinarsi alla direzione di provenienza del vento. Si dice anche "andare all'orza" o "venire all'orza".

Osteriggio – Lucernario a vetri, apribile a cerniera, che copre un'apertura praticata sul ponte per dare luce e aria ai locali sottostanti.

Parapetto – Riparo che corre lungo il bordo dei ponti e l'orlo delle sovrastrutture.

Paratia – Elemento continuo di separazione verticale all'interno di uno scafo o a delimitazione delle sue sovrastrutture, come il cassero e la tuga.

Parrocchetto – Secondo tronco, a partire dal basso, dell'albero di trinchetto. Assume tale nome anche il secondo pennone dell'albero di trinchetto a partire dal basso (pennone di parrocchetto) e la vela quadra spiegata al di sopra di quella di trinchetto (vela di parrocchetto).

Paterazzo – Ciascuno dei cavi fissi che rinforzano di lato e verso poppa i tronchi intermedi degli alberi.

Pennone – Lunga e robusta asta di forma prismatica nella zona centrale e troncoconica molto affusolata verso le estremità, disposta orizzontalmente a diverse altezze e connessa alla sua metà a un albero di una nave a vele quadre tramite uno snodo, detto trozza, perché possa sostenerle, tesarle e orientarle. Ogni pennone prende nome dalla vela che vi è fissata.

Piede – In origine il piede (*pes*) romano, derivato da quello greco, equivaleva a 295 mm ed era composto da quattro palmi (73,76 mm) di quattro dattili (18,44 mm) ciascuno. In seguito il piede venne suddiviso in 12 pollici e il palmo diventò una misura autonoma.

Pilota marittimo – Marinaio che manovra le navi attraverso acque pericolose o congestionate, come per esempio porti o foci di fiumi. I piloti marittimi sono in gran parte considerati professionisti qualificati nella navigazione in quanto sono tenuti a conoscere tutti i dettagli dei corsi d'acqua come profondità, correnti e pericoli, oltre a mostrare esperienza nella gestione di navi di tutti i tipi e dimensioni. Un "pilota di Sandy Hook" è un pilota marittimo autorizzato per il porto di New York e New Jersey, il fiume Hudson e l'estuario di Long Island.

Poggiare – Allontanare la prua dalla direzione del vento. Si dice anche "andare alla poggia" o "venire alla poggia".

Pollice – Antica misura lineare, generalmente pari a 1/12 di piede.

Ponte – Qualsiasi struttura continua che divida orizzontalmente una nave o ne copra lo scafo; in questo ultimo caso viene chiamato "ponte di coperta" o semplicemente "coperta".

Poppa – Dal latino *puppis* è l'estremità posteriore di una nave, opposta alla prua.

Poppavia – Forma avverbiale che significa "dalla parte di poppa".

Prodiero – Di quanto in una nave o imbarcazione è situato a prua o verso prua.

Proravia – Forma avverbiale che significa "dalla parte di prua (o prora)".

Prua (o prora) – Estremità anteriore della nave conformata in modo da fendere l'acqua.

Quarta – È la trentaduesima parte dalla rosa della bussola che corrisponde a 11° e 15'.

Randa – Vela di taglio, aurica, di forma quasi trapezoidale, anteriormente inferita all'albero e inferiormente al boma; la randa aurica è superiormente sostenuta dal picco.

Rollio – Movimento oscillatorio di una nave intorno al proprio asse longitudinale dovuto alle spinte laterali del moto ondoso.

Rotta – Il percorso che una nave segue o si ripromette di seguire in mare e che viene in genere tracciato preventivamente sulle carte nautiche.

Ruota – Organo di governo del timone, ma anche elemento costruttivo e parte dello scafo: ruota di prua, ruota di poppa.

Sagola – Sottile cavo bianco o catramato, di varia grandezza usato per griselle, scandagli, solcometri e per lavori ornamentali.

Salpare – Operazione che consiste nel sollevare le ancore dal fondo e sistemarle al loro posto a bordo; salpare in gergo marinaresco vuol dire "prendere il mare".

Sartia – Cavo disposto lateralmente che serve a fissare gli alberi nelle imbarcazioni a vela. Il termine è normalmente usato al plurale: si chiamano sartie maggiori quelle corrispondenti ai tronchi maggiori degli alberi di maestra, trinchetto e mezzana e sartie minori quelle corrispondenti alle gabbie e agli alberetti dai quali prendono il nome.

Sartiame – Insieme delle sartie di una nave.

Scafo – È il corpo di qualsiasi nave o natante. È costituito da due parti ideali: quella immersa che fornisce la spinta al galleggiamento e quella emersa fino al ponte superiore.

Scarroccio – Deviazione laterale dalla rotta per effetto della componente trasversale del vento sullo scafo, sulla velatura e sulle sovrastrutture.

Scialuppa – Termine che deriva dal francese *chaloupe*, per indicare una grossa imbarcazione che poteva anche essere munita di artiglieria. Altro nome per indicare la lancia.

Scotta – Cavo di manovra, semplice o con paranco, utilizzato per tendere (bordare) gli angoli inferiori delle vele secondo la direzione del vento.

Sentina – È la parte inferiore interna dello scafo nella quale sono raccolte le acque di scolo che non possono essere avviate fuori bordo.

Serrare – Raccogliere e legare strettamente le vele alle parti delle attrezzature che le sostengono.

Sestante – Strumento ottico utilizzato per la misurazione degli angoli. Con esso sono misurate le altezze degli astri sull'orizzonte marino.

Solcometro – Strumento per misurare la velocità di una nave. Nei tempi antichi era costituito da un apparecchio che, predisposto per restare stazionario nel punto in cui era stato lanciato in acqua, con l'allontanamento della nave svolgeva una sagola con nodi opportunamente distanziati: dal numero dei nodi passati nell'unità di tempo si ricavava la velocità. È per questo che tuttora, nell'uso marittimo, si usa esprimere la velocità in nodi, ossia in miglia nautiche percorse in un'ora.

Stiva – Spazio interno di una nave compreso tra il fondo e il ponte inferiore e destinato a ricevere le provviste, i materiali di consumo o di riserva, oltre, per il naviglio da guerra, alle munizioni e, per quello del commercio, al carico di mercanzia. Sulle antiche navi a vela, sul fondo della stiva, era sistemata anche la zavorra.

Straglio (o strallo) – Cavo che, fissato alla coperta, sostiene l'albero di una nave verso prua, su cui fissare le vele sussidiarie.

Straorzare – Avvicinare la prua alla direzione del vento in modo eccessivo e involontario, in genere per effetto di una velatura incompatibile con l'intensità del vento stesso.

Terzarolo – Ripiegatura che si fa alla vela per ridurne la superficie esposta al vento; tale ripiegatura è generalmente predisposta sulla vela stessa.

Tesare – Tendere un cavo sino alla tensione voluta.

Testa d'albero – Estremità superiore di un albero sul quale sono generalmente fissati dei fanali fissi o per segnalazioni.

Timone – Organo direzionale dei natanti, generalmente costituito da una pala di forma rettangolare o leggermente trapezoidale nella parte immersa, che si restringeva con un breve raccordo nella parte emersa. Il timone è posto su un asse verticale e collegato con cerniere al dritto di poppa, ed è in grado di far compiere spostamenti angolari alla nave.

Trinchetto – È l'albero più a prua di un bastimento a due o più alberi. È anche la più bassa delle vele quadre dell'albero di trinchetto.

Tuga – Parte rialzata della coperta che copre la cabina, spesso dotata di oblò.

Vedetta – Termine generico che designa a bordo ogni marinaio destinato alla vigilanza ottica.

Vela – Superficie di tela distesa sugli alberi in modo da utilizzare il vento come forza propulsiva. Le vele antiche erano costruite in tela olona; oggi sono usate fibre in poliestere e in poliammide.

Velaccino – Penultima vela quadra dell'albero di trinchetto partendo dal basso. La stessa denominazione è data al pennone che la sostiene mentre il tronco dell'albero che li porta è detto alberetto di velaccino e controvelaccino.

Velatura – Complesso delle vele di una nave ovvero il modo in cui esse sono disposte.

Zenit – Punto dato dall'intersezione della sfera celeste con il prolungamento verso l'alto della verticale nel luogo di osservazione. Un esempio pratico si ha quando il sole si trova allo zenit rispetto a un punto della superficie terrestre, fenomeno che si verifica alle 12:00 ora locale.

Bibliografia essenziale

BEGG Paul, *Mary Celeste: The Greatest Mistery of the Sea*, Routledge, Abingdon-New York, 2014.

BRIGGS James Franklin, *In the wake of the Mary Celeste*, da "Old Dartmouth Historical Sketches", n. 74, Old Dartmouth Historical Society, New Bedford, 1944.

BRYAN George S., *Mystery Ship, the Mary Celeste in Fancy and in Fact*, J.B. Lippincott, Philadelphia, 1942.

CIPOLLA Carlo M., *Velieri e Cannoni d'Europa sui mari del mondo*, UTET, Torino, 1969.

COBB Oliver W., *Rose Cottage*, Reynolds-DeWalt Publishers, New Bedford, 1968.

CONAN DOYLE Arthur, *J. Habakuk Jephson's Statement*, "Cornhill Magazine", Londra, 1884.

CURTI Orazio, *Il grande libro dei modelli navali*, Mursia, Milano, 1989.

CUSSLER Clive, DIRGO Craig, *Navi Fantasma*, Longanesi, Milano, 2005.

FANTHORPE Lionel, FANTHORPE Patricia, *The world's greatest unsolved mysteries*, Hounslow Press, Toronto, 1999.

FAY Charles Edey, *Mary Celeste: The odyssey of an abandoned ship*, Peabody Museum, Salem, 1942.

FAY Charles Edey, *The story of the "Mary Celeste"*, Dover Publications, New York, 1988.

FIND A GRAVE, https://www.findagrave.com/

GOLDSMITH-CARTER George, *Vele e velieri*, Mondadori, Milano, 1970.

HASTINGS MacDonald, *Mary Celeste*, MW Books, Galway, 1972.

HICKS Brian, *Ghost Ship*, Ballantine Book, New York, 2004.

MELVILLE Herman, *Redburn*, Marlin, Cava de' Tirreni, 2006.

Molinari Augusta, *Porti, trasporti e compagnie*, da "Storia dell'emigrazione italiana", vol. 1 (*Partenze*), Donzelli, Roma, 2001.

Porcella Marco, *Premesse dell'emigrazione di massa in età prestatistica (1800-1850)*, da "Storia dell'emigrazione italiana", vol. 1 (*Partenze*), Donzelli, Roma, 2001.

Rutherfurd Edward, *New York*, Mondadori, Milano, 2016.

The New York public library digital collection, https://digitalcollections.nypl.org/

Wilson Colin, Wilson Damon, *Il grande libro dei misteri irrisolti*, Newton Compton, Roma, 2006.

Ringraziamenti

Ci sono diverse persone a cui va la nostra profonda gratitudine per essere salite, prima di tutte, a bordo della *Mary Celeste*.

Mirella Francalanci, Cristina Vernizzi, Carmen Valente, Patrizia Ghilardi, Alice Mazzoni, Chiara Arrighi, Elisa Baglioni e l'intero team della casa editrice goWare per supporto, fiducia, editing e strategia editoriale.

Sara Vallefuoco, Andrea Galla e Fabiano Massimi, moschettieri dei Fossano Five, per fratellanza d'inchiostro, affetto, calore e professionalità.

Cristiano Parafioriti, Caterina Mancino, Elisa Branduardi, lettori fidati delle bozze, per analisi meticolose e preziosi consigli.

Un ringraziamento speciale è infine rivolto all'amico Luigi Perrotta, i cui versi riecheggiano nella raffinata penna di Albert Richardson.

Indice

Made in the USA
Middletown, DE
22 December 2022